리넨으로 만드는
에이프런과 소품 36

카토 요코 저

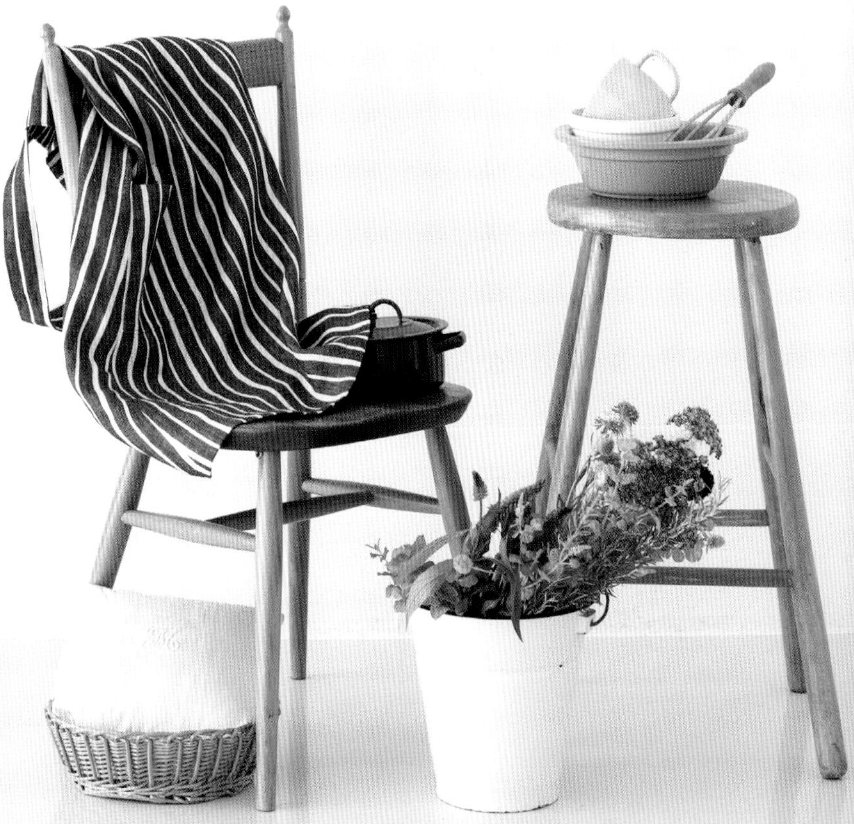

CONTENTS

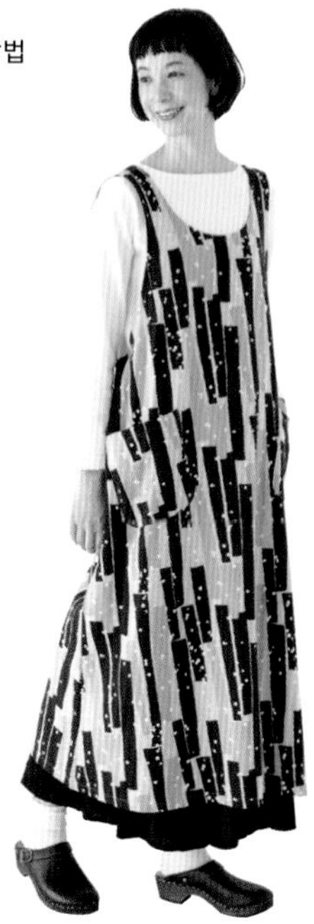

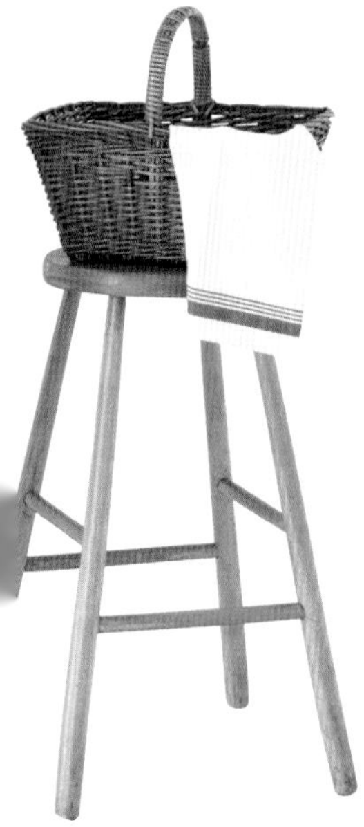

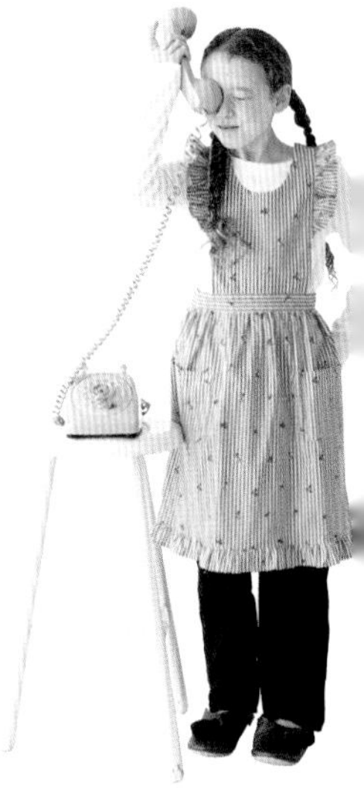

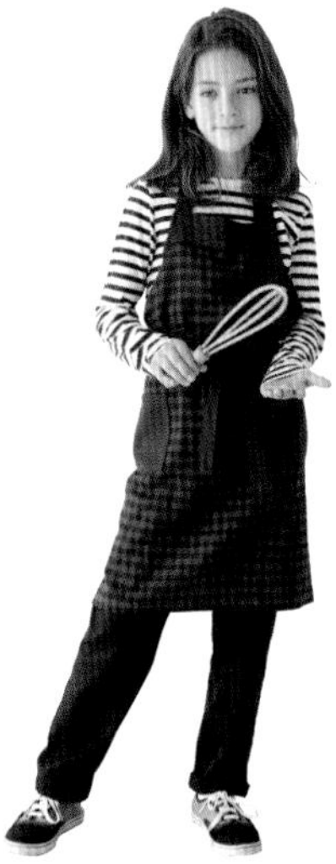

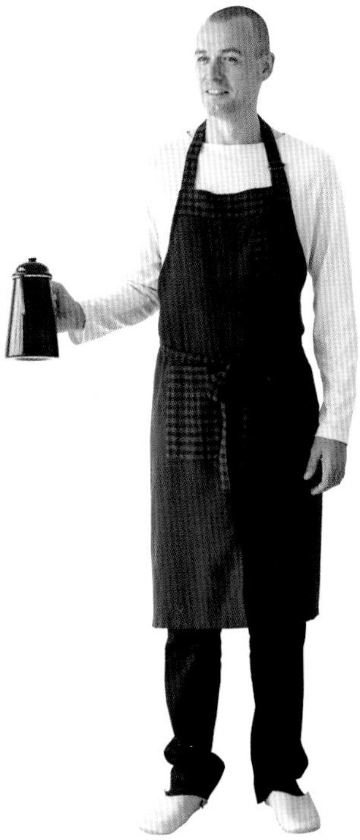

1

베이직 에이프런

그레이 바탕색에 큰 체크 무늬가 시원해보이는
에이프런입니다. 어깨끈의 길이가 고정되기 때
문에, 어깨끈을 달기 전 먼저 입어보고 길이를
결정하는 것을 추천합니다.

만드는 방법 P.46

| Back Style |

장바구니로 편리하게
쓰기 좋은 사이즈입니다.

2 / 마르쉐백

1번 에이프런과 같은 원단으로 만든
장바구니입니다. 어깨에 메거나 손에
들 때에도 적당한 길이의 손잡이로 만
들었습니다.

`만드는 방법` P.75

▶ PROCESS

마르쉐백 접는 방법

손바닥 정도 크기의 콤팩트한 사이즈로
접을 수 있어 휴대하기 편리합니다.

1

가방의 아래 모서리 부분 솔기를 따라 접고, 가방
전체가 평평해지도록 펼칩니다.

2

손잡이를 몸판 쪽으로 내려 접습니다.

3

가방의 중심을 향해 양 옆을 접습니다.

4

한 번 더 중심을 향해 길고 가느다랗게 접습니다.

5

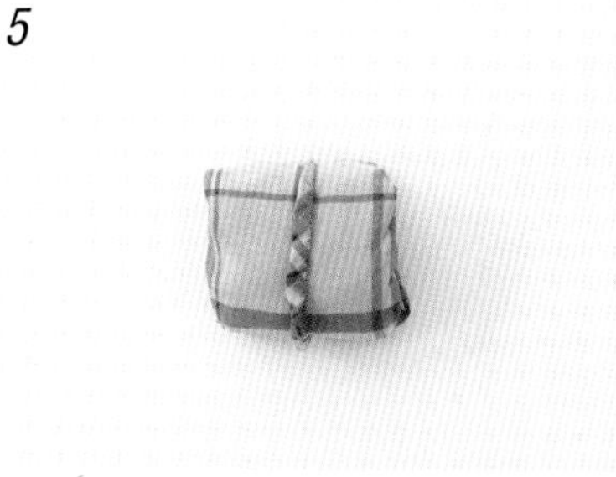

바닥 쪽부터 돌돌 말아 접고 끈으로 고정합니다.

3

베이직 쇼트 에이프런

| Back Style |

1번 에이프런의 길이를 짧게 만든 에이프런입니다.
허리를 끈이 아닌 단추로 고정하는 스타일로, 큰
무늬의 프린트가 잘 어울리는 디자인입니다.

만드는 방법 P.46

4 / 프릴 장식 에이프런

3번 에이프런에서 밑단을 라운드 형태로 변형시켜, 프릴을 단 에이프런입니다. 얇은 소재로 만들면 프릴 주름을 예쁘게 잡을 수 있습니다. 홀터넥 디자인으로 목 뒤로 리본을 묶으면 사랑스러운 아이템입니다.

만드는 방법 P.48

Back Style

5

프릴 장식 카페 에이프런

4번 에이프런에서 밑단 부분만 살려서 만든
에이프런입니다. 상큼한 레몬 무늬 원단이 싱
그러운 인상을 만들어 주어, 티타임 자리에도
딱 좋은 아이템입니다.

만드는 방법 P.49

.... | Back Style | ....

6 / 카슈쾨르 에이프런

베스트 스타일의 카슈쾨르 에이프런입니다. 블랙 바탕에 화이트 도트무늬 리넨이 성숙하고 여성스러운 느낌을 줍니다. 가슴의 핀턱, 뒷요크 절개 등 디테일을 살려 만든 아이템입니다.

만드는 방법 P.43

Back Style

7
카슈쾨르 긴소매 에이프런

6번 에이프런에 소매를 달아 만든 에이프런
입니다. 깨끗한 화이트 리넨으로 만들면 심
플해 보이면서도 다양한 디테일들이 눈에
띄는 멋스러운 아이템으로 완성됩니다.

만드는 방법 P.43

| Back Style |

8
두건 모자

7번 에이프런을 만들 때 자투리 천으로 함께 만든 두건
모자입니다. 뒤통수 쪽에 고무줄을 넣어 형태를 잡아주
며, 끈이 달려 있어 묶을 수 있는 디자인입니다.

만드는 방법 P.76

9
주름 장식 에이프런

간단하게 만들 수 있는 주름 장식 에이프런입니다. 만드는 방법은 심플하지만 앞·뒤의 주름 장식이 세련된 디자인입니다. 화보처럼 화려한 플라워 무늬의 원단으로 만들면 더욱 화사한 느낌으로 완성됩니다.

만드는 방법 P.50

| Back Style |

10

주름 장식 긴소매 에이프런

9번 에이프런에서 소매를 달아 만든 에이프런입니다. 튜닉 같은 느낌으로 입을 수 있어 일상복으로도 활용 가능한 아이템입니다. 추운 계절에는 화보처럼 목폴라에 레이어드하여 멋스럽게 즐겨보세요.

만드는 방법 P.50

| Back Style |

11 베스트 스타일 에이프런

위쪽을 카슈쾨르 디자인으로 만든 고급스러운 느낌의 베스트 스타일 에이프런입니다. 허리에 달린 끈을 둘러 앞쪽에서 리본으로 묶으면 스타일에 포인트가 됩니다.

만드는 방법 P.52

┄┄┄┄┄ ┤ Back Style ├ ┄┄┄┄┄

12

팔토시(짧은 길이)

11번 에이프런을 만들 때 자투리 천으로 함께
만든 팔토시입니다. 한 번 사용하면 손이 자주
가는 편리한 아이템이며, 여러 개 만들어 두면
선물용으로도 좋습니다.

만드는 방법 P.78

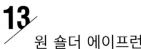

13
원 숄더 에이프런

11번 에이프런을 변형하여 만든 에이프런 입니다. 원 숄더 디자인으로 독특한 형태라 나만의 에이프런으로 포인트 주기 좋습니다. 어깨끈의 단춧구멍을 뚫기 전, 미리 입어본 다음 조절하는 것을 추천합니다.

`만드는 방법` P.53

| Back Style |

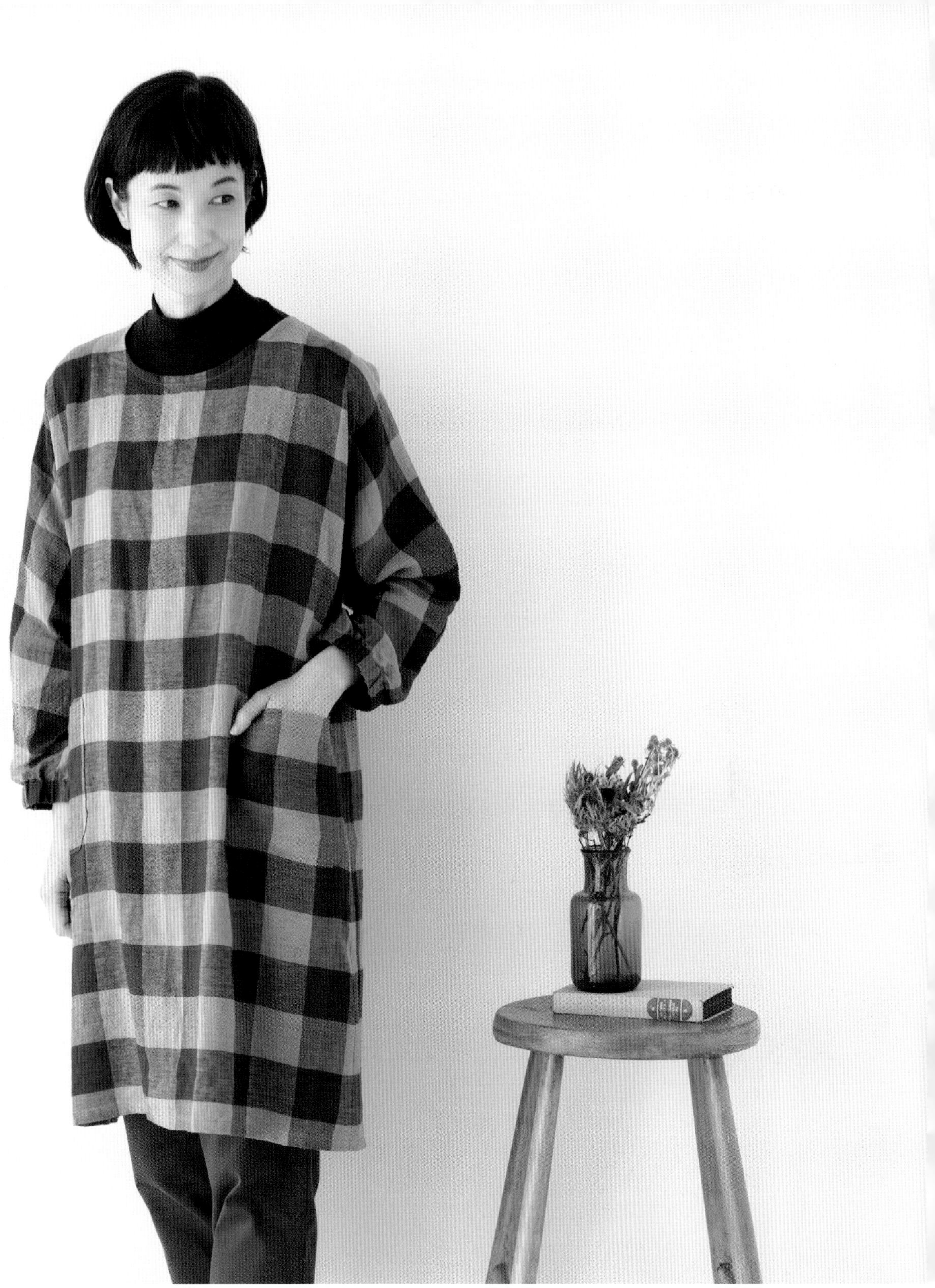

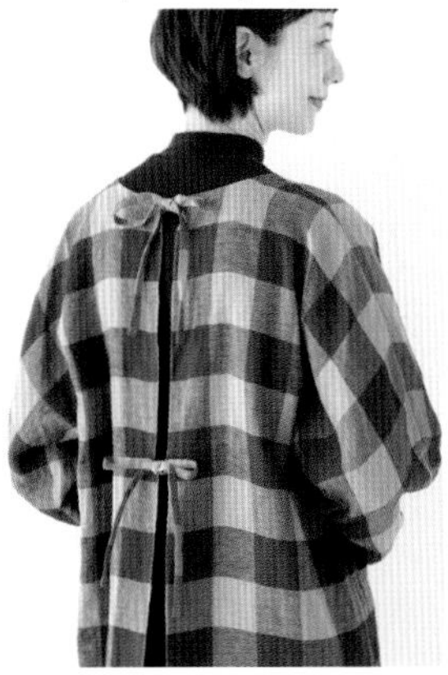

| Back Style |

14
돌먼 슬리브 에이프런

별도로 소매를 달 필요 없어 만들기 쉬운 돌먼 슬리브 에이프런입니다. 입었을 때 움직임이 편한 것이 이 옷만의 매력 포인트이며, 뒤쪽에서 끈으로 여미는 디자인입니다. 체크무늬 원단으로 만들어 심플한 스타일에 포인트로 활용해보세요.

만드는 방법 P.56

15 / 프랑세즈 에이프런

어깨끈이 등에서 교차하는 멜빵 스타일의
에이프런입니다. 앞쪽에 주머니가 있어 편
리하며, 넉넉하게 주름이 잡힌 스커트가
사랑스러운 아이템입니다. 다양한 의상과
코디하기 좋아 여러 벌 만들어 두는 것을
추천합니다.

만드는 방법 P.54

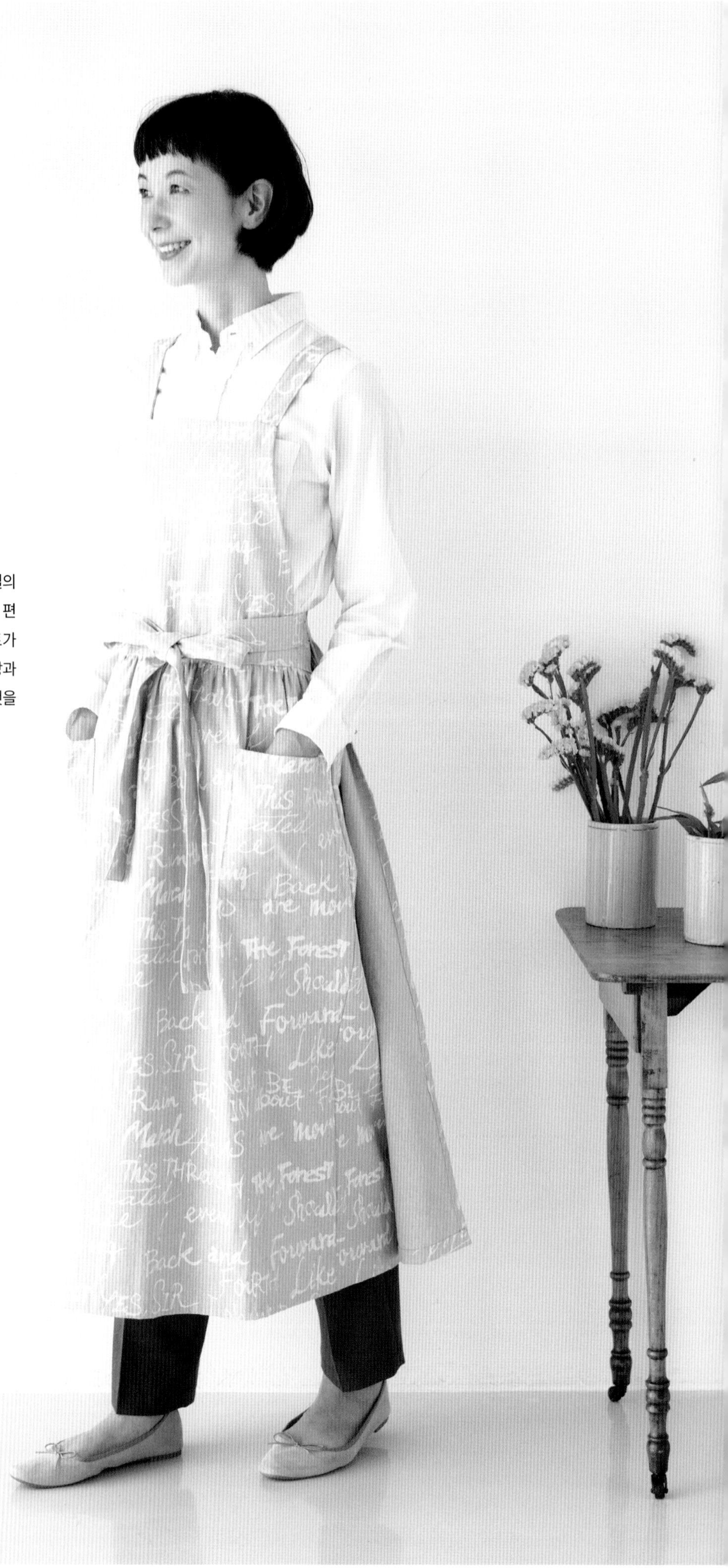

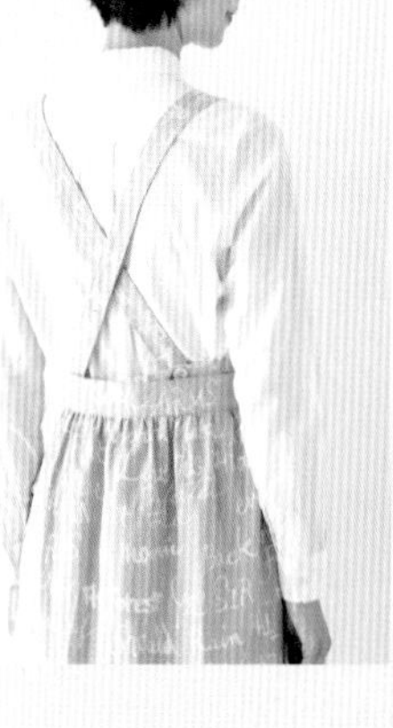

············ | Back Style | ············

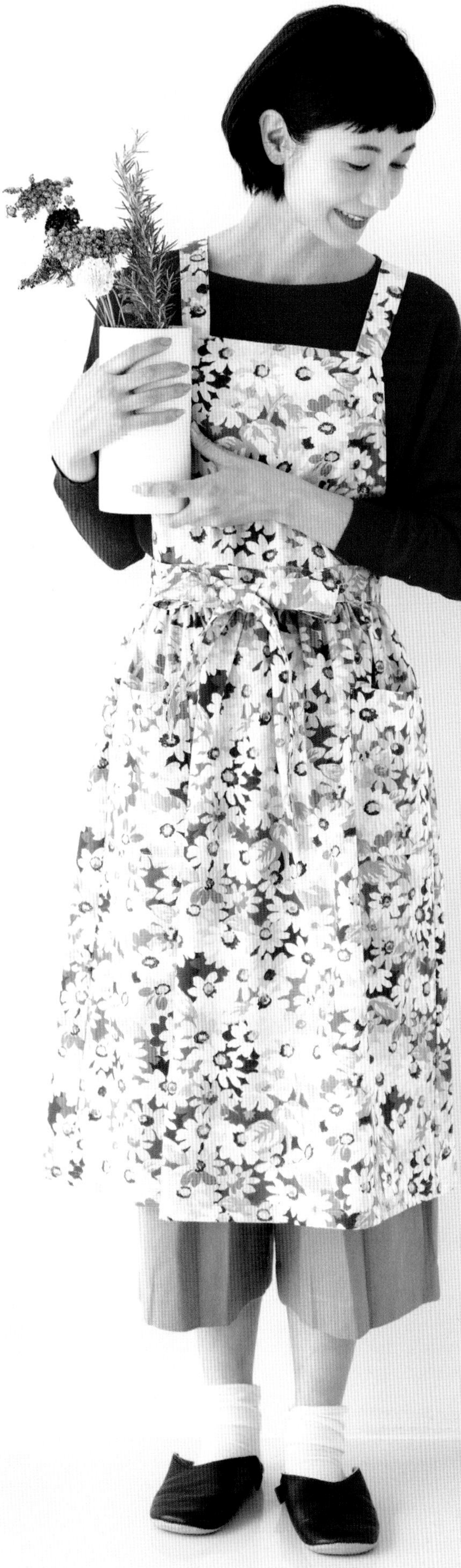

16 프랑세즈 쇼트 에이프런

15번 에이프런에서 스커트의 기장을 줄인 디자인입니다. 스커트의 길이가 짧아지며 한층 더 풍성한 실루엣을 연출해 귀여운 스타일로 완성됩니다.

만드는 방법 P.54

Back Style

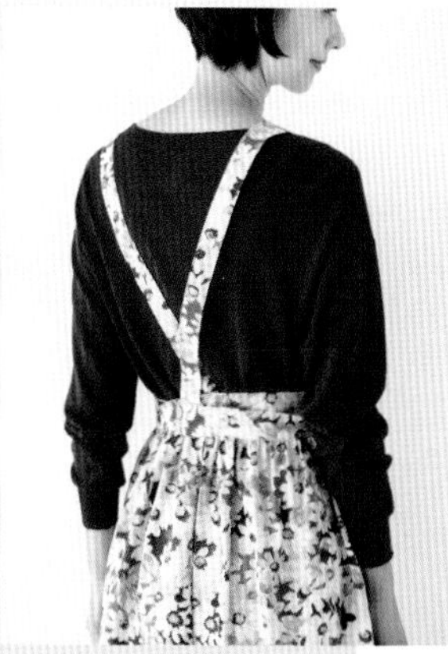

17

살롱 에이프런

주머니와 밑단 절개 부분에 배색천으로
포인트를 준 에이프런입니다. 심플한 디
자인이기 때문에 평상시에 사용하기 좋
은 아이템입니다.

만드는 방법 P.57

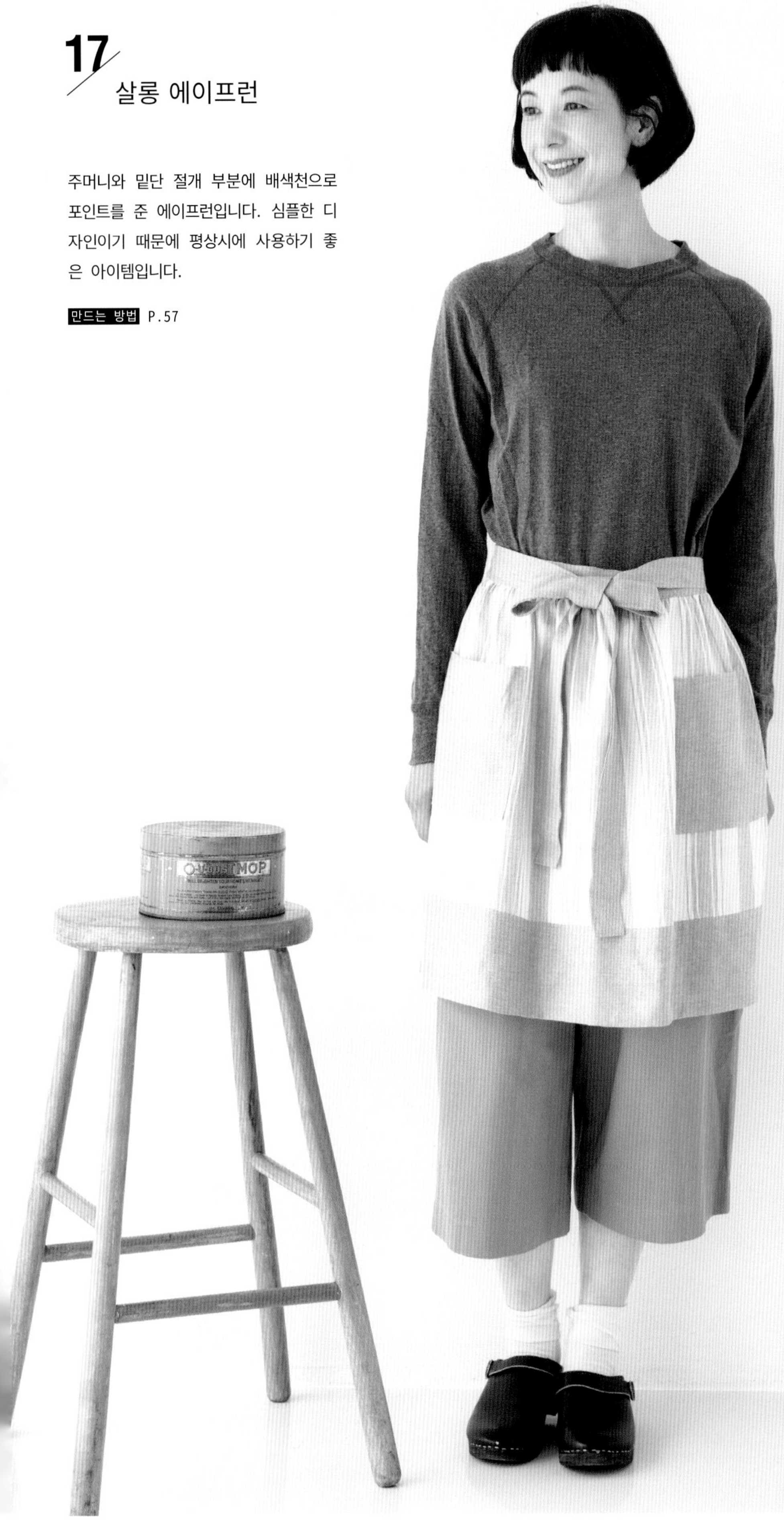

| Back Style |

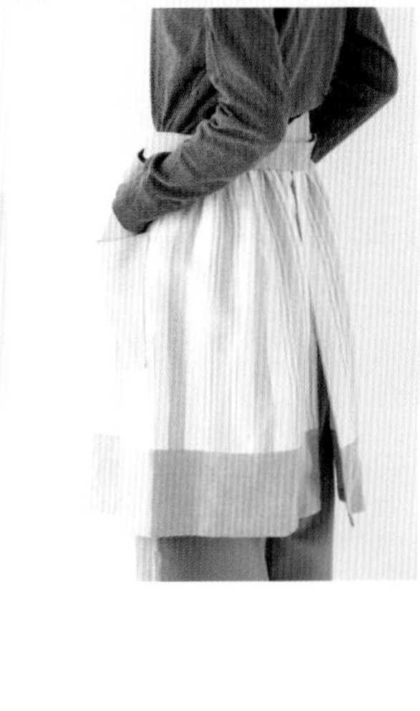

18

주방장갑

17번 에이프런을 만들 때 자투리 천으로 함께 만든 주방장갑입니다.
모양이 동일해 좌/우 어느 쪽으로든 사용할 수 있어 편리합니다. 장갑
위에 고리를 달아 걸어서 보관할 수 있도록 디테일을 더했습니다.

만드는 방법 P.77

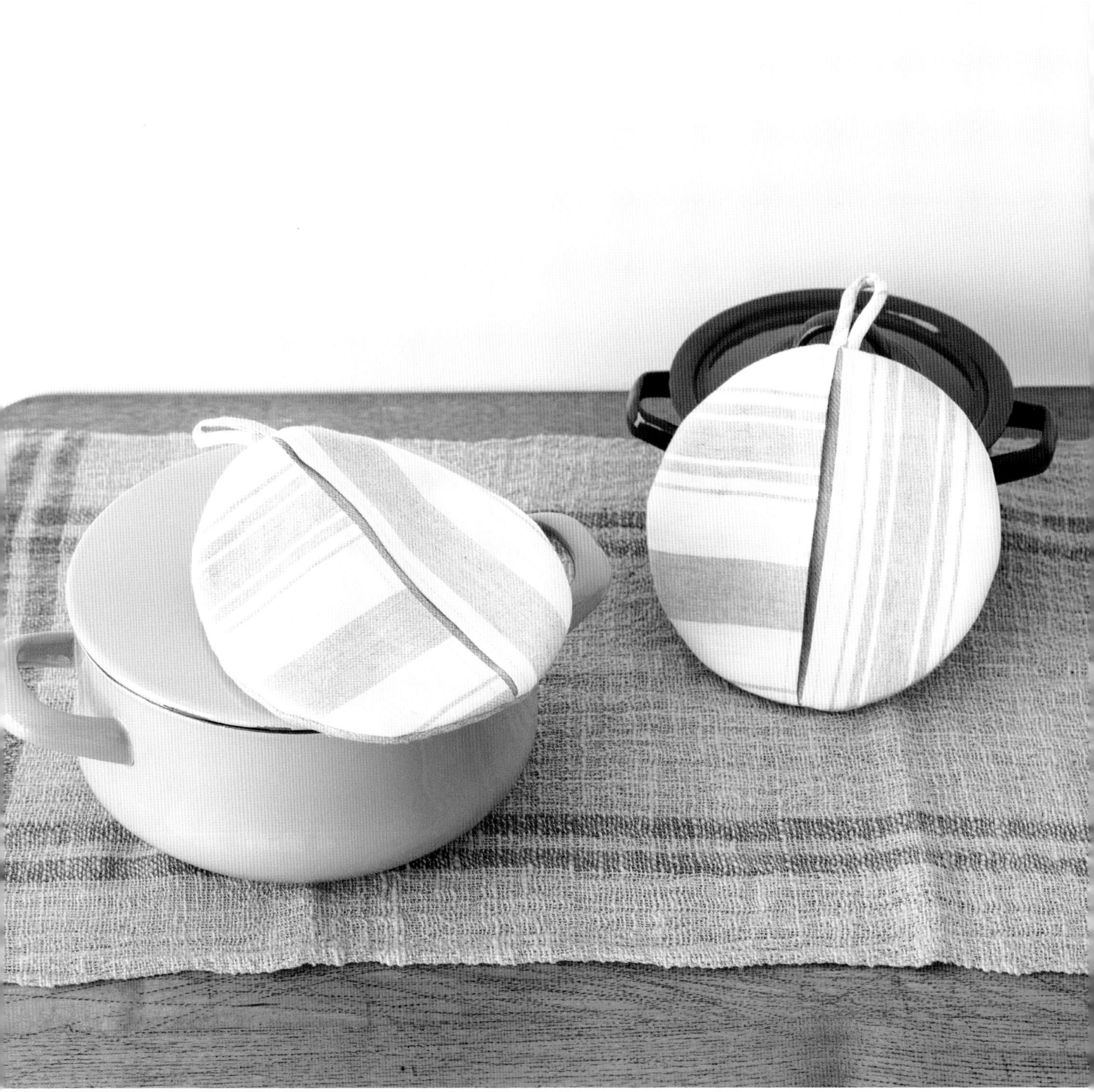

19
카프탄 반소매 에이프런

민족의상인 카프탄풍의 에이프런입니다.
제작 방법도 간단하며, 튜닉 느낌으로
품이 넉넉해 일상에서 편하게 입을 수
있는 매력적인 아이템입니다.

만드는 방법 P.58

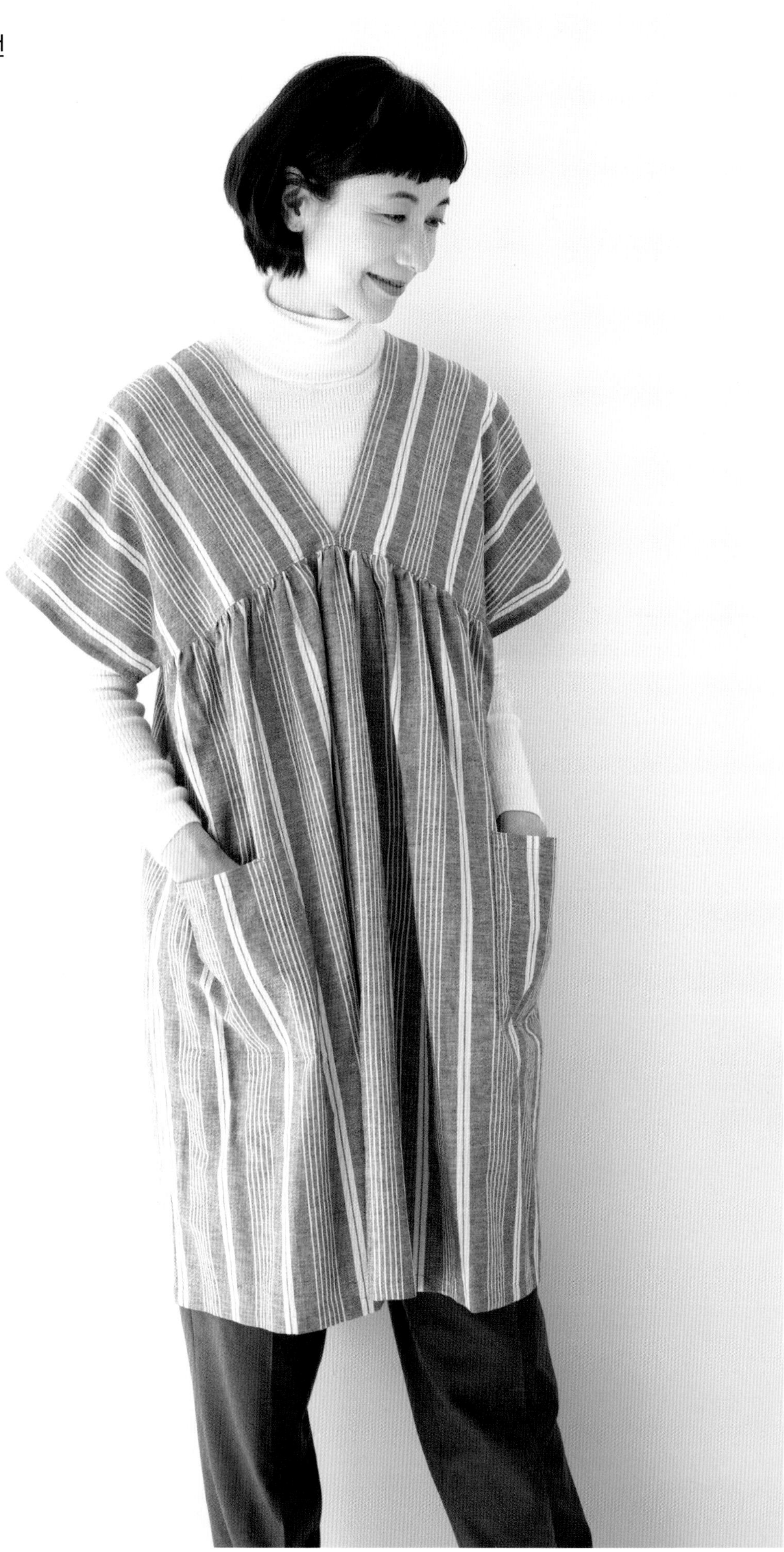

| Back Style |

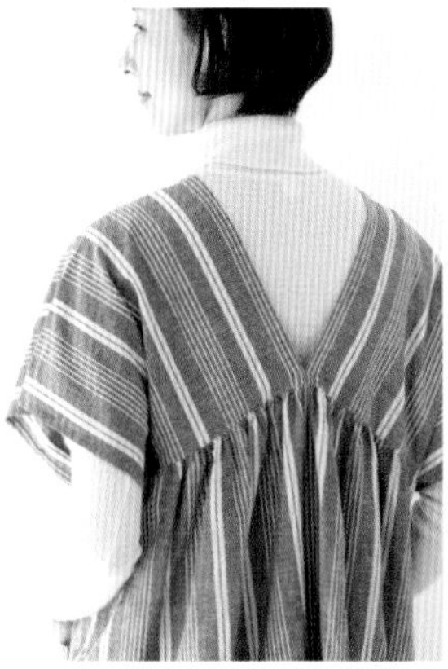

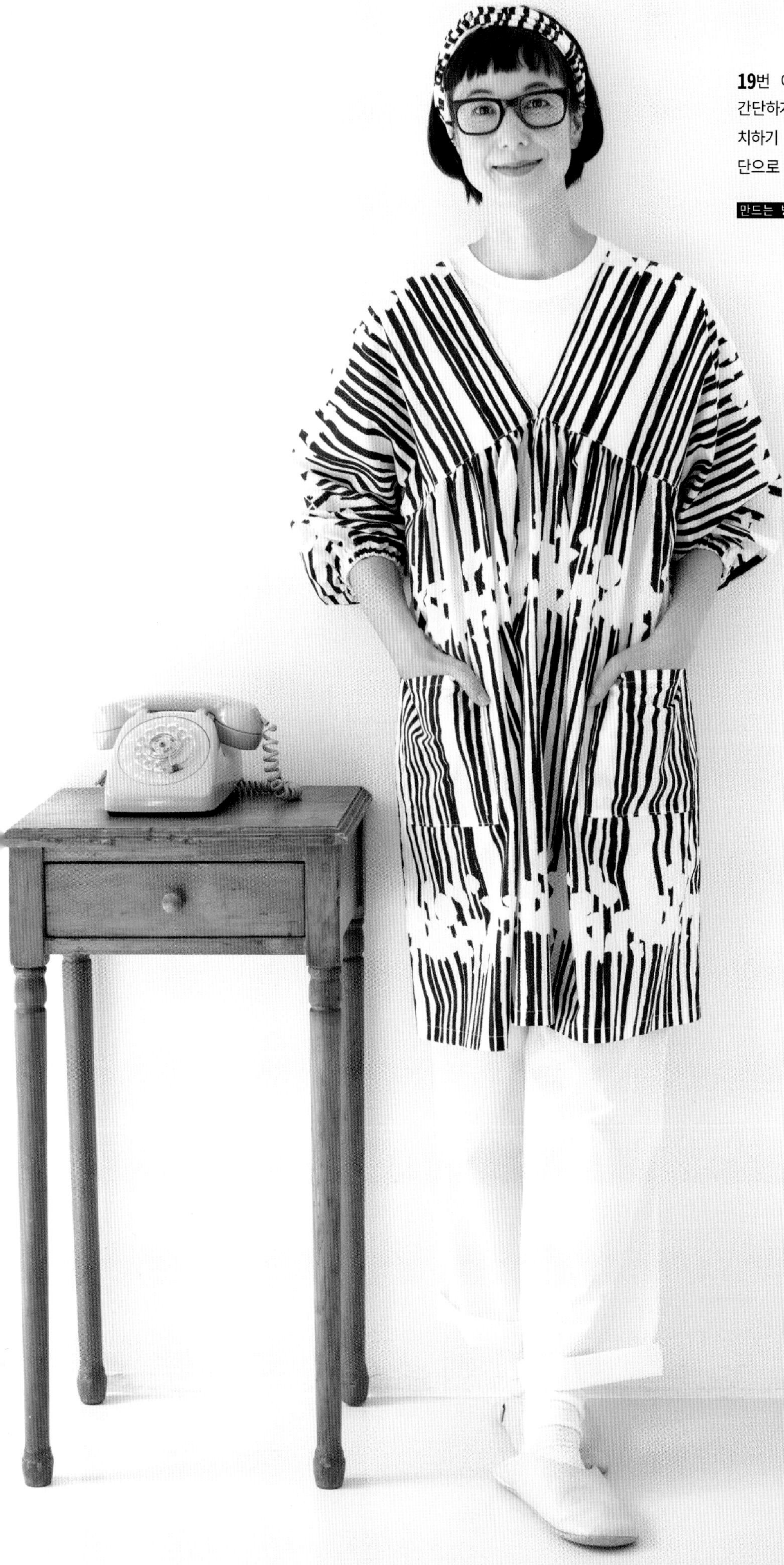

20 / 카프탄 긴소매 에이프런

19번 에이프런에서 소매를 길게 만든 에이프런입니다. 간단하게 만들 수 있고, 심플한 실루엣으로 어디에나 매치하기 좋은 아이템입니다. 화보처럼 과감한 무늬의 원단으로 만들면 더욱 스타일리시하게 완성됩니다.

`만드는 방법` P.58

21 / 헤어밴드

20번 에이프런과 같은 원단으로 만든 헤어밴드입니다. 세트로 만들면 더욱 멋스럽게 코디가 가능한 아이템입니다. 여러 개 만들어 다양하게 코디해보세요.

`만드는 방법` P.78

┤ Back Style ├

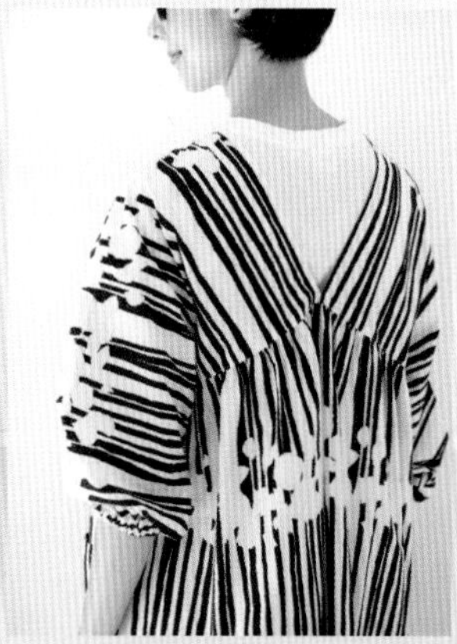

22

2way 에이프런

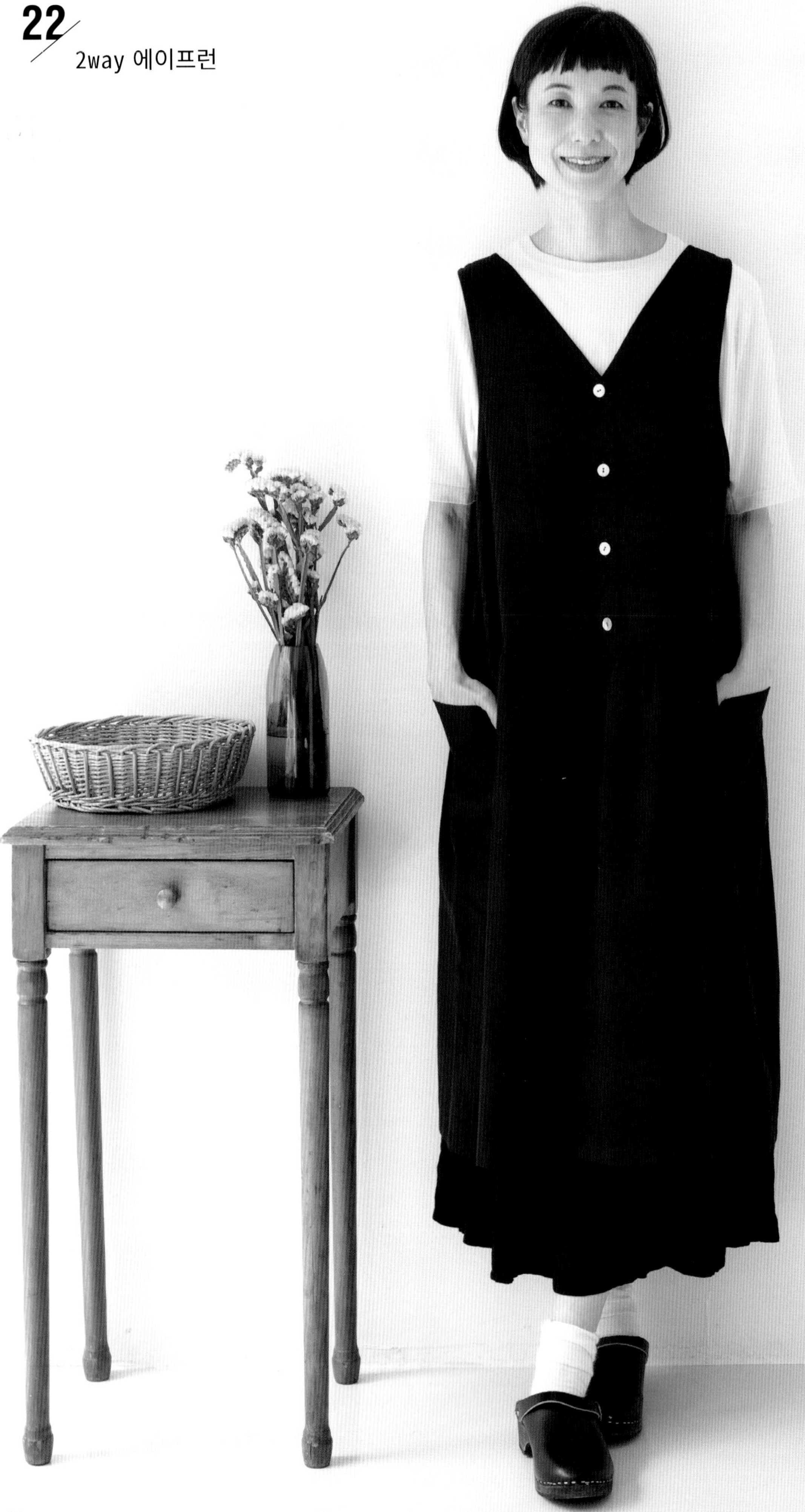

Back Style

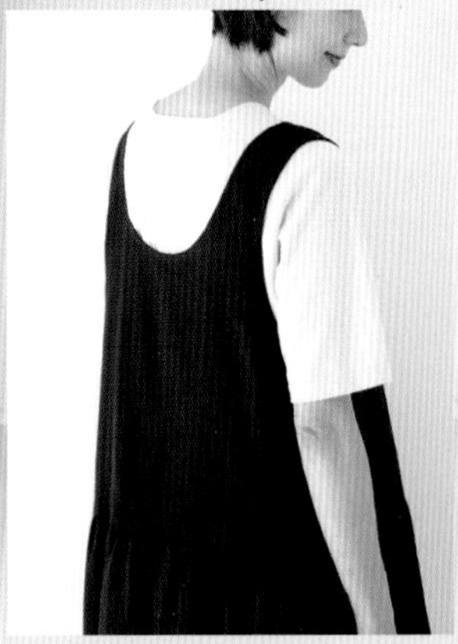

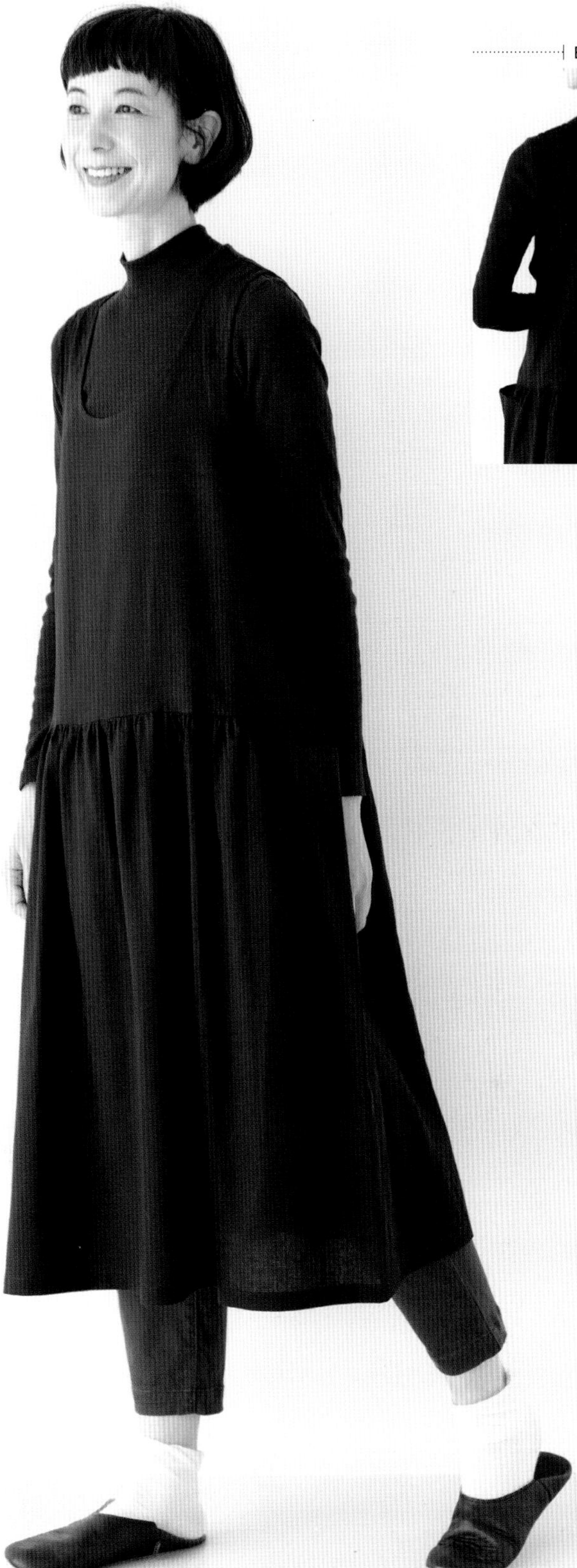

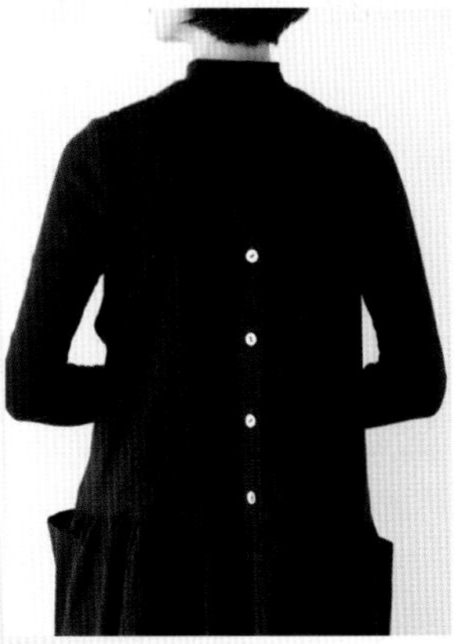

앞/뒤로 착용이 가능한 2way 에이프런입니다. 허리에 잡힌 잔잔한 주름이 우아한 분위기를 연출해 주며, 두 가지 스타일로 다양하게 즐길 수 있어 만족스러운 아이템입니다.

만드는 방법 P.60

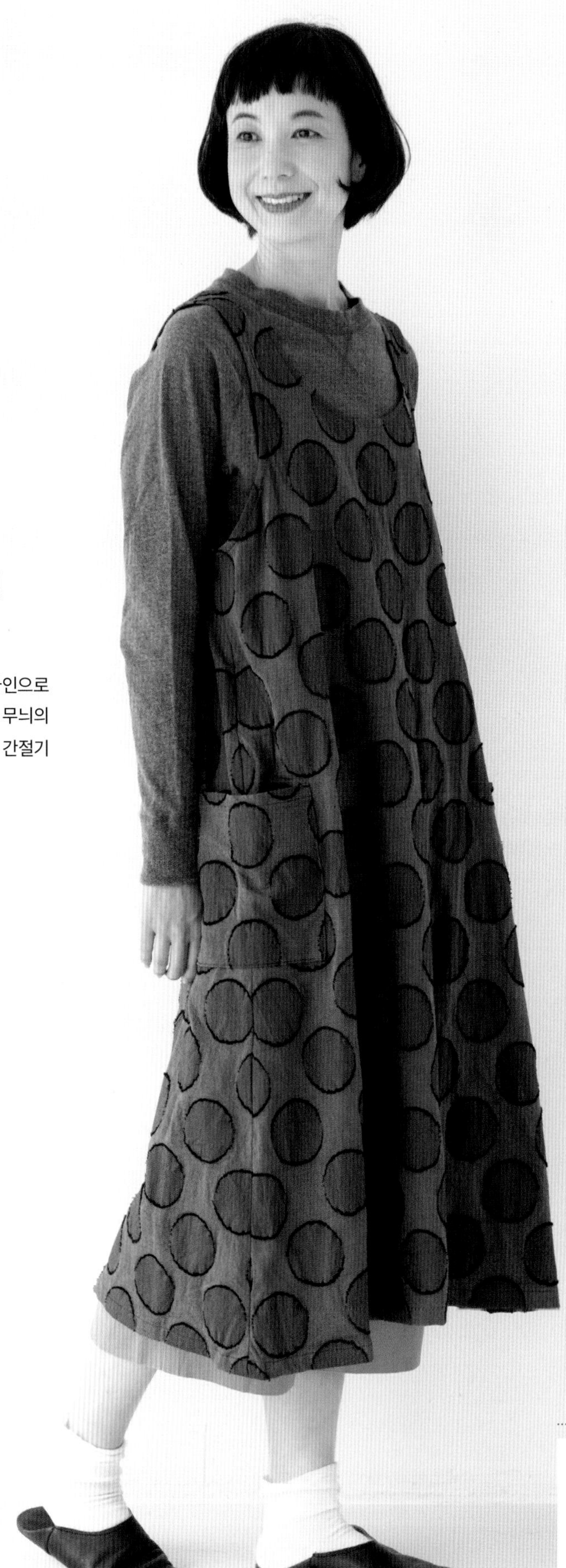

23

2way A라인 에이프런

22번 에이프런에서 절개를 없애고 A라인으로 변형한 디자인입니다. 큼지막한 도트 무늬의 원단으로 만들어 세련된 인상을 주며, 간절기 레이어드룩으로도 활용하기 좋습니다.

`만드는 방법` P.60

| Back Style |

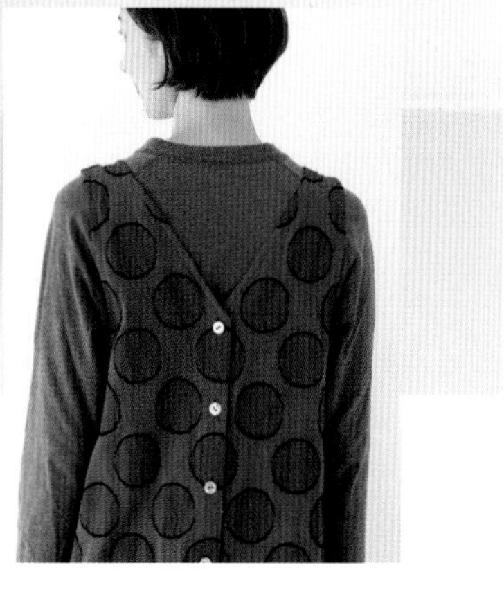

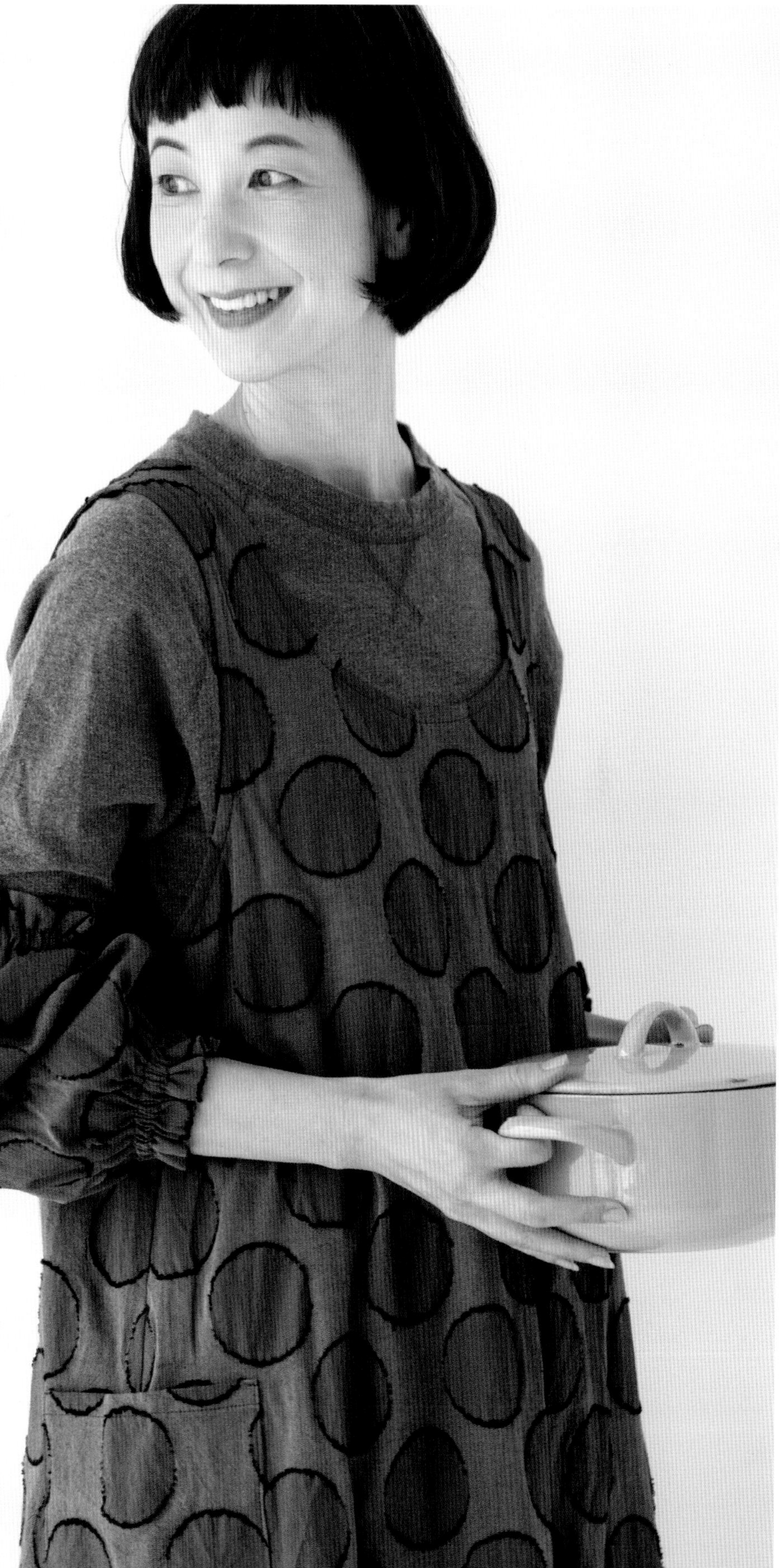

24
팔토시(긴 길이)

23번 에이프런과 같은 원단으로 만든
팔토시입니다. **12**번 팔토시보다 길이
를 길게 만들었으며, 빨래나 대청소를
할 때 사용하기 좋은 아이템입니다.

만드는 방법 P.78

25 / 점퍼 에이프런

어깨끈에 달린 멜빵 고리가 포인트인 점퍼 스타일 에이프런입니다. 캐주얼하면서도 심플한 디자인이라 일상복으로도 입기 좋은 아이템입니다. 앞가슴에 귀여운 주머니를 달아 포인트를 주었습니다.

만드는 방법 P.62

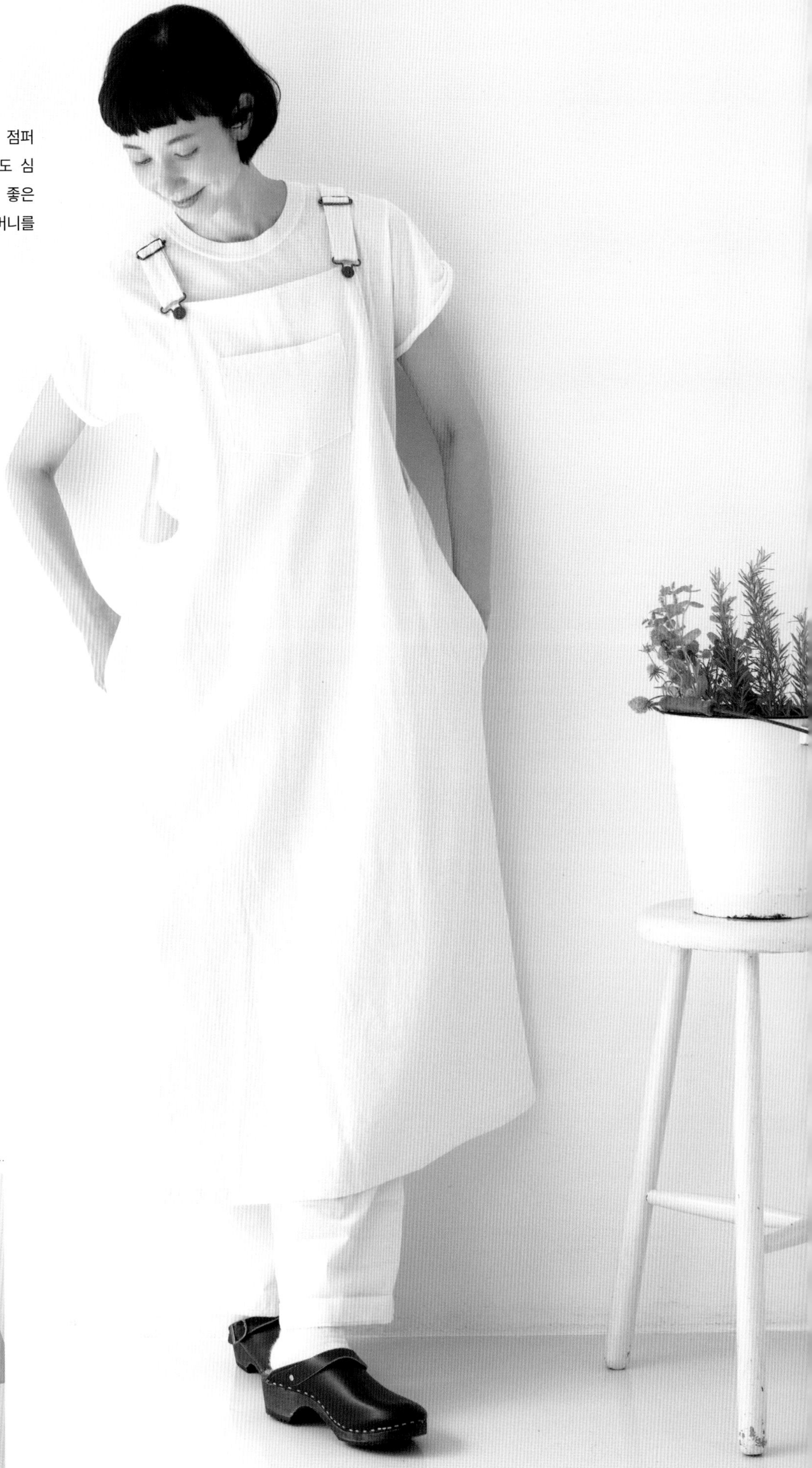

Back Style

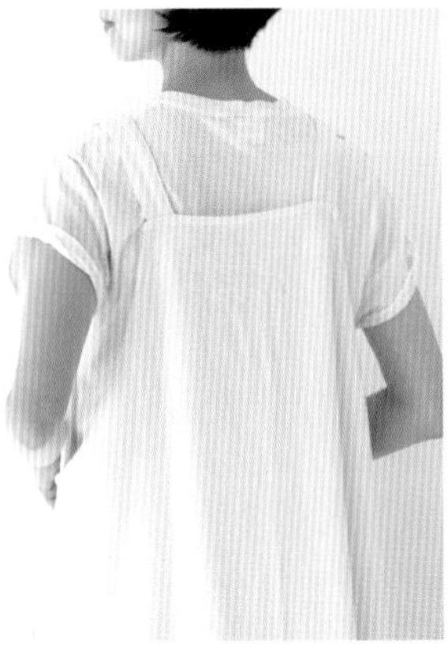

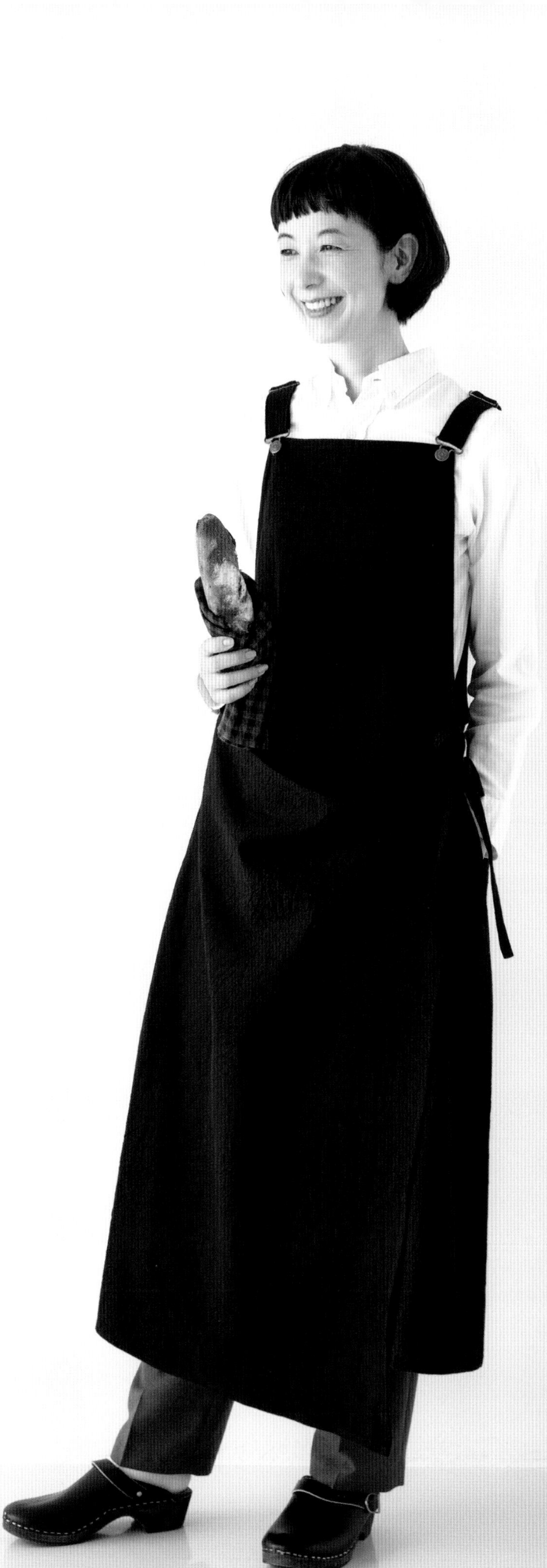

26

랩스타일 점퍼 에이프런

25번 에이프런의 스커트 부분을 랩스커트로 변형한 에이프런입니다. 전체적으로 넉넉하게 만들었기 때문에 일상에서 편안하게 즐길 수 있습니다. 화보처럼 어두운 색상의 원단으로 만들어 더욱 멋스럽게 연출해보세요.

만드는 방법 P.62

| Back Style |

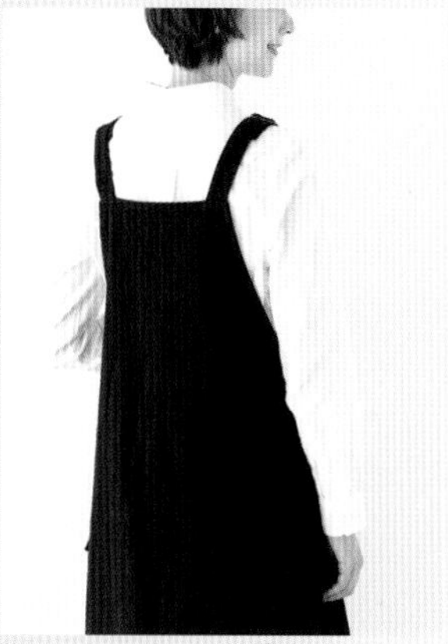

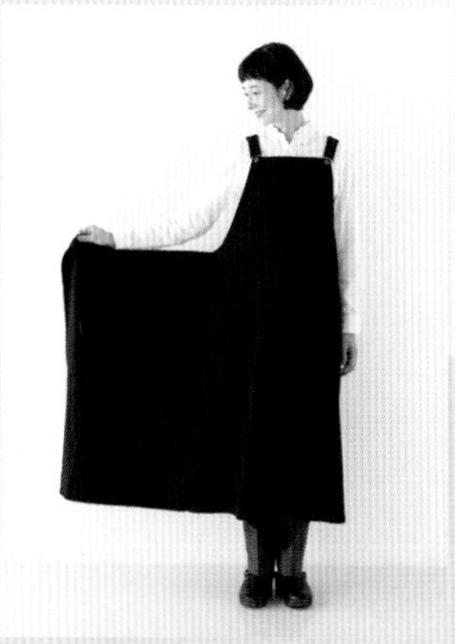

27

쉐프 에이프런

끈을 묶을 필요 없이 바로 착용이 가능한 에이프런입니다. 바쁜 아침에도 간단하게 입을 수 있으며, 크로스로 된 뒷모습이 포인트입니다.

만드는 방법 P.64

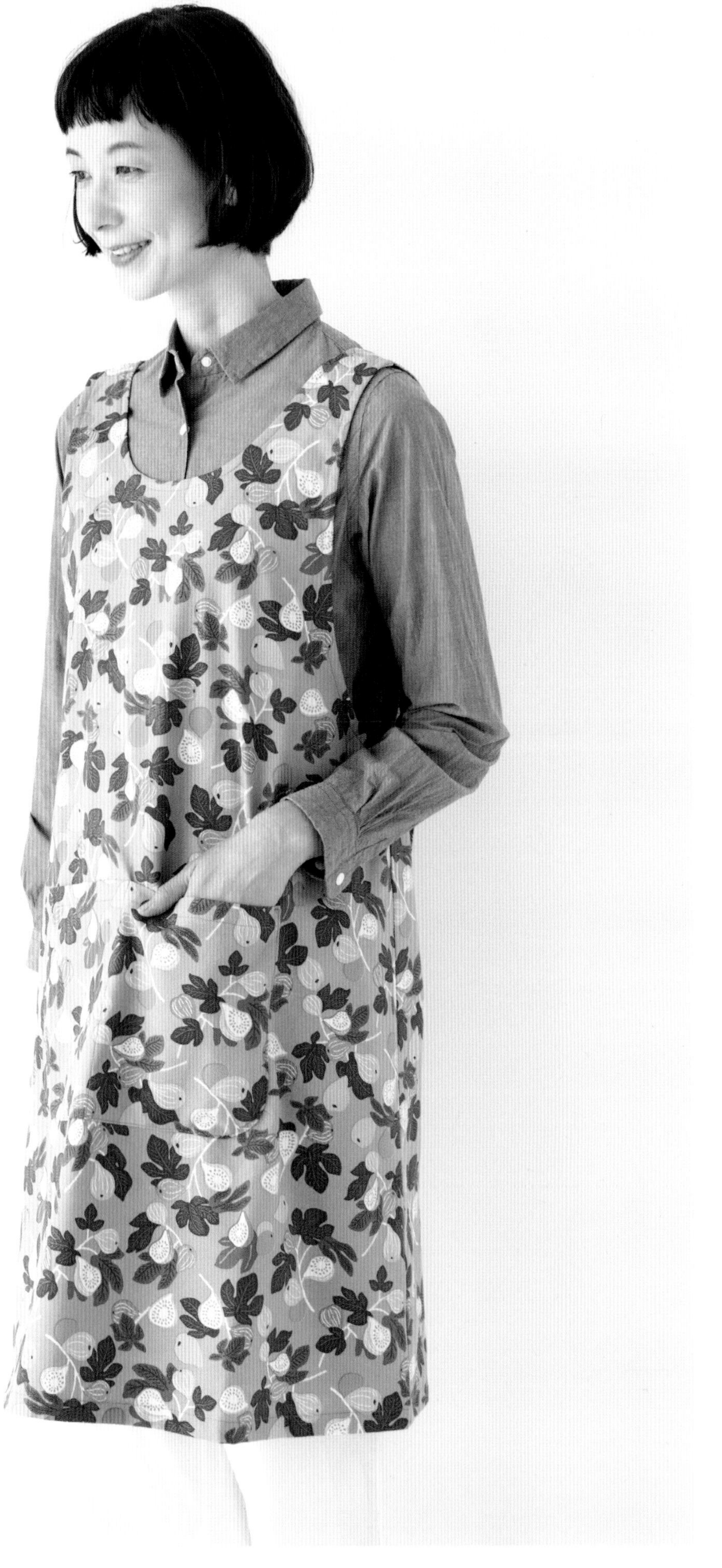

........| Back Style |........

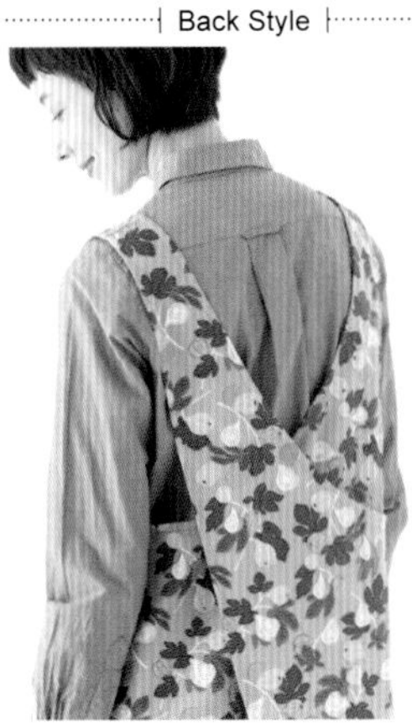

28 폴딩 에코백

장바구니 타입의 폴딩 에코백입니다.
심플한 디자인이며, 보기보다 크기
때문에 수납이 용이하여 장을 볼 때
사용하기 편한 아이템입니다.

만드는 방법 P.79

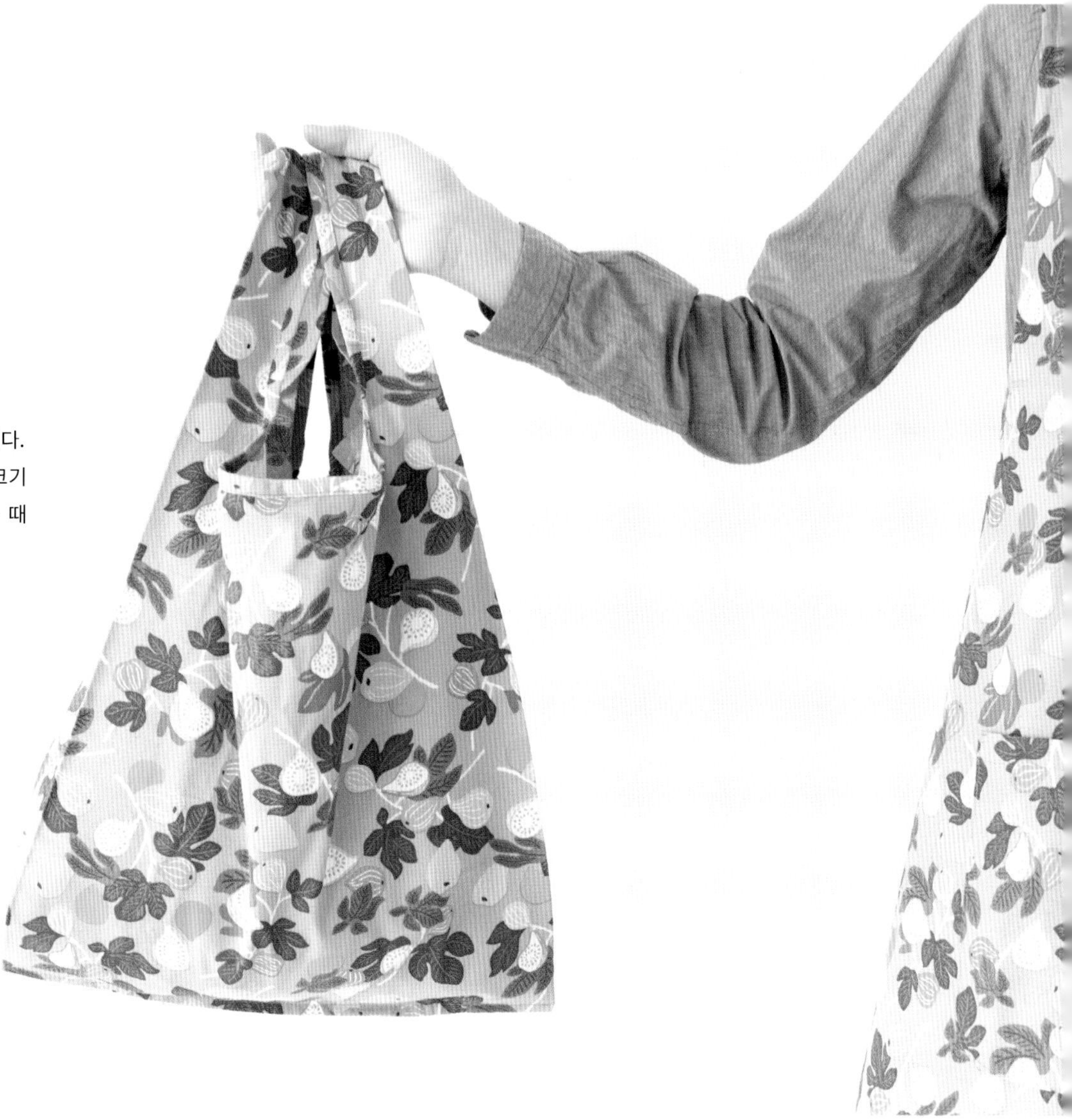

▶ PROCESS

폴딩 에코백 접는 방법

접어서 가방 전체를 안쪽 주머니에 수납
할 수 있는 디자인입니다.

1

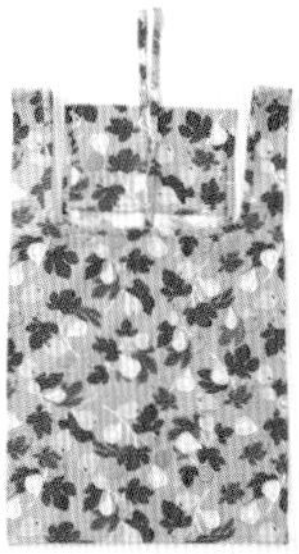

안쪽 주머니를 밖으로 꺼내고, 전체가 평평해지도록
펼칩니다.

2

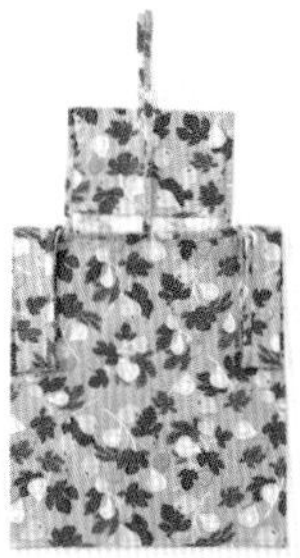

손잡이를 몸판 쪽으로 접습니다.

3

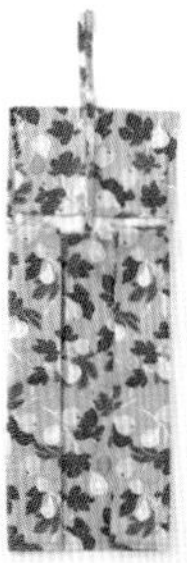

중심을 향해 양 옆선을 접습니다.

4

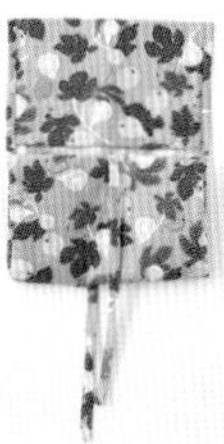

바닥 쪽부터 돌돌 말아 접습니다.

5

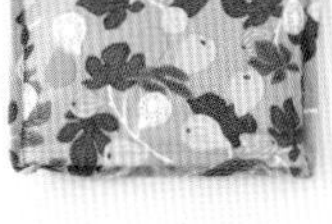

안주머니에 넣어 수납합니다.

29

쉐프 롱 에이프런

27번 에이프런에서 길이를 늘려 만든 에이프런입니다. 세로 라인을 강조하기 위해 기하학적인 스트라이프 무늬 원단으로 만들었습니다. 레이어드 원피스로 입을 수 있는 멋스러운 아이템입니다.

만드는 방법 P.64

| Back Style |

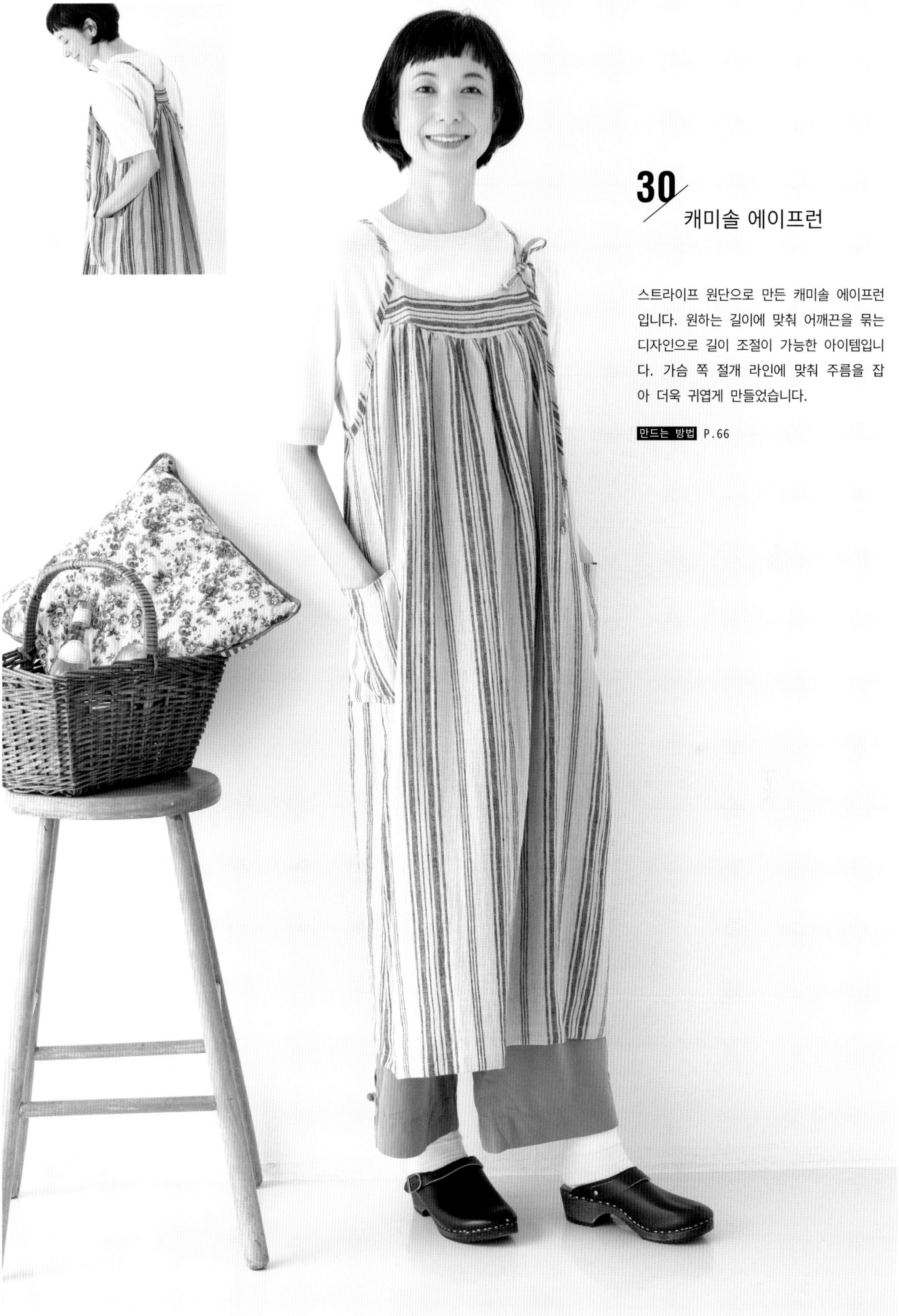

30
캐미솔 에이프런

스트라이프 원단으로 만든 캐미솔 에이프런
입니다. 원하는 길이에 맞춰 어깨끈을 묶는
디자인으로 길이 조절이 가능한 아이템입니
다. 가슴 쪽 절개 라인에 맞춰 주름을 잡
아 더욱 귀엽게 만들었습니다.

만드는 방법 P.66

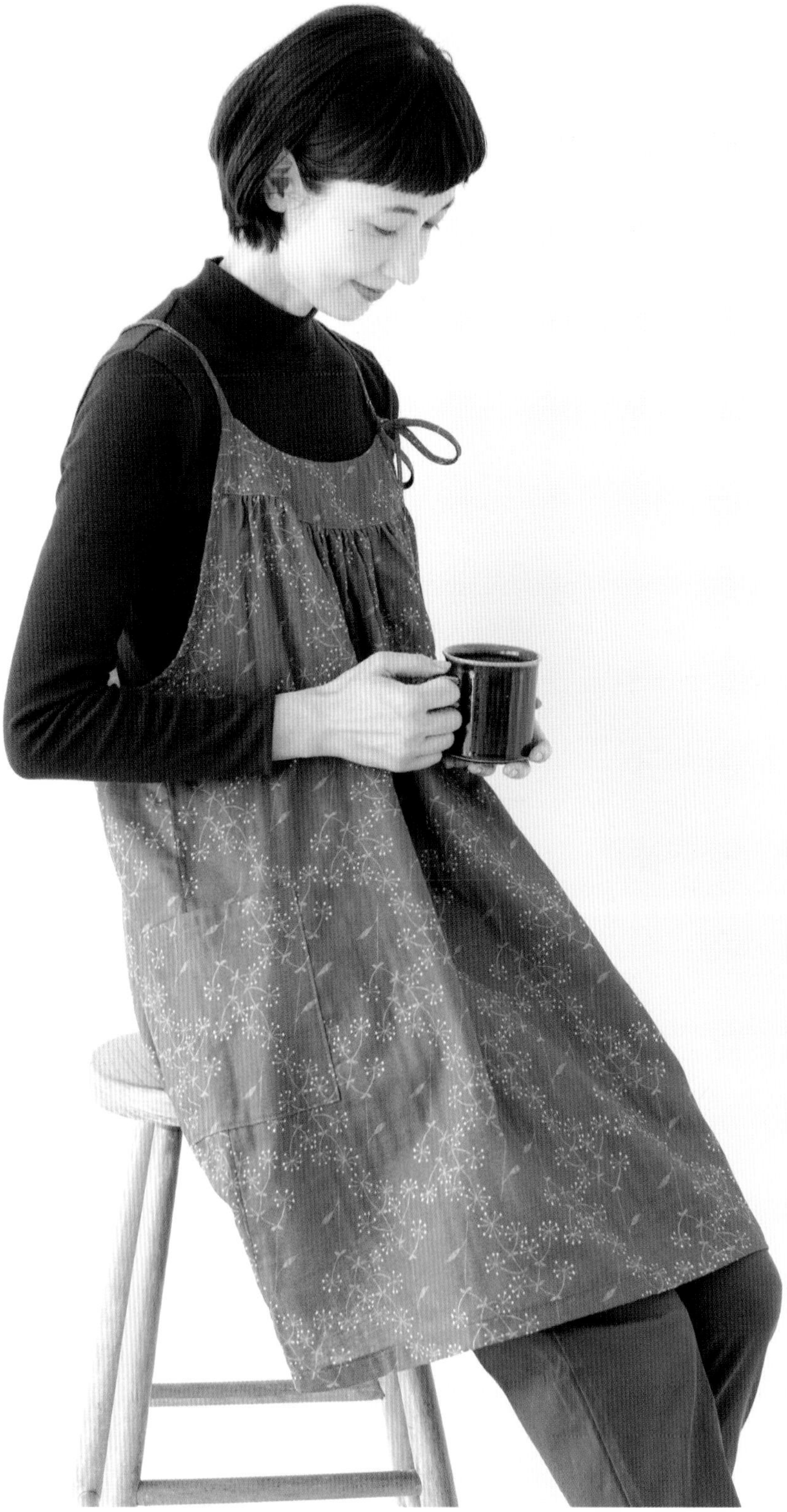

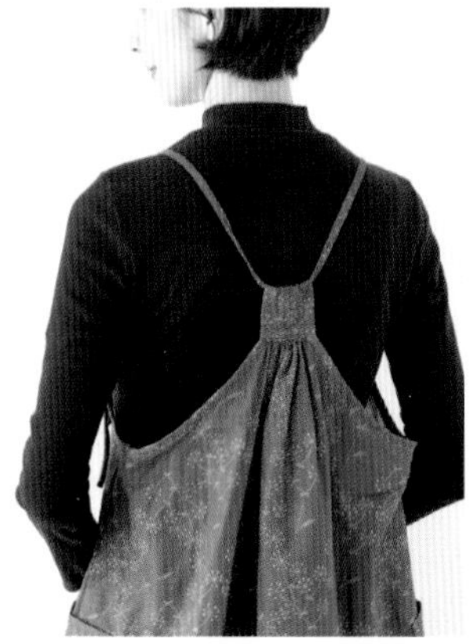

31

캐미솔 쇼트 에이프런

30번 에이프런에서 스커트 길이를 짧게 하여
만든 에이프런입니다. 튜닉 길이로 만들어 귀여
운 스타일로 연출할 수 있습니다. 화보처럼 살
랑거리는 부드러운 더블 거즈 소재로 만들면
착용감도 가벼워 편안하게 입기 좋습니다.

만드는 방법 P.66

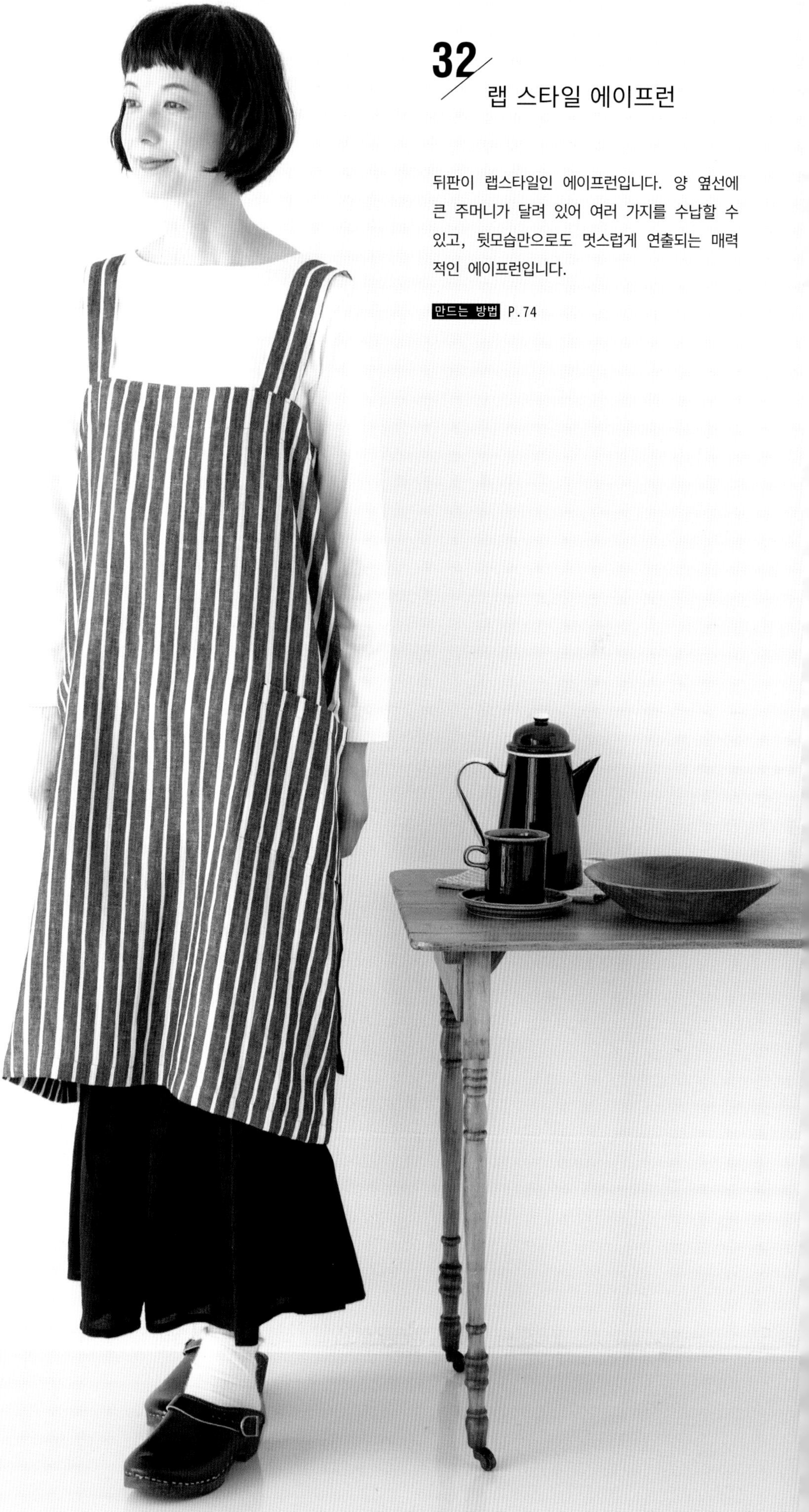

32

랩 스타일 에이프런

뒤판이 랩스타일인 에이프런입니다. 양 옆선에 큰 주머니가 달려 있어 여러 가지를 수납할 수 있고, 뒷모습만으로도 멋스럽게 연출되는 매력적인 에이프런입니다.

만드는 방법 P.74

| Back Style |

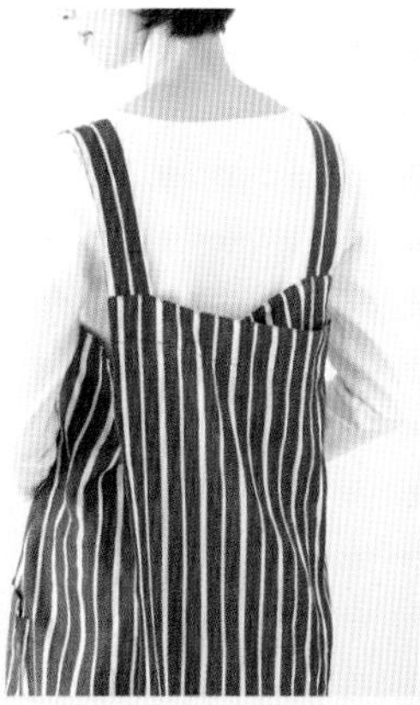

33 / 메이드 에이프런

메이드 스타일의 에이프런입니다. 길이를 길게
만들고, 어깨에 프릴을 달아 사랑스러운 느낌
입니다. 격자무늬 원단으로 만들어 산뜻한 분
위기로 연출했습니다. 아이와 함께 커플룩으로
코디하는 것을 추천합니다.

만드는 방법 P.68

| Back Style |

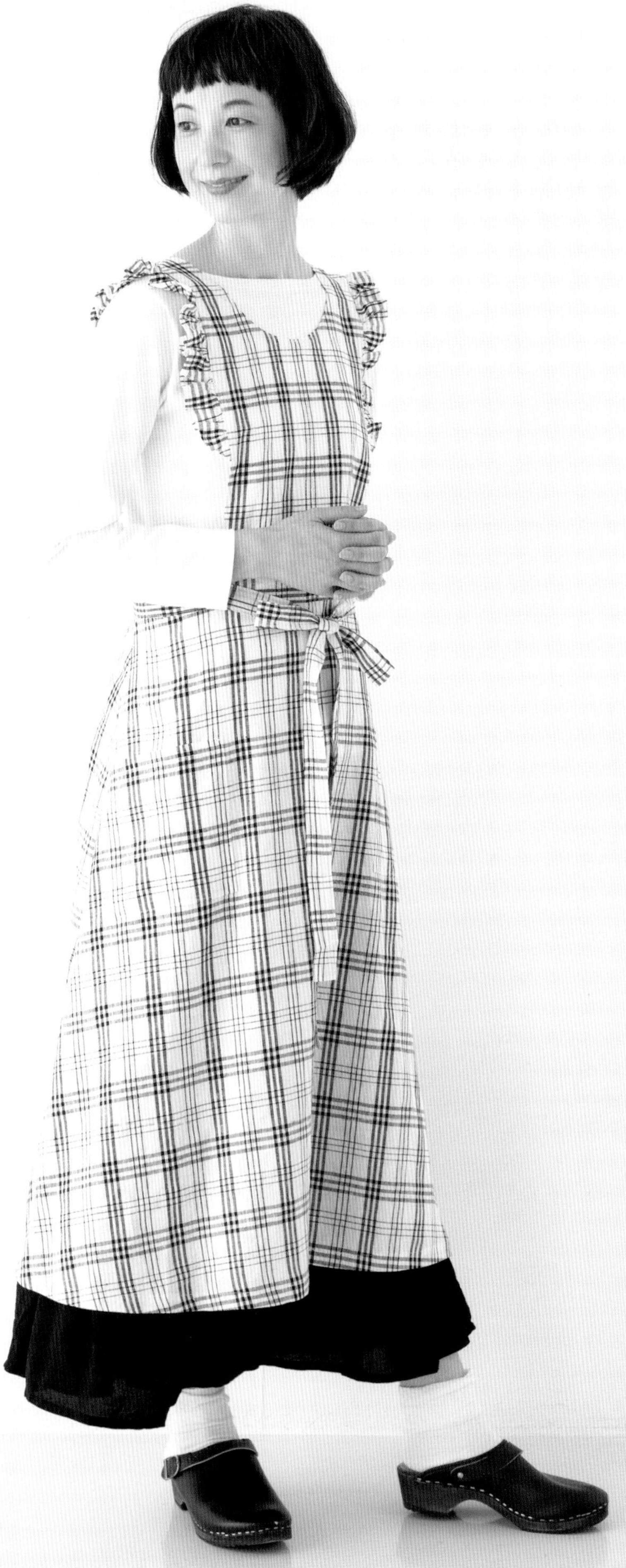

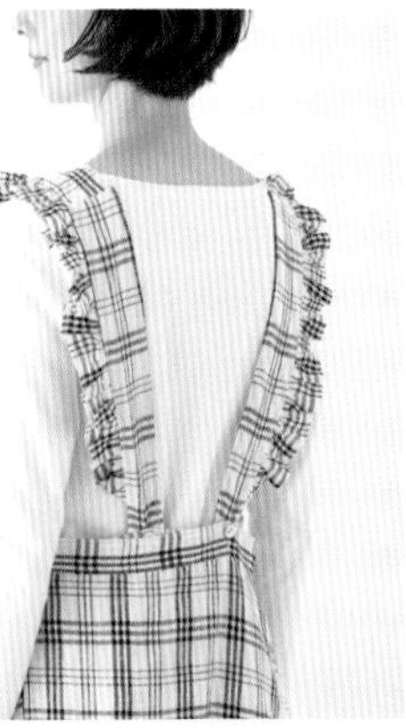

34
아동용 메이드 에이프런

엄마와 커플룩으로 입기 좋은 아동 에이프런
입니다. 밑단에 프릴을 더해 더욱 사랑스러운
느낌을 주었습니다. 엄마와 함께 커플룩으로
입고 요리를 즐겨보세요.

만드는 방법 P.69

| Back Style |

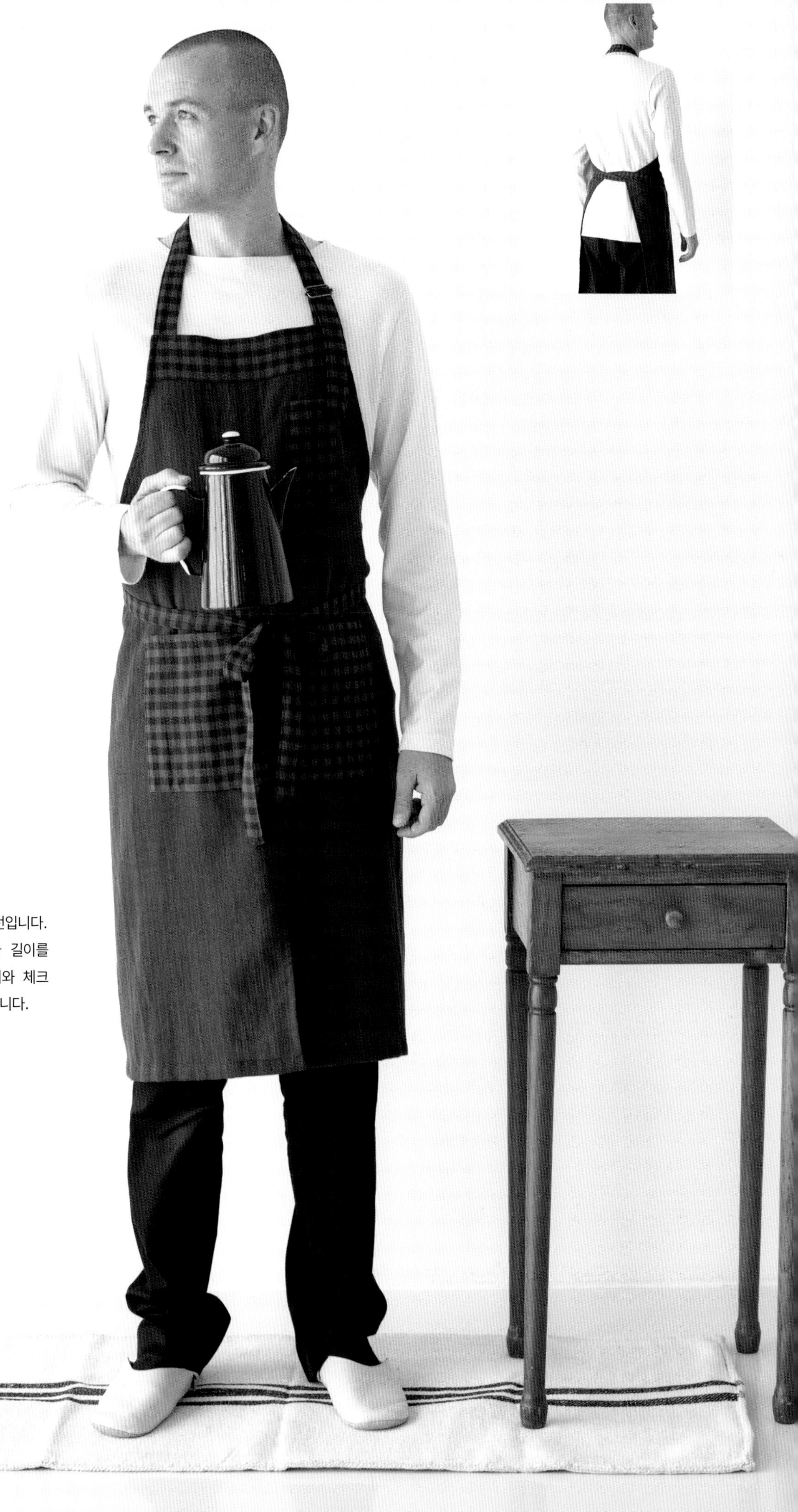

35
남성용 에이프런

컬러가 멋스러운 남성용 에이프런입니다.
어깨끈에 길이 조절 고리를 달아 길이를
조절할 수 있어 편리합니다. 무지와 체크
원단을 배색하여 포인트를 주었습니다.

만드는 방법 P.72

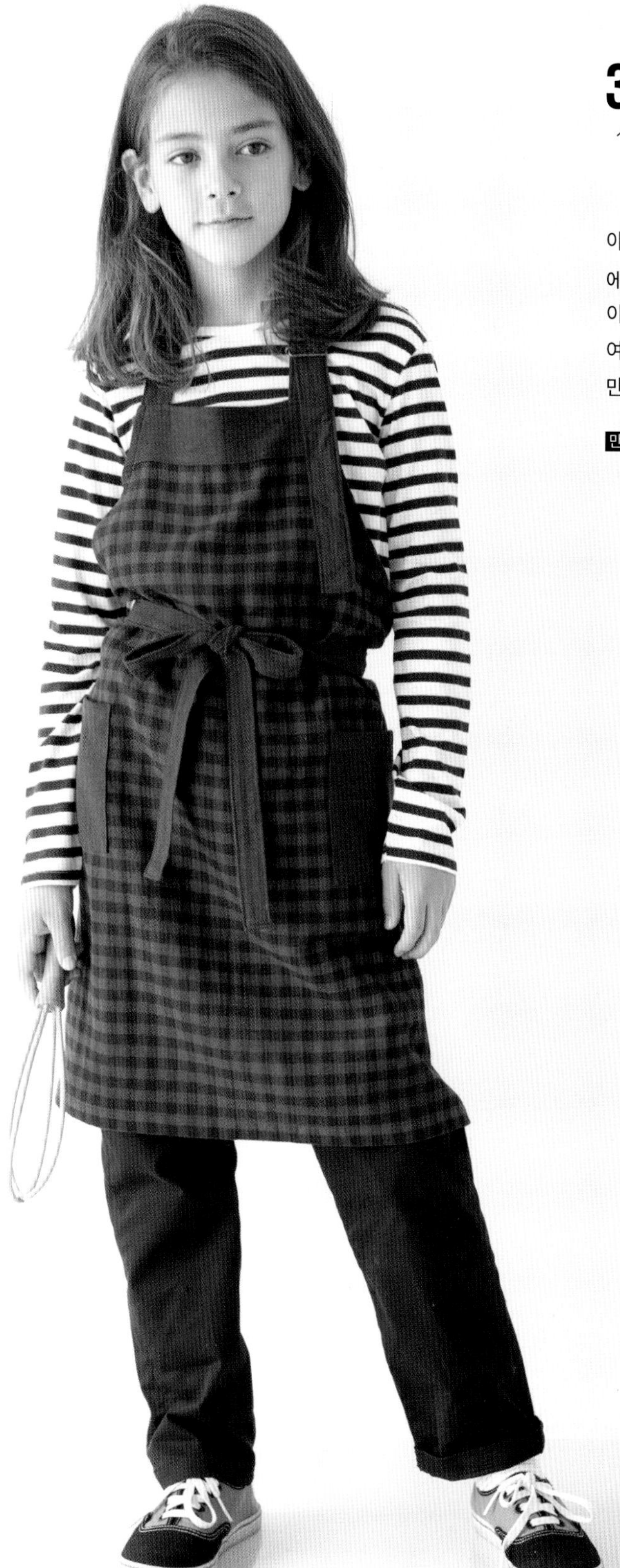

36/
아동용 에이프런

아빠와 커플룩으로 입기 좋은 아동용 에이프런입니다. 화보에서는 **35**번 에이프런과 같은 원단을 반대로 배색하여 세트 느낌을 살렸습니다. 커플로 만들어 활용해보세요.

만드는 방법 P.72

Back Style

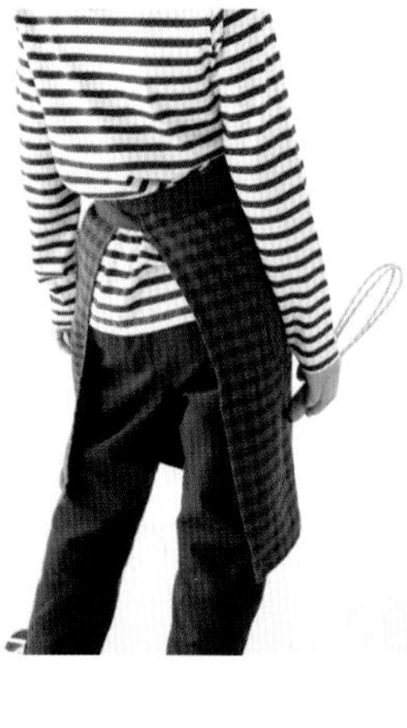

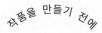

작품을 만들기 전에

알아야 할 것들

사이즈에 대해서

아래의 체촌 치수와 만드는 방법 페이지에 게재되어 있는 완성 사이즈를 확인하여 자신에게 맞는 사이즈를 선택하세요.

사이즈표(체촌 치수)

사이즈	신장	가슴둘레
여성 M사이즈	158cm	84cm
여성 L사이즈	166cm	92cm
남성(프리사이즈)	175cm	96cm
아동 120사이즈	120cm	62cm
아동 130사이즈	130cm	66cm
아동 140사이즈	140cm	69cm

완성 사이즈에 대해서

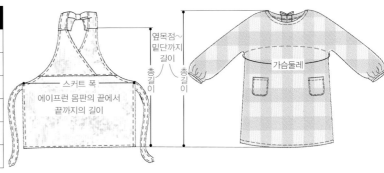

STEP1 실물크기 패턴 사용 방법

실물크기 패턴을 베껴 사용하는 방법

①각 작품의 만드는 방법 페이지에 기재되어 있는 실물크기 패턴 수록면을 확인합니다.

②서적 안에 동봉되어 있는 실물크기 패턴지를 꺼내 펼칩니다.

③패턴의 상단을 확인하여 만들고 싶은 작품 번호의 패턴이 어떤 선으로 그려졌는지, 어떤 패턴이 있는지 확인합니다.

④패턴에 수정이 필요한 작품은 만드는 방법 페이지에 패턴 수정하는 방법이 포함되어 있으니 확인 후 수정합니다.

⑤실물크기 패턴 위에 비치는 종이(패턴지)를 평평하게 올려놓고, 철필과 자로 베껴 그립니다. 곡선 부분은 곡선자를 사용하는 것을 추천합니다.

⑥맞춤점, 단추 다는 곳, 올 방향 등도 잊지 않고 베끼고, 패턴 각 부분의 명칭도 기입합니다.

패턴 베끼는 방법

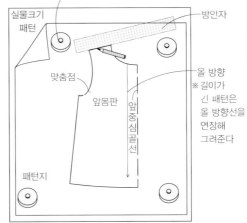

종이가 움직이지 않도록 문진을 올린다

직접 제도하는 방법

숫자가 2개 기재된 경우
위/왼쪽이 M사이즈이고,
아래/오른쪽이 L사이즈입니다

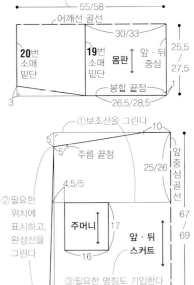

패턴을 직접 제도하여 사용하는 방법

만드는 방법에 게재된 패턴을 직접 제도하여 사용하는 방법입니다. 굵은 선이 완성선, 가는 선은 보조선입니다. 보조선은 제도를 그리는 데 있어서 가이드 선입니다.

①패턴지에 기재된 치수로 보조선을 그립니다. 앞·뒤중심부터 그려주고, 방안자를 사용하여 직각, 평행을 정확히 그립니다.

②제도에 기재된 완성선 치수에 표시를 주고 선을 잇습니다.

③맞춤점과 주머니 다는 곳, 올 방향, 패턴명 등을 표시합니다.

STEP2 시접 주는 방법

패턴에는 시접이 포함되어 있지 않습니다.
만드는 방법 페이지의 [재단 배치도]를 확인하면서 방안자로 시접을 주고, 시접선을 따라 종이를 자릅니다.

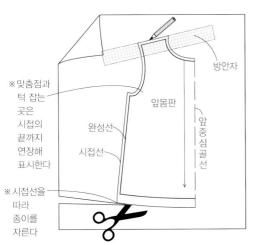

모서리 시접 처리 방법

몸판 밑단과 소매 밑단 등 시접을 접는 부분은 만드는 방법을 참고하여 같은 과정으로 패턴지를 접은 후, 시접선을 따라 자르면 시접에 [모서리]가 나타납니다.

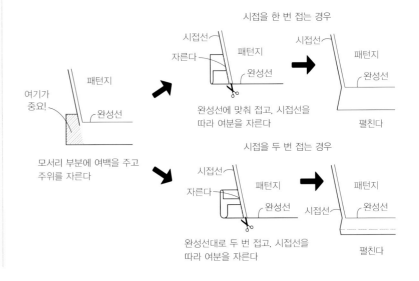

시접을 한 번 접는 경우

완성선에 맞춰 접고, 시접선을 따라 여분을 자른다

모서리 부분에 여백을 주고 주위를 자른다

시접을 두 번 접는 경우

완성선대로 두 번 접고, 시접선을 따라 여분을 자른다

STEP3 재단 방법

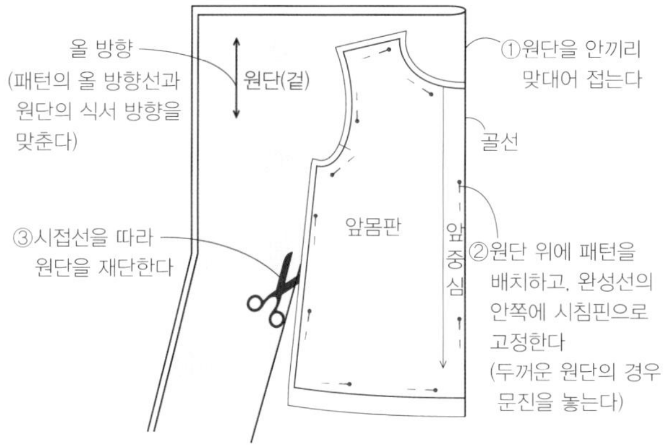

올 방향
(패턴의 올 방향선과
원단의 식서 방향을
맞춘다)

원단(겉)

①원단을 안끼리
맞대어 접는다

골선

앞몸판

앞중심

③시접선을 따라
원단을 재단한다

②원단 위에 패턴을
배치하고, 완성선의
안쪽에 시침핀으로
고정한다
(두꺼운 원단의 경우
문진을 놓는다)

[재단 배치도]를 참고하여 원단 위에 패턴을 배치합니다. 패턴을 시침핀으로
고정하고, 패턴의 시접선을 따라 재단 가위로 원단을 재단합니다. 재단할 때
원단을 움직이면 어긋나기 때문에 몸을 움직여가면서 재단합니다.

※STEP5에서 필요한 표시를 줘야 하기 때문에, 패턴은 아직 떼지 않습니다.
※접착심(소잉심지)을 전면에 붙이는 패턴은 접착심(소잉심지)을 붙이고 나서
　재단합니다. (STEP4 참고)

STEP4 접착심(소잉심지)을 붙이는 방법

재단 후 접착심(소잉심지)을 붙이는 방법

형태에 맞춰 원단에 딱 붙이기 어려운 점도
있지만, 접착심(소잉심지)을 낭비하지 않고
사용할 수 있는 방법입니다.

원단
(안)

접착심(소잉심지)

접착심(소잉심지)을 붙인 후 재단하는 방법

재단하고 심지를 부착할 때보다 깔끔하게 붙일 수 있습니다. 원단 전체에 접착심(소잉심지)
을 부착하는 경우에는 이 방법을 추천합니다.

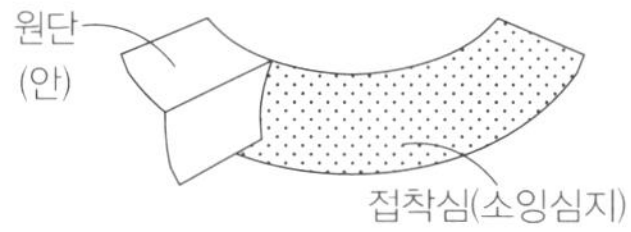

골선

뒤안단

원단(안)

접착심(소잉심지)

골선

뒤안단

STEP5 필요한 표시 주는 방법

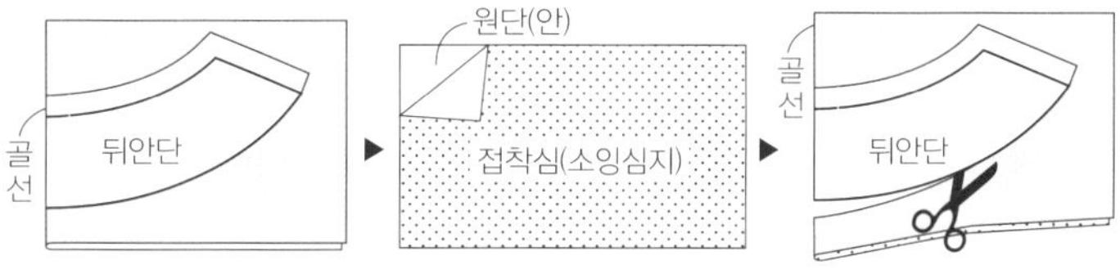

0.3cm

중심
골선

너치

중심

안단이나 스커트 등 앞·뒤 중심을 [골선]으로 재단한 경우, 반으로 접은
상태에서 모서리를 0.3cm 정도 잘라내고, 삼각형 모양의 [너치]를 줍니다.

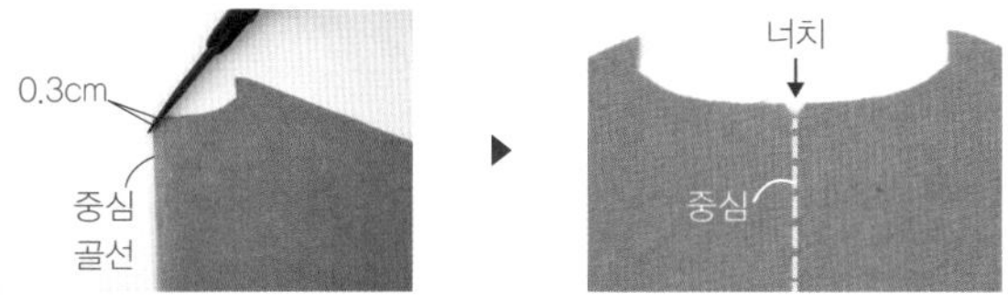

0.5cm

몸판의 암홀 둘레, 소매의 어깨점 등에 들어가는 맞춤점은 시접에 0.5cm정도 가윗집을 줍니다. 그
후, 패턴의 완성선과 맞춤점의 교점에 송곳으로 패턴에 구멍을 뚫고, 뚫은 구멍에 지워지는 펜초크
로 표시를 해주면 정확하게 맞춰 봉합할 수 있습니다. 아래쪽에 겹쳐져 있는 반대쪽 원단에도 같은
방법으로 표시합니다.

표시를 주는
포인트

봉합이 서툰 초보자는 원단의 안쪽에 초크 페이퍼를
끼우고 완성선 위로 띄엄띄엄 표시를 주는 일반적인
방법을 사용해도 좋습니다.

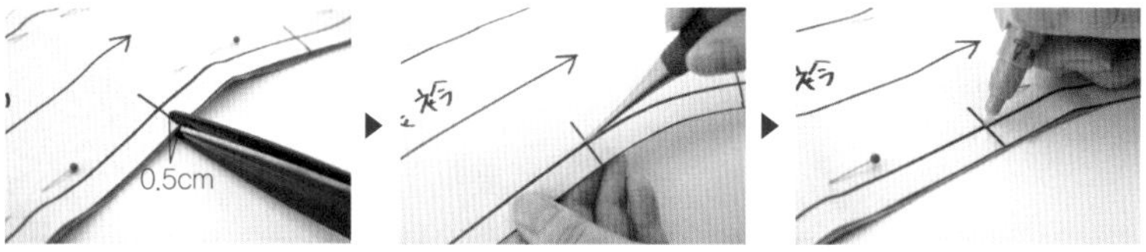

어깨점

맞춤점

봉합 끝점

원단

룰렛

초크페이퍼

패턴

모서리

중심

주름 끝점

주머니 다는 곳.
턱 잡는 곳 등

STEP6 봉합 방법

미싱바늘과 미싱실에 대해서

추천 조합을 소개합니다.

원단과 바늘, 실에도 궁합이 있습니다. 적절한 조합으로
봉합하면 깔끔하게 완성할 수 있습니다.

얇은 원단 (노방, 쉬폰, 론) ·············· 미싱바늘 9호
보통 두께 원단 (30~40수 코튼 리넨) ·············· 미싱바늘 11호
중간 두께 원단 (20수 옥스포드) ·············· 미싱바늘 14호
두꺼운 원단 (데님, 캔버스) ·············· 미싱바늘 15호

| 봉합 방법에 대해서 | 오버록에 대해서 |

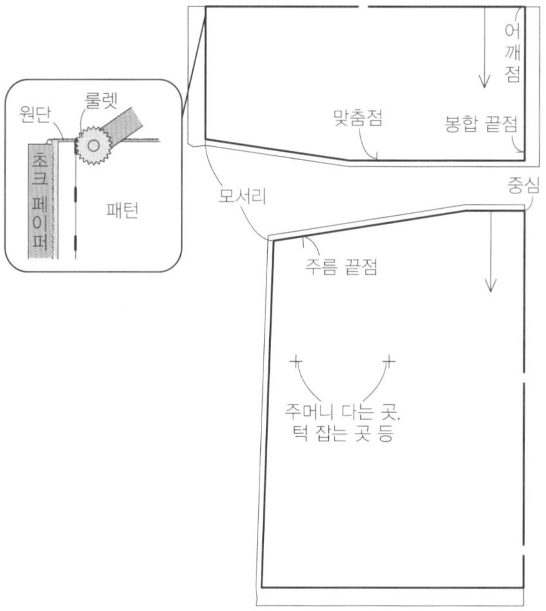

마스킹
테이프를
붙이거나,
스티치
가이드를
사용한다

1cm

원단 끝을
가이드에 맞춘다

봉합하는 곳의 시접 폭에 맞춰 미싱에 가이
드를 달고 봉합합니다.
예)1cm 시접인 곳은 미싱바늘에서부터 1cm
떨어진 곳에 가이드를 달고 봉합합니다.

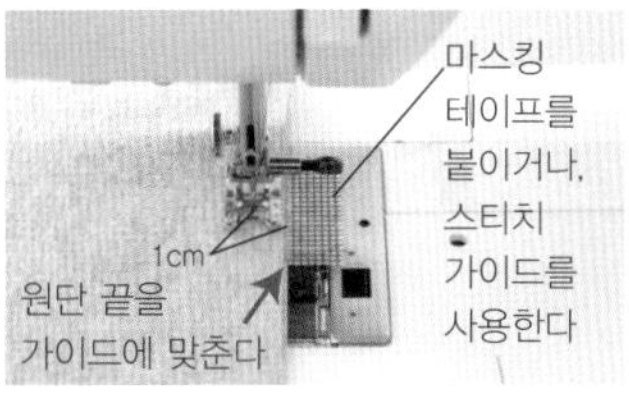

원단(겉)

몸판 밑단, 소매 밑단 등 원통 모양 부분을 봉합할 때는 겉으로 뒤집은 상
태에서 원단 안쪽에서부터 봉합합니다. 5~10cm씩 정리해가면서 조금씩
봉합해 나갑니다.

시접
부분
(겉)

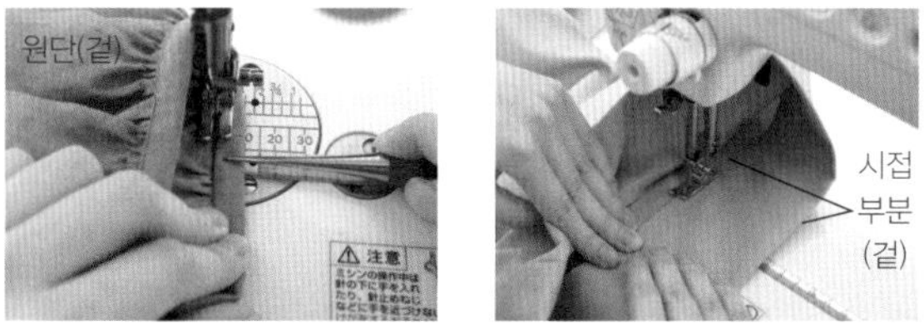

원단
(겉)

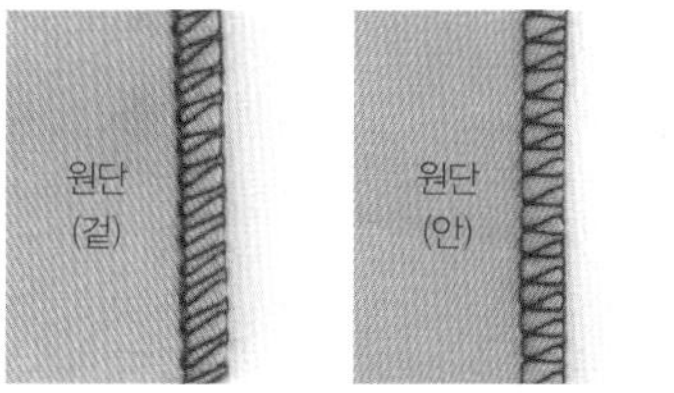

원단
(안)

바늘땀에는 겉과 안이 있습니다. 완성했을 때
겉쪽이 되는 쪽을 위로 해서 오버록 처리를
합니다. 지그재그봉제로 대신해도 좋습니다.

단춧구멍 뚫는 방법

단춧구멍 뚫는 곳 정하는 방법

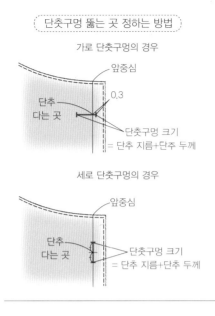

가로 단춧구멍의 경우

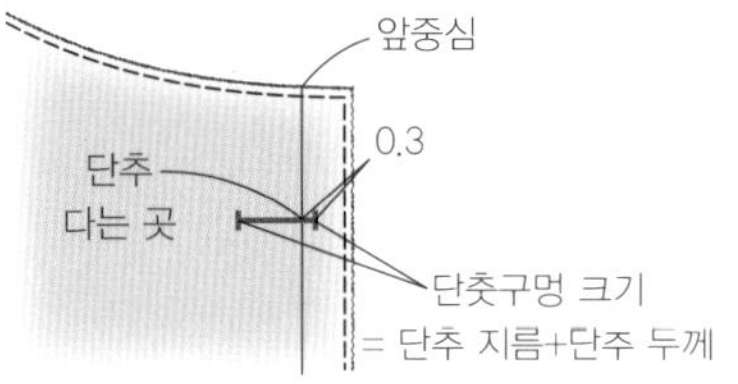

- 앞중심
- 0.3
- 단추 다는 곳
- 단춧구멍 크기 = 단추 지름+단주 두께

세로 단춧구멍의 경우

- 앞중심
- 단추 다는 곳
- 단춧구멍 크기 = 단추 지름+단추 두께

단추 다는 곳 정하는 방법

원단(겉)

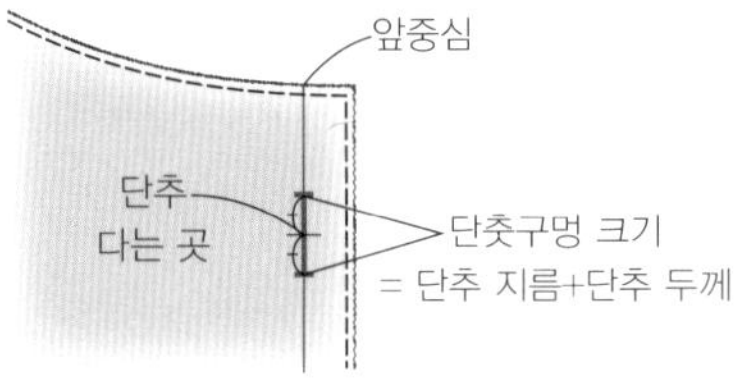

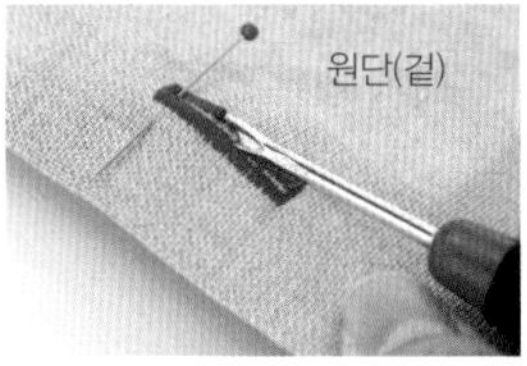

1. 원단(겉)이 보이게 놓고 미싱으로 단춧구멍을 봉합하고, 실뜬개로 구멍을 뚫습니다. 단춧구멍 바깥부분까지 자르지 않도록 끝에 시침핀을 꽂아 둡니다.

- 단춧구멍
- 중심선을 맞춰 시침핀으로 고정한다
- 위쪽 원단(겉)
- 아래쪽 원단(겉)

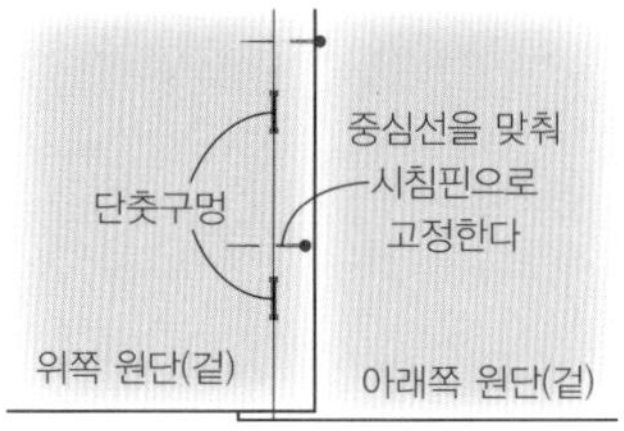

2. 단춧구멍 뚫은 원단이 위로 오도록 놓고 위·아래쪽 원단의 중심선을 정확히 맞춰 고정합니다. 세로 방향도 움직이지 않도록 정확하게 맞춥니다.

- 단추 다는 곳
- 위쪽 원단(겉)
- 아래쪽 원단(겉)

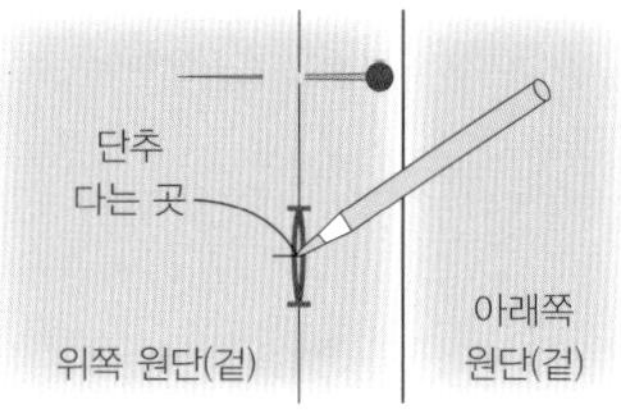

3. 펜 초크를 이용해 단춧구멍의 구멍 사이로 아래쪽 원단 겉에 단추 다는 곳을 표시하고, 그 곳에 단추를 고정 봉합합니다.

바이어스 & 안바이어스 처리 방법

바이어스천 연결하기

- 원단(겉)
- 45°
- ②시접을 자른다
- ①봉합
- 0.5
- 원단(안)
- ③시접을 가름솔한다
- 원단(안)
- 원단(안)

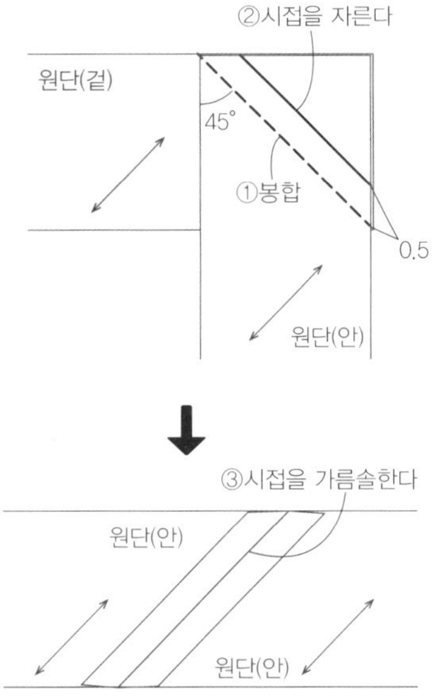

안바이어스 처리 A (시접을 안쪽으로 뒤집는다)

- ②재단 배치도에 기재된 시접폭으로 봉합한다
- 안바이어스천 or 테이프(안)
- ①지정된 폭으로 접는다
- 원단(겉)
- ③안바이어스천 or 테이프를 원단의 안쪽으로 뒤집어 다린다
- 안바이어스천 or 테이프(겉)
- ④봉합
- 0.2
- 원단(안)

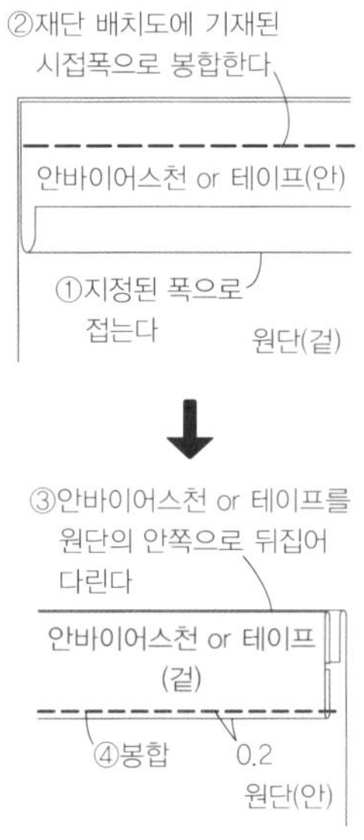

바이어스 처리 B (바이어스테이프로 감싼다)

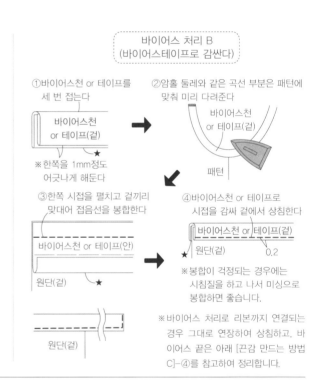

- ①바이어스천 or 테이프를 세 번 접는다
- 바이어스천 or 테이프(겉)
- ★
- ※한쪽을 1mm정도 어긋나게 해둔다
- ②암홀 둘레와 같은 곡선 부분은 패턴에 맞춰 미리 다려준다
- 바이어스천 or 테이프(겉)
- 패턴
- ③한쪽 시접을 펼치고 겉끼리 맞대어 접음선을 봉합한다
- 바이어스천 or 테이프(안)
- 원단(겉)
- ★
- 원단(겉)
- ④바이어스천 or 테이프로 시접을 감싸 겉에서 상침한다
- 바이어스천 or 테이프(겉)
- ★ 원단(겉)
- 0.2

※봉합이 걱정되는 경우에는 시침질을 하고 나서 미싱으로 봉합하면 좋습니다.

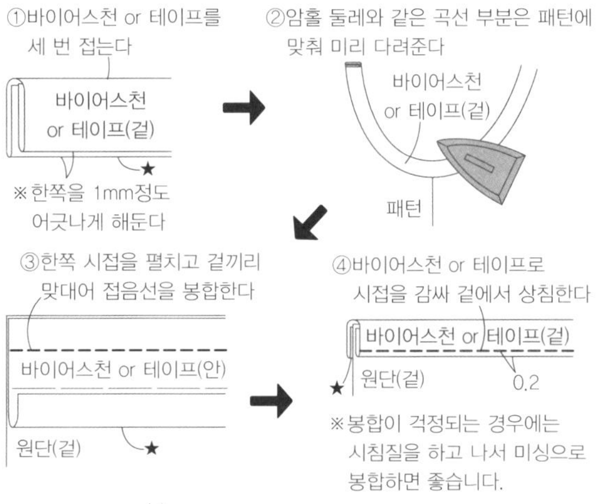

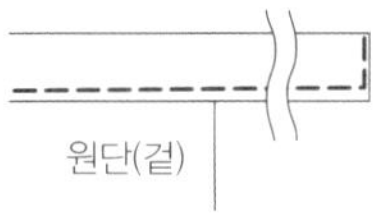

※바이어스 처리로 리본까지 연결되는 경우 그대로 연장하여 상침하고, 바이어스 끝은 아래 [끈감 만드는 방법 C]-④를 참고하여 정리합니다.

끈감 만드는 방법

끈감 만드는 방법 A

- 끈감(안)
- ①재단 배치도에 기재된 시접폭으로 접는다
- 0.2 0.2
- 끈감(겉)
- ②반으로 접어 상침한다

끈감 만드는 방법 B

- ①반으로 접는다
- 끈감(겉)
- ④접음
- 끈감(겉)
- ★
- ①의 접음선
- ③접음
- ※반대쪽 시접은 접지 않는다
- ②다시 끈감을 펼치고 ①의 접음선에 맞춰 접음
- ①의 접음선
- 끈감(겉)
- 0.2
- ⑤상침
- ④①의 접음선에 맞춰 다시 반으로 접어 ☆에 ★를 끼워 넣는다

끈감 만드는 방법 C

- ③접음
- 끈감(안)
- ★
- ②접음
- ※반대쪽 시접은 접지 않는다
- ①접음
- ☆
- 0.2
- 끈감(겉)
- ⑤상침
- ④반으로 접어 ☆에 ★를 끼워 넣는다

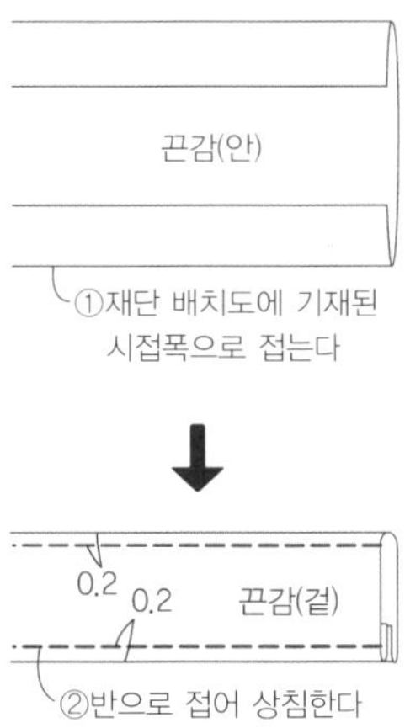

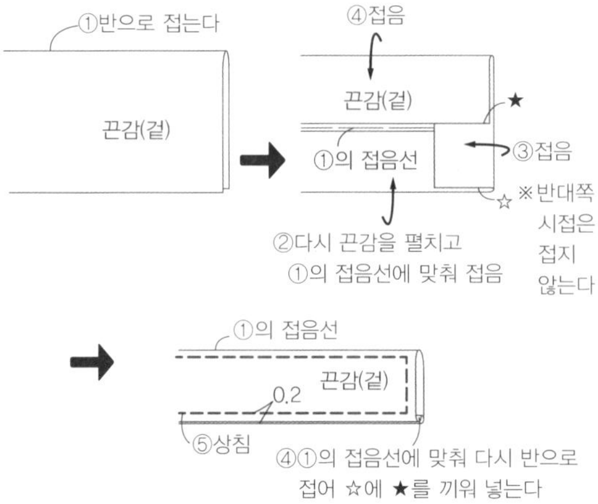

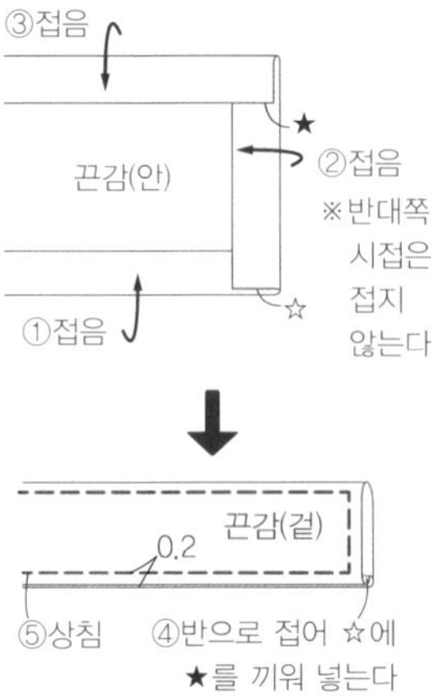

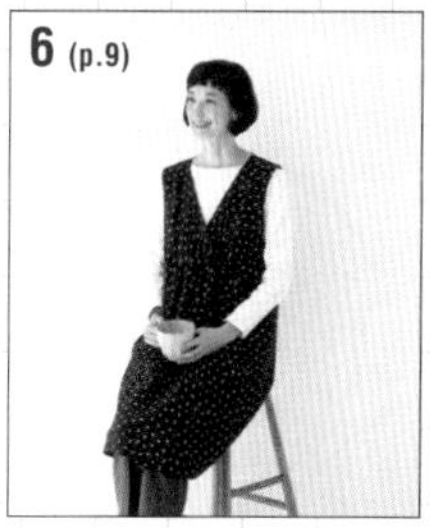

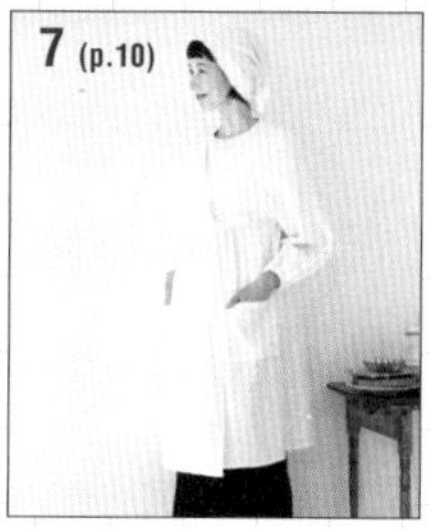

6 (p.9) **7** (p.10)

6 / 카슈쾨르 에이프런

■ 재료

6번 겉감(리넨) … 110cm폭 x 300cm

7번 겉감(리넨 론) … 114cm폭 x 360cm
　　　고무줄 … 1.5cm폭 x 50cm

7 / 카슈쾨르 긴소매 에이프런

■ 완성 사이즈
가슴둘레 … 99cm
옷길이 … 95cm

■ 실물크기 패턴 A면

재단 배치도

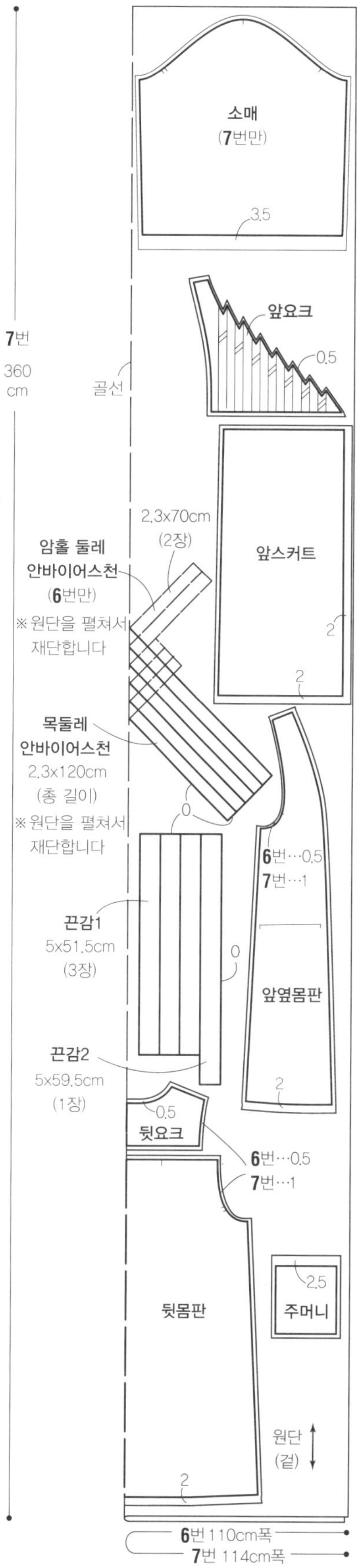

※**6**번은 소매를 제외하고 재단해주세요.
※**7**번은 암홀 둘레 안바이어스천을 제외하고 재단해주세요.
※지정 이외의 시접은 1cm.
※끈감1, 2와 암홀 둘레 안바이어스천, 목둘레 안바이어스천은 직접 제도하여 사용합니다.
※안바이어스천은 길게 준비하고, 다는 곳의 길이에 맞춰 여분을 잘라서 사용합니다.

7번
360
cm

소매
(**7**번만)
3.5

골선

앞요크
0.5

암홀 둘레
안바이어스천
(**6**번만)
2.3x70cm
(2장)
※원단을 펼쳐서
재단합니다

앞스커트
2
2

목둘레
안바이어스천
2.3x120cm
(총 길이)
※원단을 펼쳐서
재단합니다

0

6번…0.5
7번…1

앞옆몸판
2

끈감1
5x51.5cm
(3장)

0

끈감2
5x59.5cm
(1장)

0.5
뒷요크

6번…0.5
7번…1

2.5
주머니

뒷몸판

원단
(겉)

2

6번 110cm폭
7번 114cm폭

만드는 순서

5. 뒷몸판에 주름을 잡고, 뒷요크를 단다

6. 몸판의 어깨를 봉합한다

2. 앞요크에 턱을 잡는다

7. 몸판의
목둘레를
안바이어스
처리한다

1. 끈감1, 2를 만든다

9. 몸판의
암홀 둘레를
안바이어스
처리한다

4. 주머니를
만들어
몸판에 단다

8. 몸판의
옆선을
봉합한다

3. 앞몸판을
만든다

6
앞

10. 몸판의 밑단을 정리한다

9. 몸판에 소매를 단다

7
앞

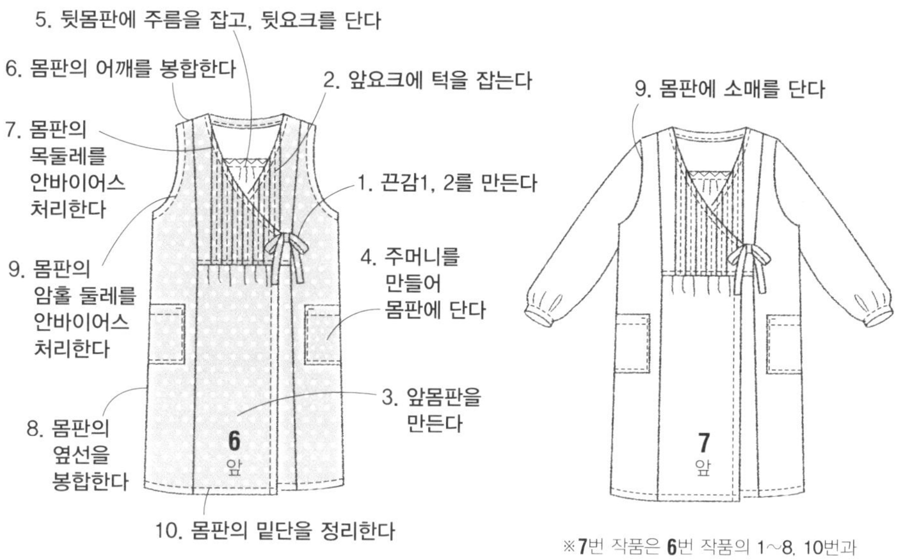

※**7**번 작품은 **6**번 작품의 1~8, 10번과
만드는 방법이 동일합니다.

만드는 방법

1. 끈감1, 2를 만든다

①끈감을 만든다 (P.42 [끈감 만드는 방법 C] 참고)

끈감(겉)　0.2

1　　1.5

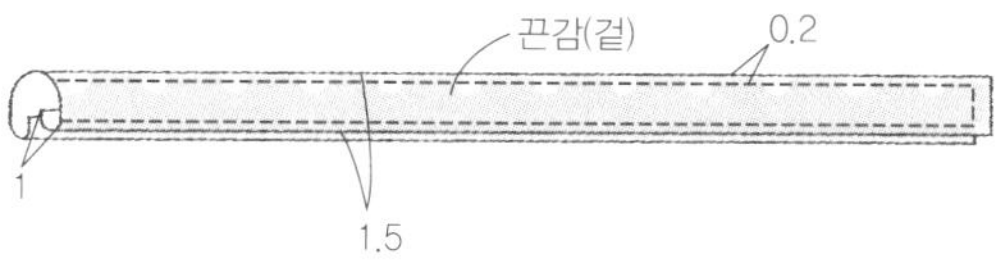

※끈감1은 총 3개, 끈감2는 총 1개 만든다

2. 앞요크에 턱을 잡는다

①턱의 접음선에
맞춰 접는다

④턱을 옆선
쪽으로
넘긴다

옆선쪽

왼쪽
앞요크
(겉)

②봉합

왼쪽 앞요크
(겉)

③①~②과정과
같은 방법으로
턱을 모두
잡는다

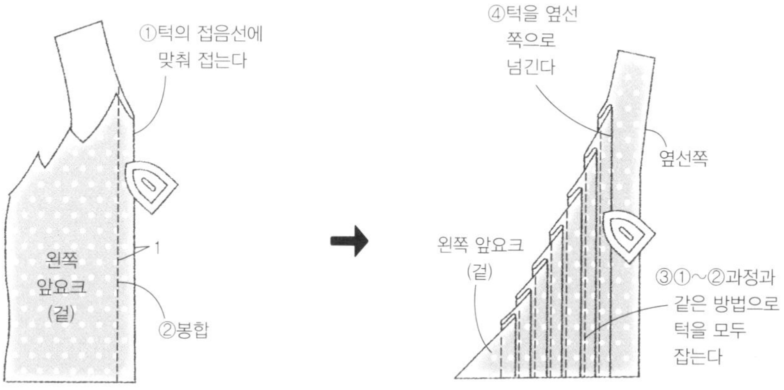

※오른쪽 앞요크도 ①~④과정과 같은 방법으로 만든다

3. 앞몸판을 만든다

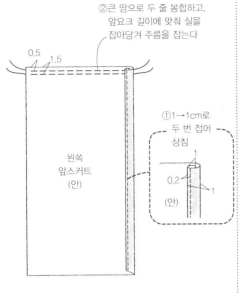

②큰 땀으로 두 줄 봉합하고, 앞요크 길이에 맞춰 실을 잡아당겨 주름을 잡는다

0.5 1.5

왼쪽 앞스커트 (안)

①1→1cm로 두 번 접어 상침

0.2 1

(안)

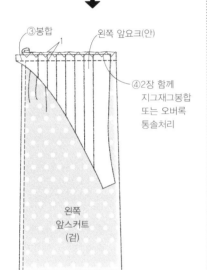

③봉합
왼쪽 앞요크(안)

④2장 함께 지그재그봉합 또는 오버록 통솔처리

왼쪽 앞스커트 (겉)

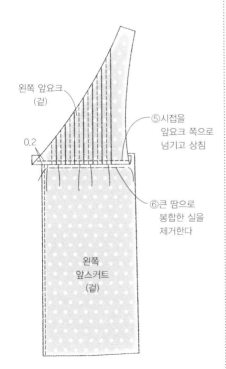

왼쪽 앞요크 (겉)

0.2

⑤시접을 앞요크 쪽으로 넘기고 상침

⑥큰 땀으로 봉합한 실을 제거한다

왼쪽 앞스커트 (겉)

---

⑦왼쪽에만 끈감1 다는 곳에 맞춰 임시고정 봉합한다

왼쪽 앞옆몸판 (겉)

끈감1(겉)

0.5

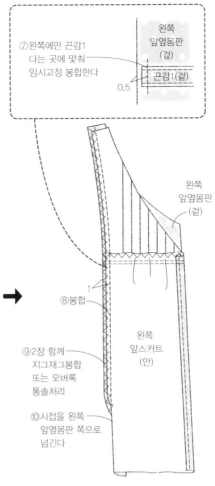

왼쪽 앞옆몸판 (겉)

1

⑧봉합

⑨2장 함께 지그재그봉합 또는 오버록 통솔처리

왼쪽 앞스커트 (안)

⑩시접을 왼쪽 앞옆몸판 쪽으로 넘긴다

※반대쪽도 ①~⑥, ⑧~⑩과정과 같은 방법으로 만든다

4. 주머니를 만들어 몸판에 단다

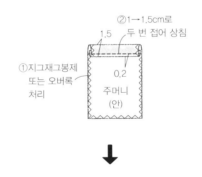

②1→1.5cm로 두 번 접어 상침

1.5

①지그재그봉제 또는 오버록 처리

0.2

주머니 (안)

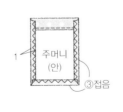

1

주머니 (안)

③접음

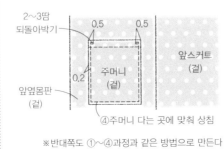

2~3땀 되돌아박기

0.5 0.5

주머니 (겉)

앞스커트 (겉)

0.2

앞옆몸판 (겉)

④주머니 다는 곳에 맞춰 상침

※반대쪽도 ①~④과정과 같은 방법으로 만든다

5. 뒷몸판에 주름을 잡고, 뒷요크를 단다

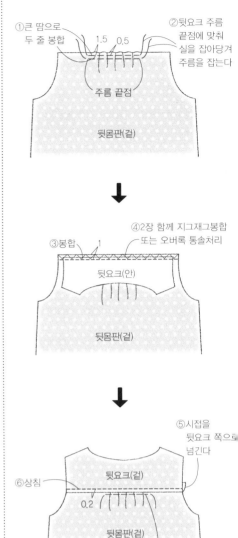

①큰 땀으로 두 줄 봉합

1.5 0.5

②뒷요크 주름 끝점에 맞춰 실을 잡아당겨 주름을 잡는다

주름 끝점

뒷몸판(겉)

③봉합 1

④2장 함께 지그재그봉합 또는 오버록 통솔처리

뒷요크(안)

뒷몸판(겉)

⑤시접을 뒷요크 쪽으로 넘긴다

⑥상침

뒷요크(겉)

0.2

뒷몸판(겉)

⑦큰 땀으로 봉합한 실을 제거한다

6. 몸판의 어깨를 봉합한다

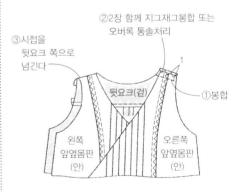

②2장 함께 지그재그봉합 또는 오버록 통솔처리

③시접을 뒷요크 쪽으로 넘긴다

뒷요크(겉)

①봉합

왼쪽 앞옆몸판 (안)

오른쪽 앞옆몸판 (안)

7. 몸판의 목둘레를 안바이어스 처리한다

①P.42 [바이어스천 연결하기]를 참고하여 목둘레 안바이어스천을 이어서 연결한다

목둘레 안바이어스천(안)

②접음

0.8

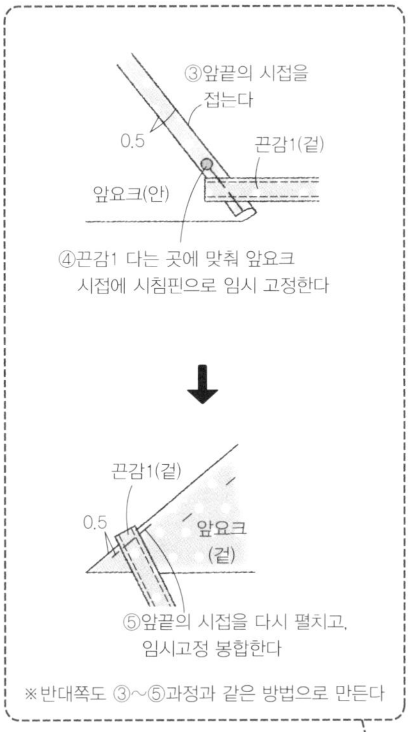

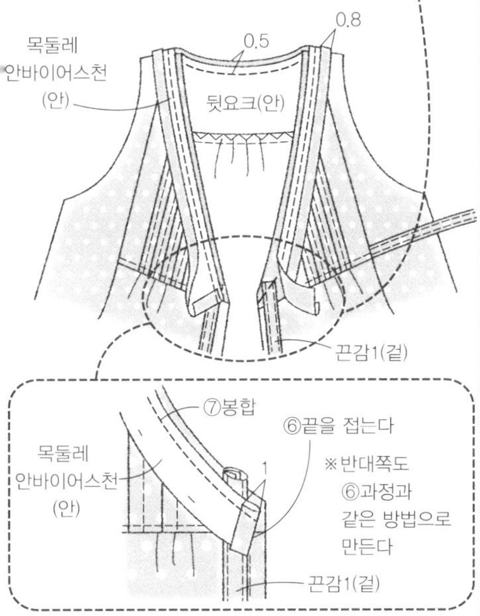

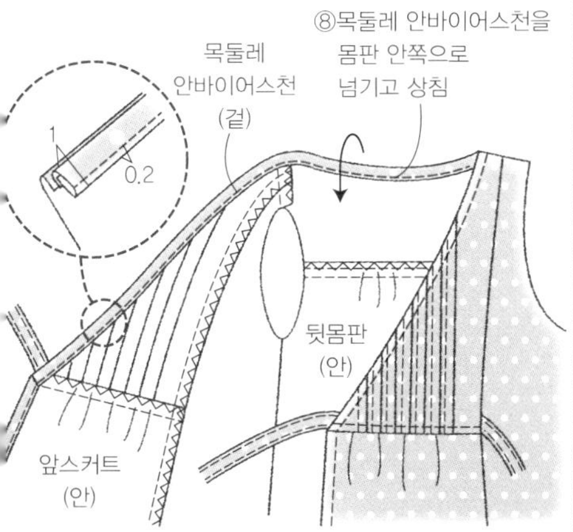

③앞끝의 시접을 접는다

0.5

끈감1(겉)

앞요크(안)

④끈감1 다는 곳에 맞춰 앞요크 시접에 시침핀으로 임시 고정한다

끈감1(겉)

0.5

앞요크(겉)

⑤앞끝의 시접을 다시 펼치고, 임시고정 봉합한다

※반대쪽도 ③∼⑤과정과 같은 방법으로 만든다

목둘레 안바이어스천(안)

0.5

0.8

뒷요크(안)

끈감1(겉)

⑦봉합

⑥끝을 접는다

목둘레 안바이어스천(안)

※반대쪽도 ⑥과정과 같은 방법으로 만든다

끈감1(겉)

목둘레 안바이어스천(겉)

0.2

⑧목둘레 안바이어스천을 몸판 안쪽으로 넘기고 상침

목둘레 안바이어스천(겉)

뒷몸판(안)

앞스커트(안)

8. 몸판의 옆선을 봉합한다

0.5

①끈감2 다는 곳에 맞춰 임시고정 봉합

끈감2(겉)

뒷몸판(겉)

오른쪽 앞옆몸판(안)

오른쪽 앞스커트(안)

왼쪽 앞옆몸판(안)

①봉합

②봉합

③2장 함께 지그재그봉합 또는 오버록 통솔처리

④시접을 뒷몸판 쪽으로 넘긴다

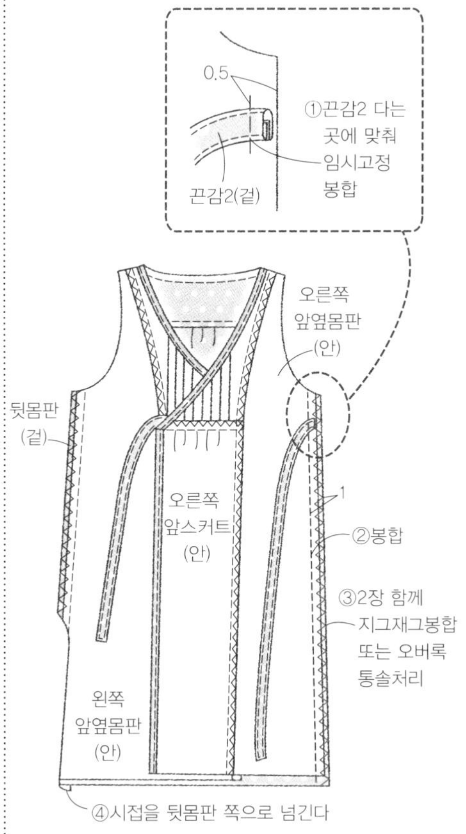

9. 몸판의 암홀 둘레를 안바이어스 처리한다(6번만)

①접음

암홀 둘레 안바이어스천(안)

0.5

0.8

오른쪽 앞옆몸판(겉)

②암홀 둘레를 안바이어스 처리한다 (P.61/4-①∼⑦ 참고)

③암홀 둘레 안바이어스천을 몸판 안쪽으로 넘기고 상침

암홀 둘레 안바이어스천(겉)

1

0.2

오른쪽 앞옆몸판(겉)

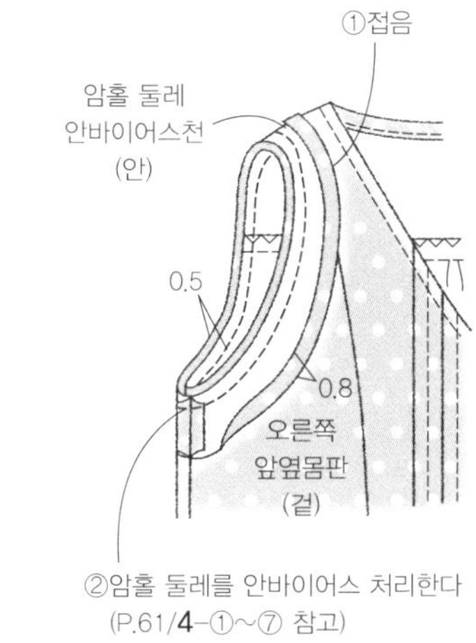

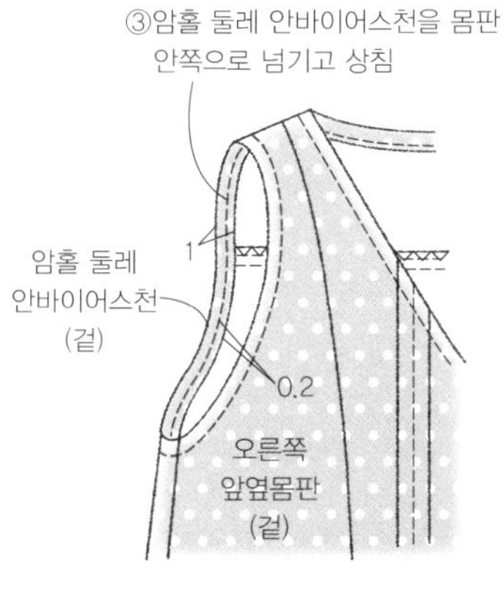

※반대쪽도 ①∼③과정과 같은 방법으로 만든다

9. 몸판에 소매를 단다(7번만)

고무줄 통로 입구 2.5cm

①봉합

②뒤쪽의 시접에만 가윗집을 준다

1

1

1

오른쪽 소매(안)

소매(안)

③가름솔

④2장 함께 지그재그봉합 또는 오버록 통솔처리

오른쪽 소매(안)

0.2 2.5

⑤시접을 앞쪽으로 넘긴다

⑥1→2.5cm로 두 번 접어 상침

⑦몸판 안으로 소매를 넣어 겉끼리 맞대고 봉합

⑧2장 함께 지그재그봉합 또는 오버록 통솔처리

오른쪽 소매(안)

오른쪽 앞옆몸판(안)

오른쪽 소매(겉)

오른쪽 앞옆몸판(겉)

⑨소매 끝에 고무줄을 넣는다 (P.51/5-⑦∼⑧ 참고) ※고무줄 길이 : 23cm

※왼쪽 소매도 ①∼⑨과정과 같은 방법으로 만든다

10. 몸판의 밑단을 정리한다

뒷몸판(안)

오른쪽 앞스커트(안)

왼쪽 앞스커트(안)

①1→1cm로 두 번 접어 상침

0.2 1 1

45

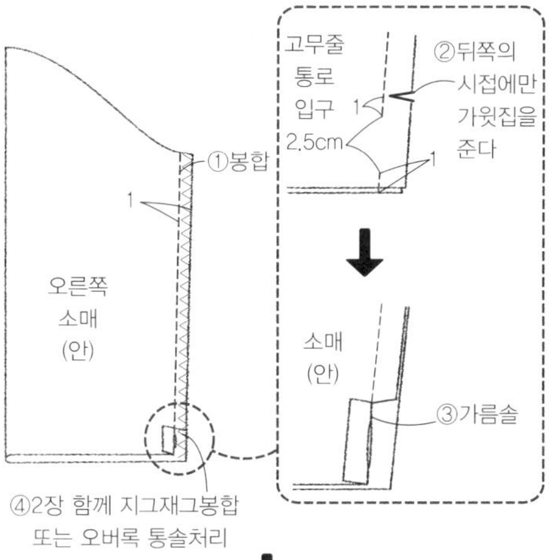

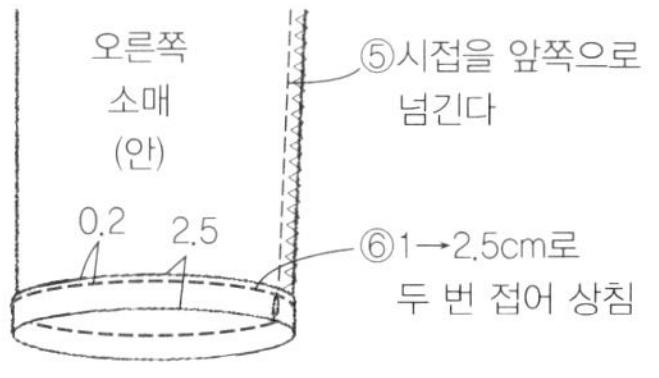

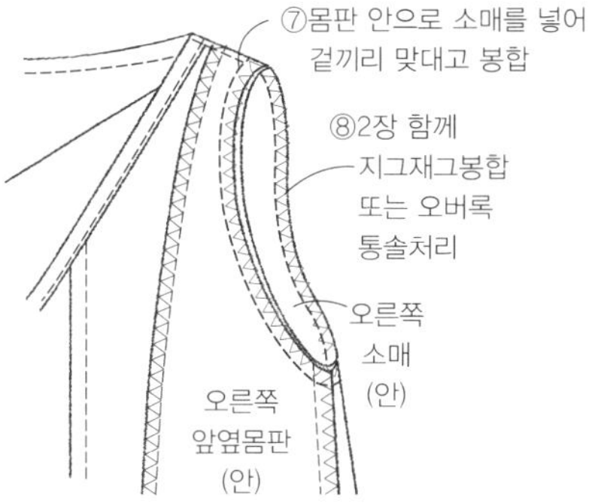

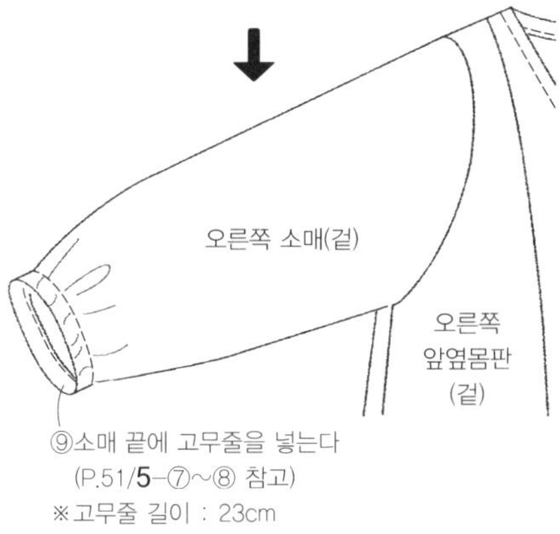

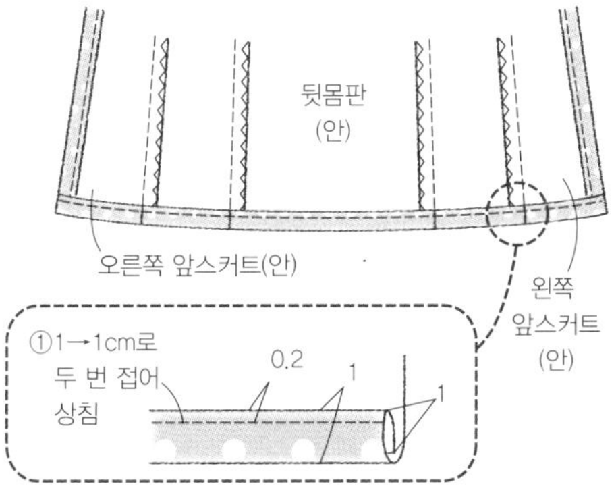

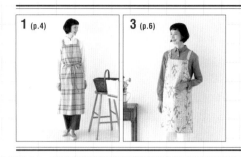

1 베이직 에이프런
3 베이직 쇼트 에이프런

■ 재료

1번 겉감(코튼리넨) … 110cm폭 x 190cm
접착심(소잉심지) … 30cm폭 x 10cm

3번 겉감(코튼 라이트 캔버스) … 137cm폭 x 110cm
접착심(소잉심지) … 30cm폭 x 10cm
단추 … 2cm폭 x 1개

■ 완성 사이즈 (어깨끈감 미포함)
가슴둘레 … **1번** 97cm / **3번** 94cm
옷길이 … **1번** 97.5cm / **3번** 77cm

■ 실물크기 패턴 A면

(재단 배치도)

1번

※ 지정 이외의 시접은 1cm.
※ 허리끈감과 암홀 둘레 안바이어스천은 직접 제도하여 사용합니다.
※ 안바이어스천은 길게 준비하고, 다는 곳의 길이에 맞춰 여분을 잘라서 사용합니다.
※ [░░░░░] 는 안쪽에 접착심(소잉심지)을 붙입니다.

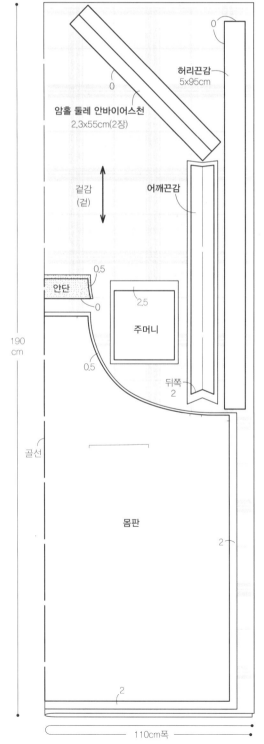

3번

※ 시접 이외의 시접은 1cm.
※ 암홀 둘레 안바이어스천은 직접 제도하여 사용합니다.
※ 안바이어스천은 길게 준비하고, 다는 곳의 길이에 맞춰 여분을 잘라서 사용합니다.
※ [░░░░░] 는 안쪽에 접착심(소잉심지)을 붙입니다.

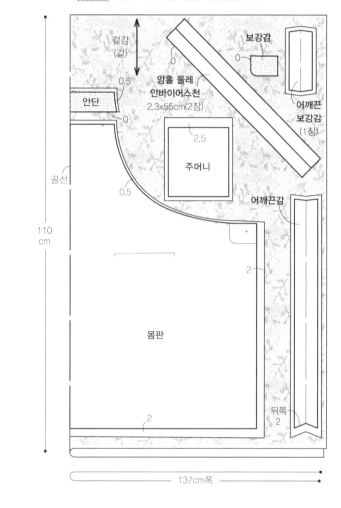

(만드는 순서)

1. 만들기 전 준비

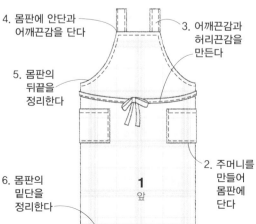

4. 몸판에 안단과 어깨끈감을 단다

3. 어깨끈감과 허리끈감을 만든다

5. 몸판의 뒤끝을 정리한다

2. 주머니를 만들어 몸판에 단다

6. 몸판의 밑단을 정리한다

※ **3번** 작품은 **1번** 작품과 만드는 방법이 동일합니다.

만드는 방법

1. 만들기 전 준비

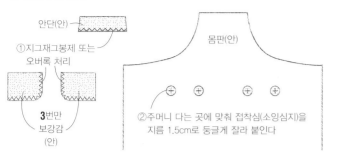

① 지그재그봉제 또는 오버록 처리

3번만 보강감 (안)

안단(안)

몸판(안)

② 주머니 다는 곳에 맞춰 접착심(소잉심지)을 지름 1.5cm로 둥글게 잘라 붙인다

2. 주머니를 만들어 몸판에 단다

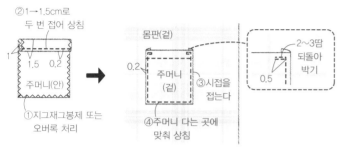

② 1→1.5cm로 두 번 접어 상침

1.5 0.2

주머니(안)

① 지그재그봉제 또는 오버록 처리

몸판(겉)

0.2

주머니(겉)

③ 시접을 접는다

④ 주머니 다는 곳에 맞춰 상침

2~3땀 되돌아 박기

0.5

※ 반대쪽도 ①~④과정과 같은 방법으로 만든다

3. 어깨끈감과 허리끈감을 만든다

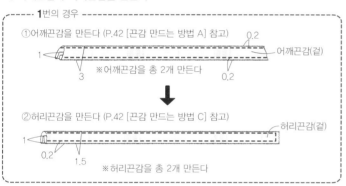

1번의 경우

① 어깨끈감을 만든다 (P.42 [끈감 만드는 방법 A] 참고)

0.2

어깨끈감(겉)

0.2

※ 어깨끈감을 총 2개 만든다

② 허리끈감을 만든다 (P.42 [끈감 만드는 방법 C] 참고)

허리끈감(겉)

0.2 1.5

※ 허리끈감을 총 2개 만든다

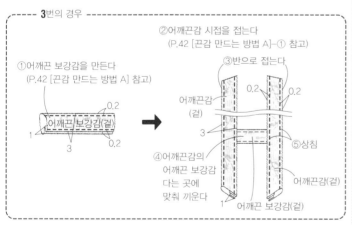

3번의 경우

① 어깨끈 보강감을 만든다 (P.42 [끈감 만드는 방법 A] 참고)

0.2

어깨끈 보강감(겉)

0.2

② 어깨끈감 시접을 접는다 (P.42 [끈감 만드는 방법 A]-① 참고)

③ 반으로 접는다

어깨끈감(겉)

0.2 0.2

⑤ 상침

④ 어깨끈감의 어깨끈 보강감 다는 곳에 맞춰 끼운다

어깨끈감(겉)

어깨끈 보강감(겉)

4. 몸판에 안단과 어깨끈감을 단다

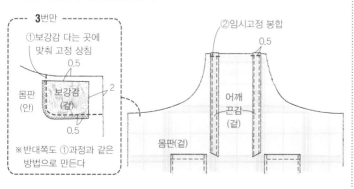

3번만

① 보강감 다는 곳에 맞춰 고정 상침

0.5

몸판(안)

보강감(겉)

2

0.5

※ 반대쪽도 ①과정과 같은 방법으로 만든다

② 임시고정 봉합

0.5

몸판(겉)

어깨끈감(겉)

5. (상단 오른쪽)

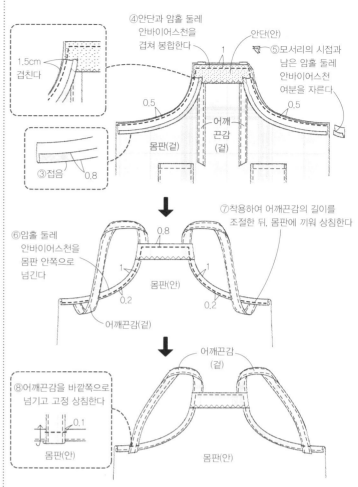

④ 안단과 암홀 둘레 안바이어스천을 겹쳐 봉합한다

1.5cm 겹친다

안단(안)

⑤ 모서리의 시접과 남은 암홀 둘레 안바이어스천 여분을 자른다

0.5

어깨끈감(겉)

③ 접음 0.8

0.5

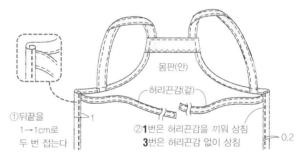

⑥ 암홀 둘레 안바이어스천을 몸판 안쪽으로 넘긴다

0.8

⑦ 착용하여 어깨끈감의 길이를 조절한 뒤, 몸판에 끼워 상침한다

몸판(안)

0.2

어깨끈감(겉)

⑧ 어깨끈감을 바깥쪽으로 넘기고 고정 상침한다

0.1

몸판(안)

어깨끈감(겉)

5. 몸판의 뒤끝을 정리한다

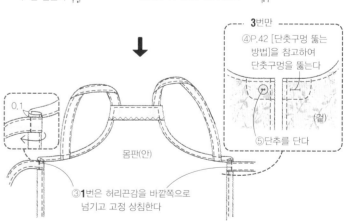

① 뒤끝을 1→1cm로 두 번 접는다

몸판(안)

허리끈감(겉)

② **1번**은 허리끈감을 끼워 상침 **3번**은 허리끈감 없이 상침

0.2

0.1

몸판(안)

③ **1번**은 허리끈감을 바깥쪽으로 넘기고 고정 상침한다

3번만

④ P.42 [단춧구멍 뚫는 방법]을 참고하여 단춧구멍을 뚫는다

⑤ 단추를 단다

(겉)

6. 몸판의 밑단을 정리한다

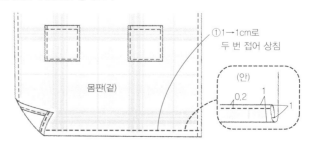

몸판(겉)

① 1→1cm로 두 번 접어 상침

(안)

0.2 1

4 / 프릴 장식 에이프런

■ 재료
겉감(코튼 론) … 110cm폭 x 140cm
접착심(소잉심지) … 30cm폭 x 10cm

■ 완성 사이즈 (어깨끈감 미포함)
가슴둘레 … 75cm
옷길이 … 69cm

■ 실물크기 패턴 A면

〔 재단 배치도 〕

※지정 이외의 시접은 1cm.
※암홀 둘레 안바이어스천, 어깨끈감, 허리끈감, 프릴감은 직접 제도하여 사용합니다.
※안바이어스천은 길게 준비하고, 다는 곳의 길이에 맞춰 여분을 잘라서 사용합니다.
※ 〔░░░〕는 안쪽에 접착심(소잉심지)을 붙입니다.

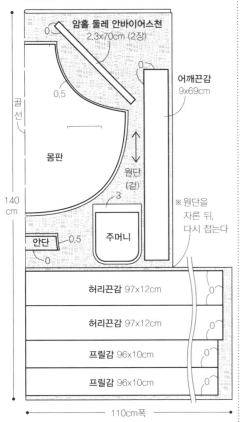

〔 만드는 순서 〕

1. 만들기 전 준비

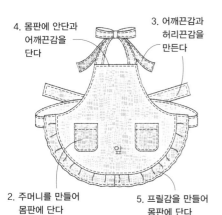

4. 몸판에 안단과 어깨끈감을 단다

3. 어깨끈감과 허리끈감을 만든다

2. 주머니를 만들어 몸판에 단다

5. 프릴감을 만들어 몸판에 단다

〔 만드는 방법 〕

1. 만들기 전 준비

①안단의 밑단을 지그재그봉제 또는 오버록 처리한다 (P.47/1-① 참고)

2. 주머니를 만들어 몸판에 단다

①지그재그봉제 또는 오버록 처리
②1→2cm로 두 번 접어 상침
③시접을 접는다 (P.64/1-③~⑤ 참고)

주머니(안)

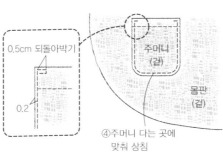

④주머니 다는 곳에 맞춰 상침

※반대쪽도 ①~④과정과 같은 방법으로 만든다

3. 어깨끈감과 허리끈감을 만든다

①어깨끈감을 만든다 (P.42 [끈감 만드는 방법 C] 참고)

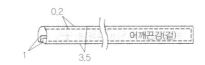

어깨끈감(겉)

※어깨끈감을 총 2개 만든다
※허리끈감도 ①과정과 같은 방법으로 총 2개 만든다

4. 몸판에 안단과 어깨끈감을 단다

①몸판에 안단과 어깨끈감을 단다 (P.47/4-②~⑤ 참고)
②암홀 둘레 안바이어스천을 몸판 안쪽으로 넘기고 상침

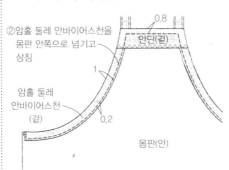

안단(겉)
암홀 둘레 안바이어스천(겉)
몸판(안)

---

5. 프릴감을 만들어 몸판에 단다

①1장씩 지그재그봉제 또는 오버록 처리
②봉합
③가름솔

프릴감(겉)
프릴감(안)

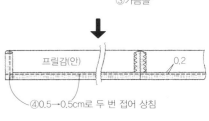

④0.5→0.5cm로 두 번 접어 상침

프릴감(안)

⑤큰 땀으로 두 줄 봉합

프릴감(안)

⑥몸판 프릴감 다는 끝점에 맞춰 프릴감의 실을 잡아당겨 주름을 잡는다

⑦몸판과 프릴감을 겉끼리 맞대고 그 위에 허리끈감을 얹는다

프릴감 다는 끝점
⑧봉합
⑨2장 함께 지그재그봉합 또는 오버록 통솔처리

허리끈감(겉)
몸판(겉)
프릴감(안)

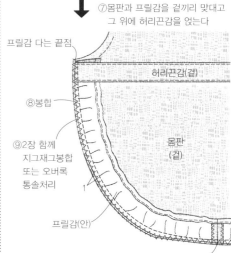

※프릴감의 솔기는 몸판의 중심에 맞춘다

⑩시접을 몸판 쪽으로 넘긴다
⑪상침

허리끈감(겉)
몸판(겉)
프릴감(겉)

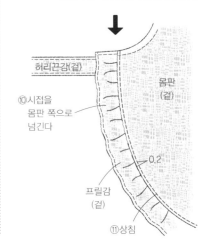

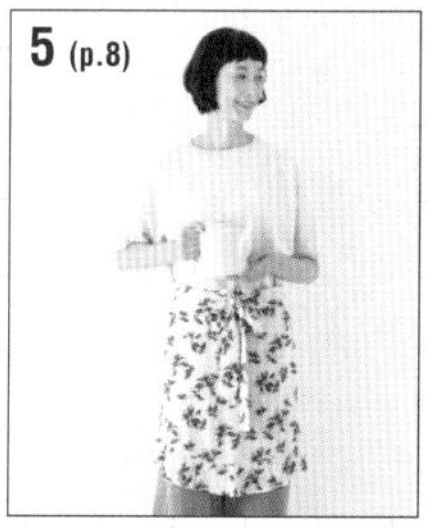

5／프릴 장식 카페 에이프런

■ 재료
　겉감(레이온) … 110cm폭 x 110cm
　접착심(소잉심지) … 10cm폭 x 10cm

■ 완성 사이즈
　가슴둘레 … 75cm
　옷길이 … 49.5cm

■ 실물크기 패턴 A면

재단 배치도

※지정 이외의 시접은 1cm.
※허리벨트1, 허리벨트2, 프릴감은 직접 제도하여 사용합니다.

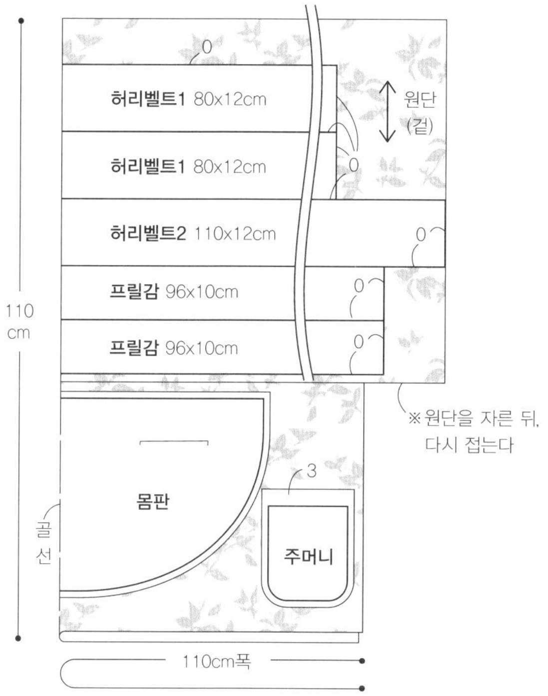

0

허리벨트1 80x12cm　　원단 (겉)

허리벨트1 80x12cm　　0

허리벨트2 110x12cm　　0

프릴감 96x10cm　　0

프릴감 96x10cm　　0

110 cm

몸판　　3

골선　　주머니

※원단을 자른 뒤,
다시 접는다

110cm폭

만드는 순서

1. 주머니를 만들어 몸판에 단다

3. 허리벨트1, 2를
연결하고,
몸판에 단다

2. 프릴감을 만들어
몸판에 단다

앞

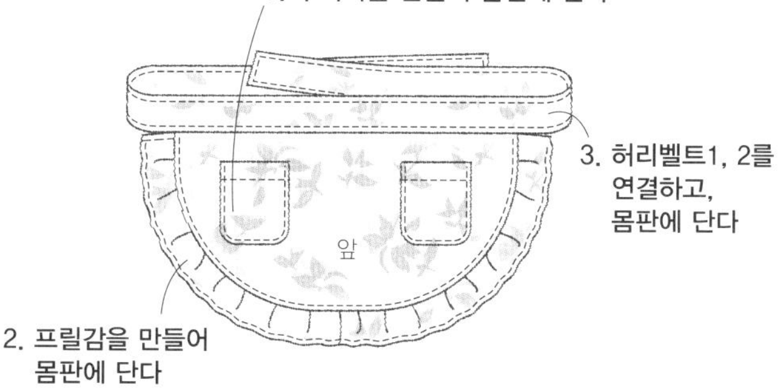

만드는 방법

1. 주머니를 만들어 몸판에 단다 (P.48/2-①~④ 참고)

2. 프릴감을 만들어 몸판에 단다 (P.48/5-①~⑥, ⑧~⑩ 참고)

---

3. 허리벨트1, 2를 연결하고, 몸판에 단다

허리벨트1(겉)

허리벨트2(안)　　1　　①봉합

허리벨트1(안)　　허리벨트2(안)　　허리벨트1(안)

②가름솔　　③①~②과정과 같은 방법으로 만든다

④반으로 접는다　　1

허리벨트1(안)　　1　　허리벨트2(안)　　허리벨트1(안)

⑥봉합　　⑤접음　　⑥봉합

⑦겉으로 뒤집는다

허리벨트1(겉)　　허리벨트2(겉)　　허리벨트1(겉)

※중심을 맞춘다　　1　　⑧봉합

허리벨트2(안)　　허리벨트1(겉)

몸판 (겉)

0.2

몸판(겉)

⑨허리벨트 안에 시접을 넣는다　　0.2

허리벨트(겉)

⑩상침

몸판 (겉)

49

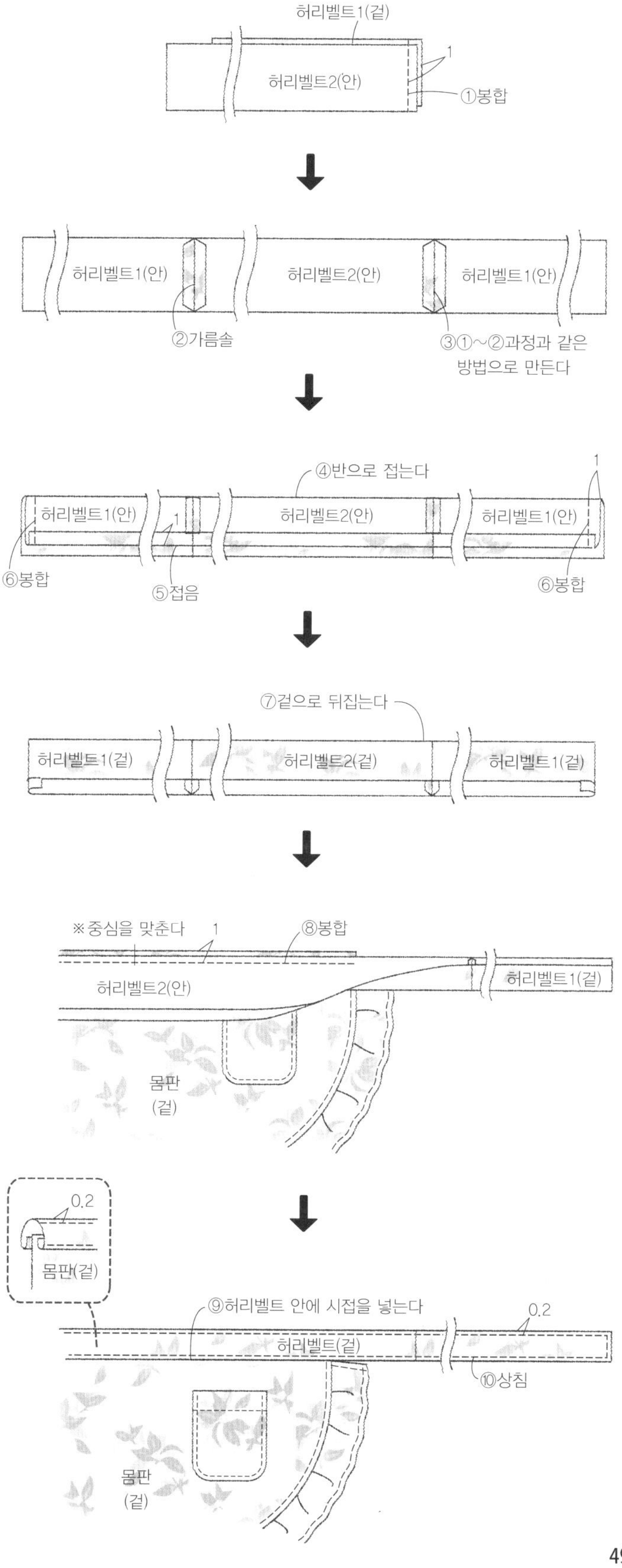

9 (p.12)　**10** (p.13)

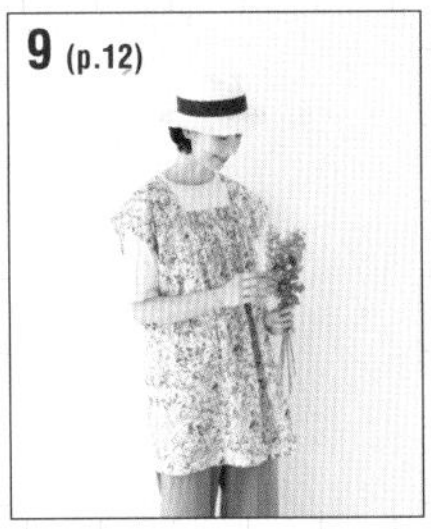

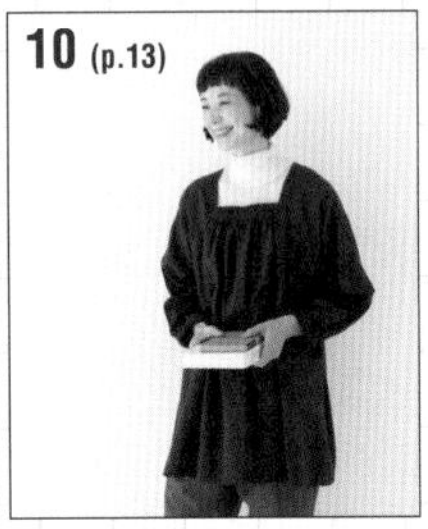

9／ 주름 장식 에이프런　　**10**／ 주름 장식 긴소매 에이프런

▪ 재료(M/L사이즈)

9번 겉감(코튼 론) … 110cm폭 x 200cm / 220cm
　　고무줄 … 3.5cm폭 x 100cm

10번 겉감(코튼리넨 헤링본) … 105cm폭 x 250cm / 270cm
　　고무줄 … 3.5cm폭 x 50cm

▪ 완성 사이즈(M/L사이즈)

가슴둘레 … 101cm / 110cm
옷길이 … 80.5cm / 84.5cm

패턴에 대해서

※모든 패턴은 직접 제도하여 사용합니다.

━19 / 21━
4　　　☆　4
　　　10.5
　　　★
29
30.5
━16 / 17.5━
틈임
끝점　22.5　3
　　24
51.5
54
주머니
다는 곳
앞·뒤
옆몸판
━17.5 / 19.5━

━18.5 / 20.5━
☆　뒷몸판　10.5
★　앞몸판
앞·뒤
몸판
앞·뒤
중심
골선
76.5
80.5

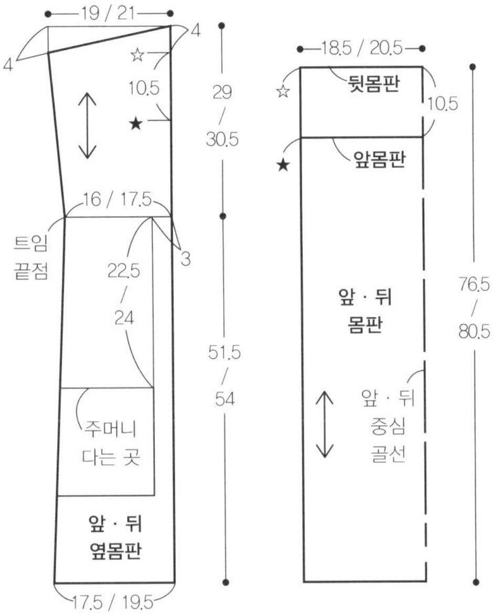

※주머니 다는 곳은
앞옆몸판에만 표시합니다

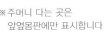

16
주머니　17

━25.5 / 27━ 어깨선 ━25.5 / 27━
소매
(**10**번만)
43
46
━18 / 19.5━ ━18 / 19.5━

만드는 순서

2. 몸판의 어깨를 봉합한다
1. 몸판을 만든다
3. 몸판의 목둘레를 정리한다
4. 몸판에 소매를 단다
6. 주머니를 만들어 몸판에 단다
7. 몸판의 밑단을 정리한다
5. 몸판과 소매의 옆선을 한 번에 이어서 봉합한다 (**10**번만)
10
앞

4. 소매의 옆선을 봉합한다
9
앞

※**9**번 작품은 **10**번 작품의 1~3, 6~7번과 만드는 방법이 동일합니다.

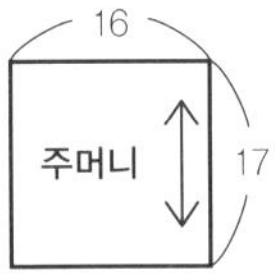

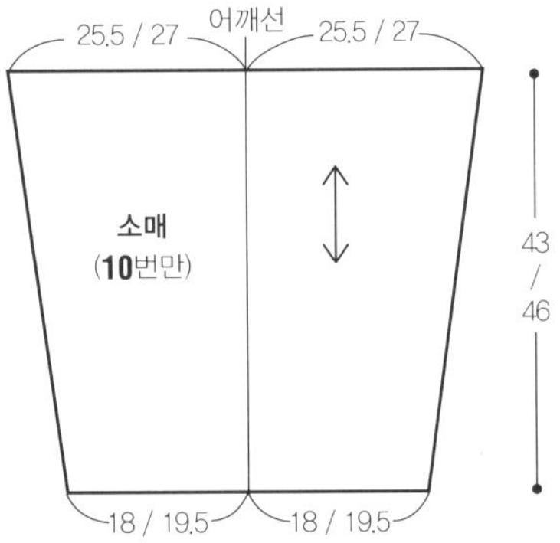

재단 배치도

※**10**번의 재단 배치도입니다.
※**9**번은 소매를 제외하고 재단해주세요.
※지정 이외의 시접은 1cm.

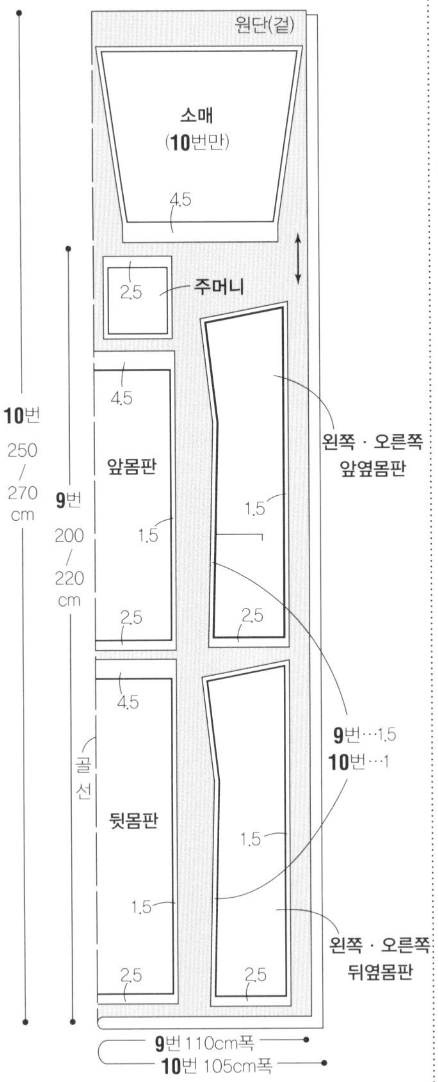

원단(겉)
소매
(**10**번만)
4.5
2.5　주머니
4.5
앞몸판
1.5
2.5　2.5
4.5
뒷몸판
1.5
2.5　2.5
골선

10번
250
270
cm

9번
200
220
cm

왼쪽·오른쪽
앞옆몸판
1.5
1.5
9번…1.5
10번…1
1.5
왼쪽·오른쪽
뒤옆몸판

━**9**번 110cm폭━
━**10**번 105cm폭━

만드는 방법

1. 몸판을 만든다

②접음
③상침　4.5
0.5
①지그재그봉제
또는 오버록
처리
앞몸판(안)

④고무줄을 시접 끝에 맞춰
임시고정 봉합한다
※고무줄 길이 : 20.5/22cm

2　　　　　　2
고무줄
━16.5 / 18━
앞몸판(겉)

⑤고무줄을 반대쪽 시접 끝에
맞춰 통과시킨 후, 임시고정
봉합한다

왼쪽
앞옆몸판
(안)
오른쪽
앞옆몸판
(겉)
★
⑦시접을
앞옆몸판 쪽으로
넘긴다
⑥봉합
앞몸판
(안)
1.5

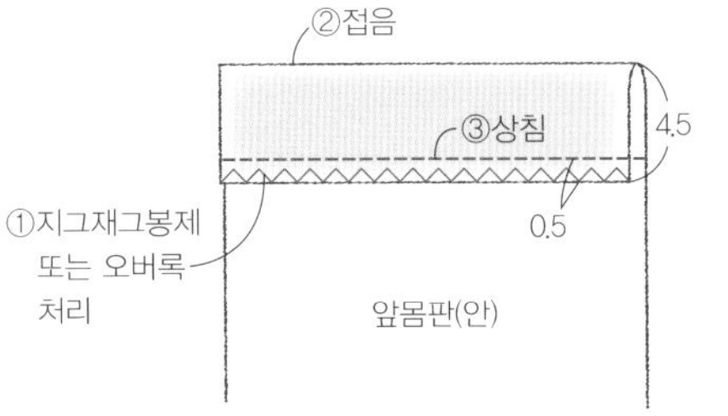

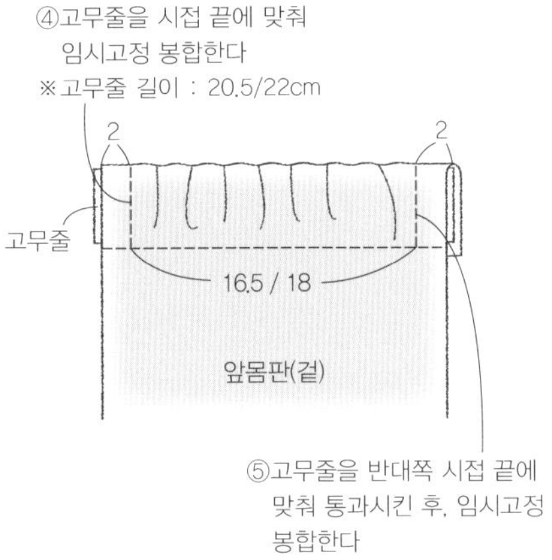

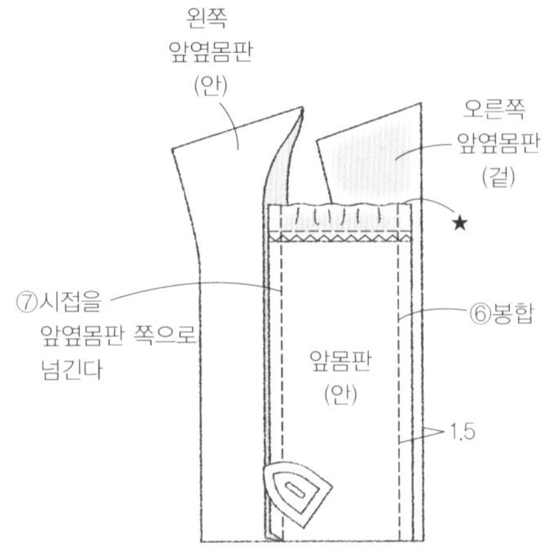

※④~⑤번에서 임시고정 봉합한 실을 제거한다
※뒷몸판과 뒤옆몸판도 ①~⑦과정과 같은 방법으로 만든다

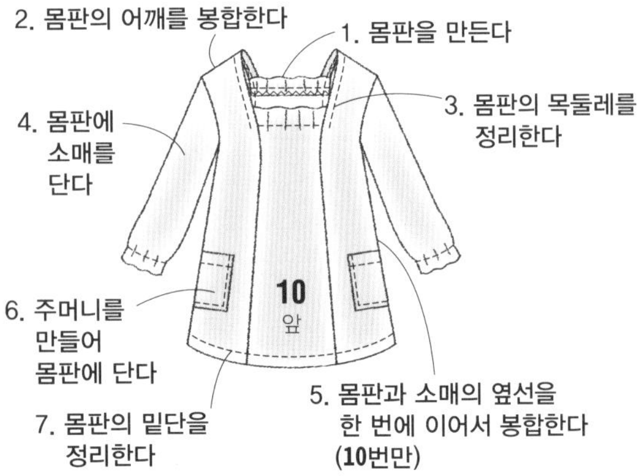

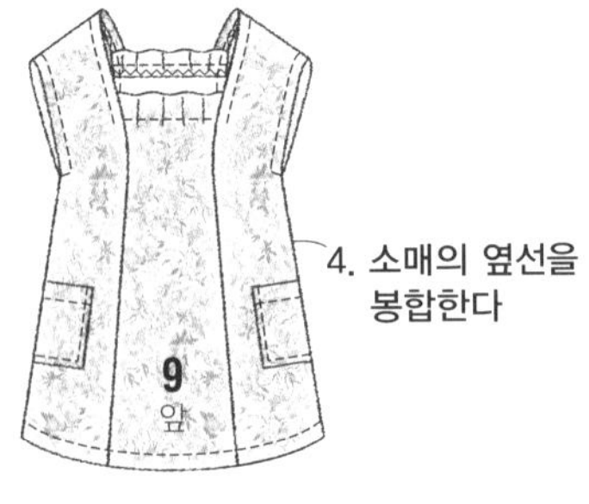

2. 몸판의 어깨를 봉합한다

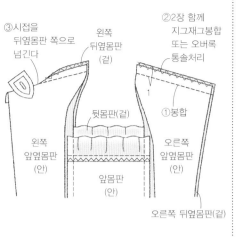

③시접을 뒤옆몸판 쪽으로 넘긴다

왼쪽 뒤옆몸판 (겉)

②2장 함께 지그재그봉합 또는 오버록 통솔처리

①봉합

뒷몸판(겉)

왼쪽 앞옆몸판 (안)

오른쪽 앞옆몸판 (안)

앞몸판 (안)

오른쪽 뒤옆몸판(겉)

3. 몸판의 목둘레를 정리한다

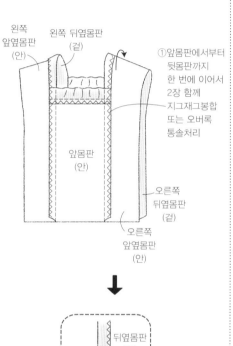

왼쪽 앞옆몸판 (안)

왼쪽 뒤옆몸판 (겉)

①앞몸판에서부터 뒷몸판까지 한 번에 이어서 2장 함께 지그재그봉합 또는 오버록 통솔처리

앞몸판 (안)

오른쪽 뒤옆몸판 (겉)

오른쪽 앞옆몸판 (안)

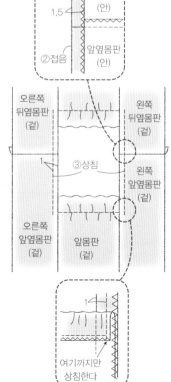

뒤옆몸판 (안)

1.5

②접음

앞옆몸판 (안)

오른쪽 뒤옆몸판 (겉)

왼쪽 뒤옆몸판 (겉)

1

③상침

왼쪽 앞옆몸판 (겉)

오른쪽 앞옆몸판 (겉)

앞몸판 (겉)

1

여기까지만 상침한다

4. 몸판에 소매를 단다(10번만)

①지그재그봉제 또는 오버록 처리

오른쪽 뒤옆몸판 (겉)

뒷몸판 (겉)

왼쪽 뒤옆몸판 (겉)

트임 끝점

②봉합

어깨선

③2장 함께 지그재그봉합 또는 오버록 통솔처리

소매(안)

오른쪽 앞옆몸판 (겉)

앞몸판 (겉)

왼쪽 앞옆몸판 (겉)

트임 끝점

※반대쪽도 ①~③과정과 같은 방법으로 만든다

5. 몸판과 소매의 옆선을 한 번에 이어서 봉합한다 (10번만)

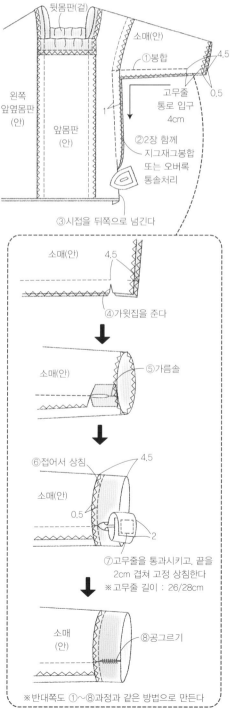

뒷몸판(겉)

소매(안)

①봉합

4.5

0.5

왼쪽 앞옆몸판 (안)

앞몸판 (안)

고무줄 통로 입구 4cm

②2장 함께 지그재그봉합 또는 오버록 통솔처리

③시접을 뒤쪽으로 넘긴다

소매(안) 4.5

④가윗집을 준다

소매(안)

⑤가름솔

⑥접어서 상침 4.5

소매(안)

0.5

2

⑦고무줄을 통과시키고. 끝을 2cm 겹쳐 고정 상침한다
※고무줄 길이 : 26/28cm

소매 (안)

⑧공그르기

※반대쪽도 ①~⑧과정과 같은 방법으로 만든다

4. 소매의 옆선을 봉합한다(9번만)

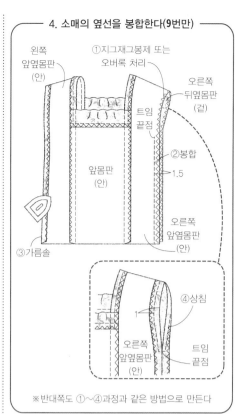

왼쪽 앞옆몸판 (안)

①지그재그봉제 또는 오버록 처리

오른쪽 뒤옆몸판 (겉)

트임 끝점

②봉합

1.5

앞몸판 (안)

오른쪽 앞옆몸판 (안)

③가름솔

④상침

1

오른쪽 앞옆몸판 (안)

트임 끝점

※반대쪽도 ①~④과정과 같은 방법으로 만든다

6. 주머니를 만들어 몸판에 단다

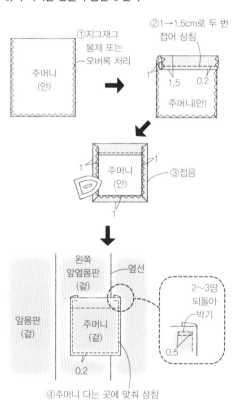

①지그재그 봉제 또는 오버록 처리

주머니 (안)

②1→1.5cm로 두 번 접어 상침

1.5 0.2

주머니(안)

1 주머니 (안) ③접음

1

왼쪽 앞옆몸판 (겉)

옆선

앞몸판 (겉)

주머니 (겉)

2~3땀 되돌아 박기

0.5

0.2

④주머니 다는 곳에 맞춰 상침

※반대쪽도 ①~④과정과 같은 방법으로 만든다

7. 몸판의 밑단을 정리한다

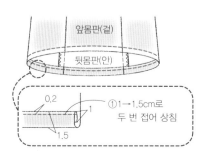

앞몸판(겉)

뒷몸판(안)

0.2

1

1.5

①1→1.5cm로 두 번 접어 상침

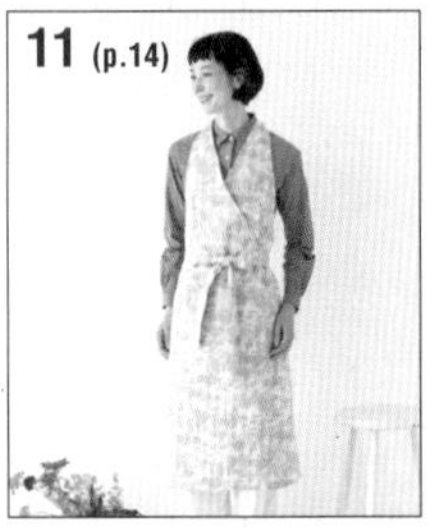

11 / 베스트 스타일 에이프런

■ 재료
겉감(코튼 옥스퍼드) ··· 149cm폭 x 150cm

■ 완성 사이즈 (어깨끈감 미포함)
가슴둘레 ··· 79cm
옷길이 ··· 106cm

■ 실물크기 패턴 A면

재단 배치도

※ 지정 이외의 시접은 1cm.
※ 암홀 둘레 안바이어스천, 앞끝 둘레 안바이어스천은
　직접 제도하여 사용합니다.
※ 안바이어스천은 길게 준비하고, 다는 곳의 길이에
　맞춰 여분을 잘라서 사용합니다.

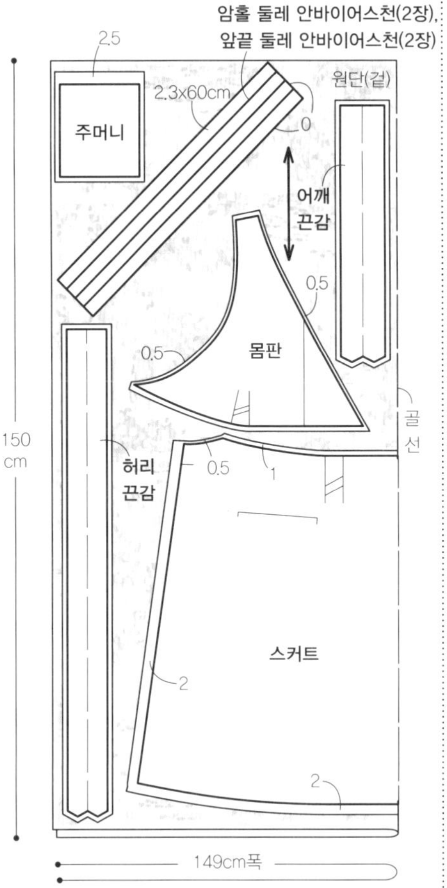

암홀 둘레 안바이어스천(2장),
앞끝 둘레 안바이어스천(2장)

원단(겉)

2.5
2.3x60cm
주머니
0
어깨끈감
0.5
몸판
0.5
0.5
골선
150cm
허리끈감
0.5
1
스커트
2
2
2

149cm폭

만드는 순서

5. 어깨끈감을 만들어 몸판에 단다
2. 몸판의 앞끝 둘레를 안바이어스 처리한다
4. 몸판의 암홀 둘레를 안바이어스 처리한다
6. 허리끈감을 만든다
3. 몸판에 스커트를 단다
앞
1. 주머니를 만들어 스커트에 단다
7. 스커트의 옆선과 밑단을 정리한다

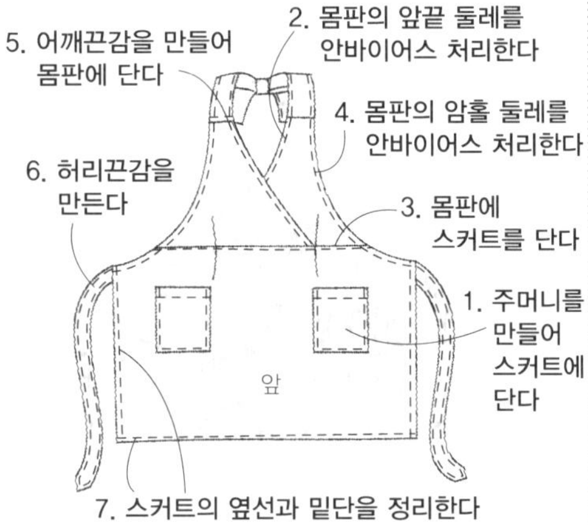

만드는 방법

1. 주머니를 만들어 스커트에 단다
(P.47/2-①~④ 참고)

---

2. 몸판의 앞끝 둘레를 안바이어스 처리한다

①P.42 [안바이어스 처리 ㅅ]를 참고하여 앞끝 둘레를
안바이어스 처리한다

앞끝 둘레 안바이어스천(안)
0.8cm 접음

0.5
왼쪽 몸판(겉)
앞끝 둘레 안바이어스천(겉)

앞끝 둘레 안바이어스천(겉)
1
왼쪽 몸판(안)
0.2

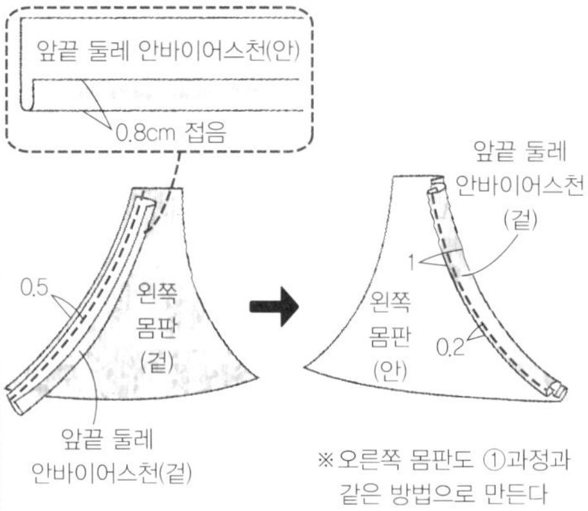

※오른쪽 몸판도 ①과정과
같은 방법으로 만든다

3. 몸판에 스커트를 단다

①몸판에 턱을 잡는다
왼쪽 몸판(안)
오른쪽 몸판(안)
③임시고정 봉합
0.5
0.5
스커트(안)
②스커트에 턱을 잡는다

④봉합
※중심을 맞춘다
⑤3장 함께 지그재그봉합 또는 오버록 통솔처리
오른쪽 몸판(안)
왼쪽 몸판(안)
스커트(겉)

오른쪽 몸판(겉)
0.2
스커트(겉)
⑥시접을 스커트 쪽으로 넘기고 상침

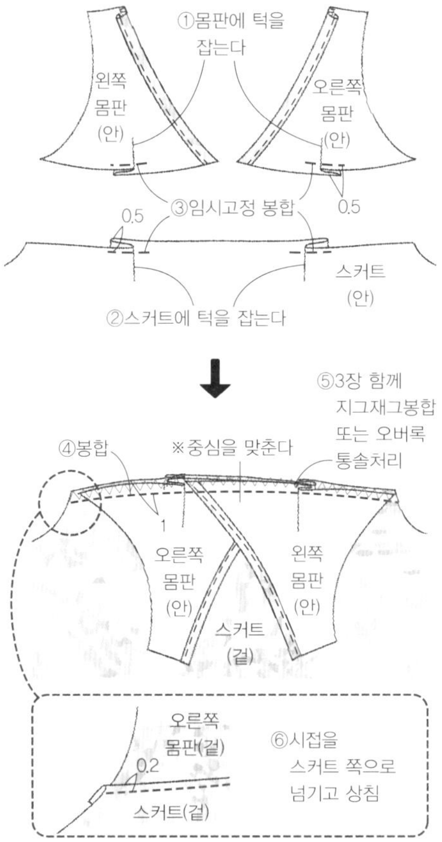

4. 몸판의 암홀 둘레를 안바이어스 처리한다

①암홀 둘레를 안바이어스 처리한다 (P.52/2-① 참고)

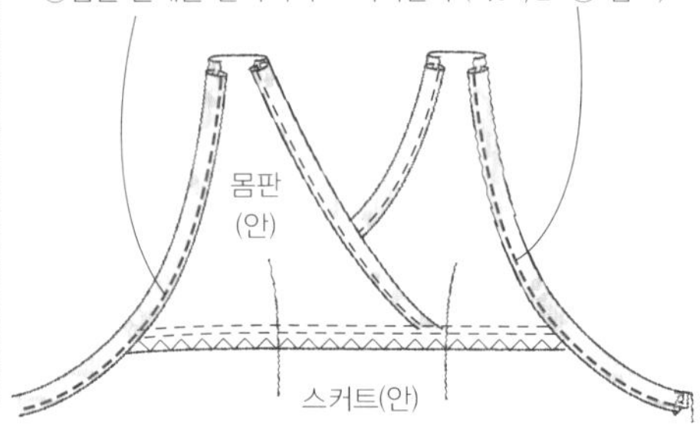

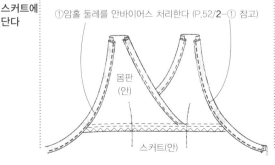

몸판(안)
스커트(안)

---

5. 어깨끈감을 만들어 몸판에 단다

어깨끈감(안)
1
1
②접음
①접음
④봉합
⑤가윗집
1
어깨끈감(안)
③반으로 접는다

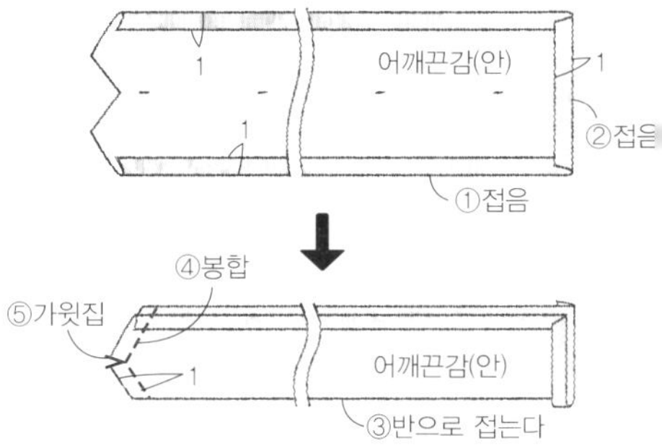

⑥겉으로 뒤집는다 (모서리는 송곳을 이용해 정리한다)
※어깨끈감을 총 2개 만든다

어깨끈감(겉)
골선쪽
0.2
⑧상침
⑦몸판에 끼운다
암홀 둘레쪽
몸판(겉)
어깨끈감(겉)
몸판(겉)

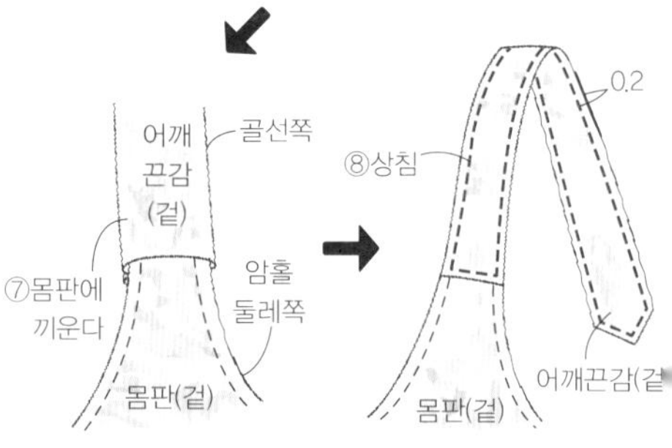

※반대쪽도 ⑦~⑧과정과 같은 방법으로 만든다

6. 허리끈감을 만든다

①허리끈감을 만든다 (P.52/5-①, ③~⑥ 참고)

0.2
허리끈감(겉)
②상침
스커트에 달리는 쪽

※허리끈감을 총 2개 만든다

7. 스커트의 옆선과 밑단을 정리한다

①뒤끝을 1→1cm로 두 번 접고, 허리끈감을 끼워 상침
1
0.2
허리끈감(겉)
②허리끈감을 바깥쪽으로 넘기고 고정 상침한다
허리끈감(겉)
스커트(안)

③1→1cm로 두 번 접어 상침
(안)
0.2
1

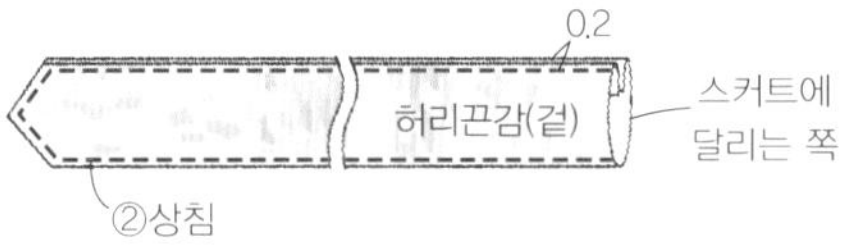

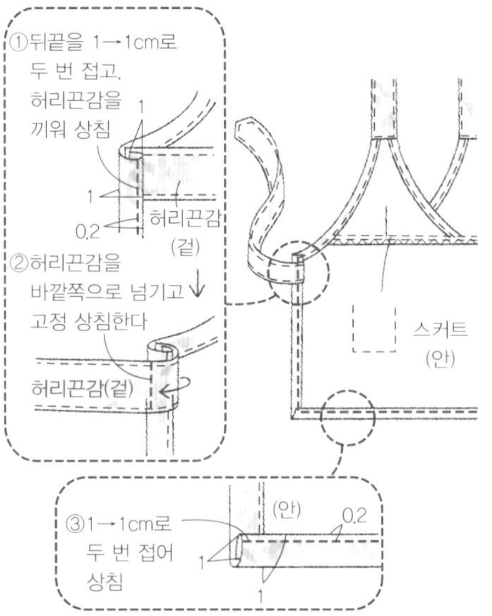

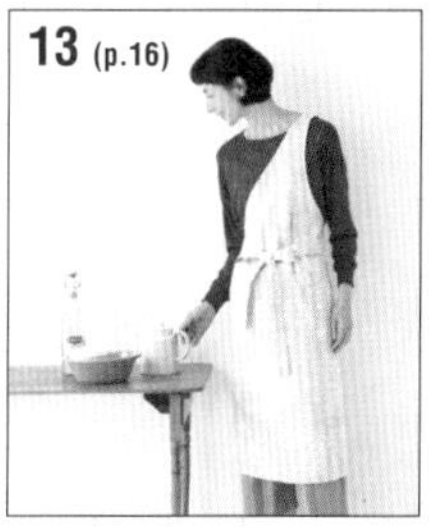

13 / 원 숄더 에이프런

■ 재료
겉감(코튼 라이트 캔버스) … 137cm폭 x 130cm
접착심(소잉심지) … 10cm폭 x 10cm
단추 … 1.8cm폭 x 1개

■ 완성 사이즈 (어깨끈감 미포함)
가슴둘레 … 79cm
옷길이 … 106cm

■ 실물크기 패턴 A면

〔패턴에 대해서〕

※11번 작품의 스커트 패턴을 아래처럼 수정하여 13번 작품의 스커트로 사용합니다.

③오른쪽 옆선과 허리쪽 끝선을 연장하여 교차시킨다

6.5
4
4
2
1.5

⑤허리끈감 다는 곳을 표시한다

④단춧구멍 보강감과 단춧구멍 뚫는 곳을 표시한다

①11번의 스커트 패턴을 베낀다

11번 스커트
앞중심

②앞중심 기준으로 스커트 패턴을 반전시켜 베낀다

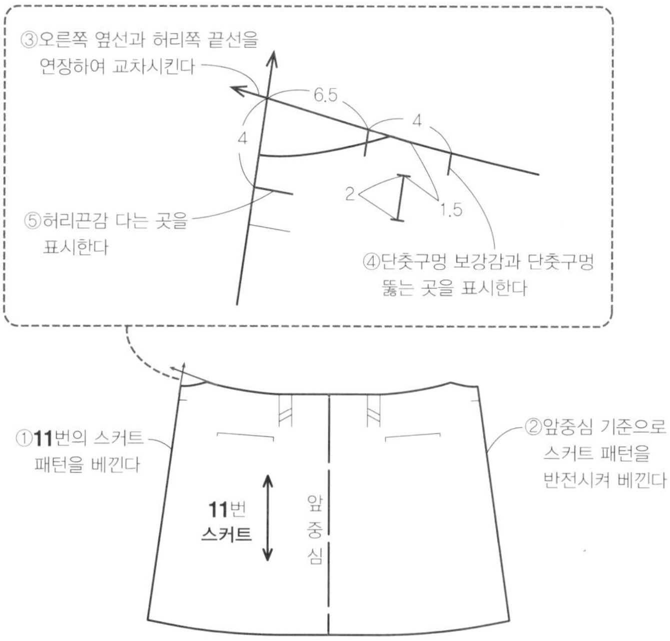

〔재단 배치도〕

※지정 이외의 시접은 1cm.
※암홀 둘레 안바이어스천, 앞끝 둘레 안바이어스천, 단춧구멍 보강감은 직접 제도하여 사용합니다.
※안바이어스천은 길게 준비하고, 다는 곳의 길이에 맞춰 여분을 잘라서 사용합니다.
※ [ ] 는 안쪽에 접착심(소잉심지)을 붙입니다.

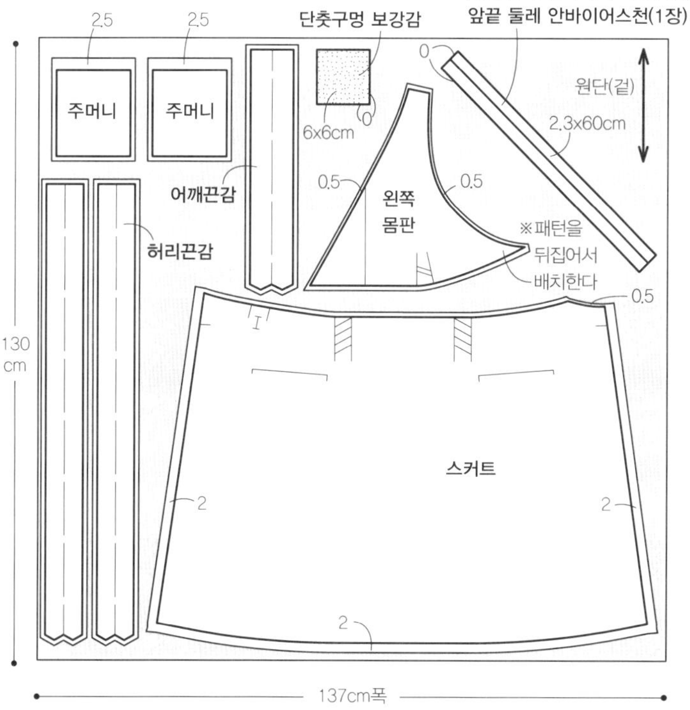

암홀 둘레 안바이어스천(1장), 앞끝 둘레 안바이어스천(1장)

2.5   2.5
단춧구멍 보강감
주머니   주머니
6x6cm
원단(겉)
2.3x60cm
어깨끈감
0.5
왼쪽 몸판
0.5
※패턴을 뒤집어서 배치한다
0.5
허리끈감
130cm
스커트
2   2
2
137cm폭

〔만드는 순서〕

5. 어깨끈감을 만들어 왼쪽 몸판에 단다

2. 왼쪽 몸판의 앞끝 둘레를 안바이어스 처리한다

8. 어깨끈감에 단추를 단다

4. 왼쪽 몸판의 암홀 둘레를 안바이어스 처리한다

6. 허리끈감을 만든다

3. 왼쪽 몸판에 스커트를 단다

1. 주머니를 만들어 스커트에 단다

앞

7. 스커트의 옆선과 밑단을 정리한다

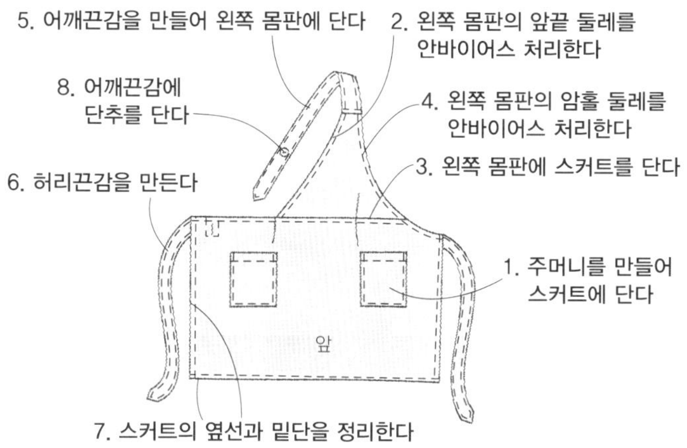

〔만드는 방법〕

1. 주머니를 만들어 스커트에 단다

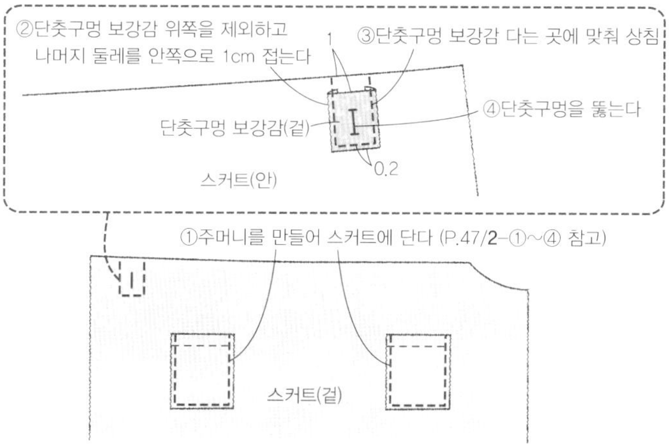

②단춧구멍 보강감 위쪽을 제외하고 나머지 둘레를 안쪽으로 1cm 접는다

③단춧구멍 보강감 다는 곳에 맞춰 상침한다

1

단춧구멍 보강감(겉)

④단춧구멍을 뚫는다

스커트(안)

0.2

①주머니를 만들어 스커트에 단다 (P.47/2-①~④ 참고)

스커트(겉)

2. 왼쪽 몸판의 앞끝 둘레를 안바이어스 처리한다 (P.52/2-① 참고)

3. 왼쪽 몸판에 스커트를 단다

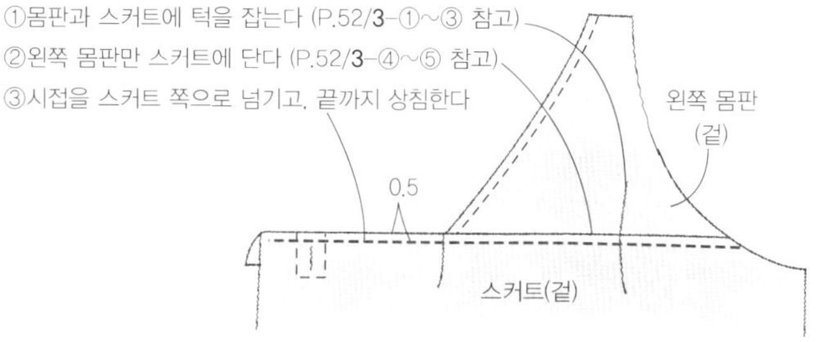

①몸판과 스커트에 턱을 잡는다 (P.52/3-①~③ 참고)
②왼쪽 몸판만 스커트에 단다 (P.52/3-④~⑤ 참고)
③시접을 스커트 쪽으로 넘기고, 끝까지 상침한다

왼쪽 몸판 (겉)

0.5

스커트(겉)

4. 왼쪽 몸판의 암홀 둘레를 안바이어스 처리한다 (P.52/4-① 참고)

5. 어깨끈감을 만들어 왼쪽 몸판에 단다 (P.52/5-①~⑧ 참고)

6. 허리끈감을 만든다 (P.52/6-①~② 참고)

7. 스커트의 옆선과 밑단을 정리한다 (P.52/7-①~③ 참고)

8. 어깨끈감에 단추를 단다

[단추 다는 곳]

어깨끈감 (겉)

M
5.5
L
1.5

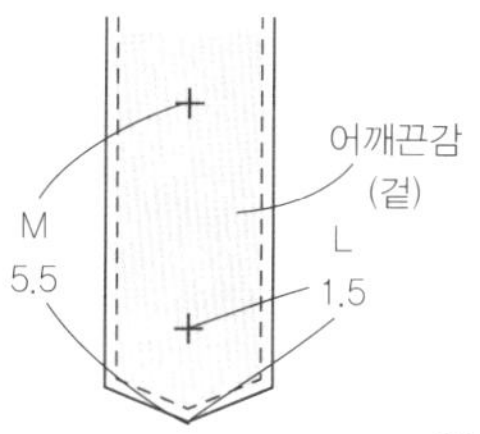

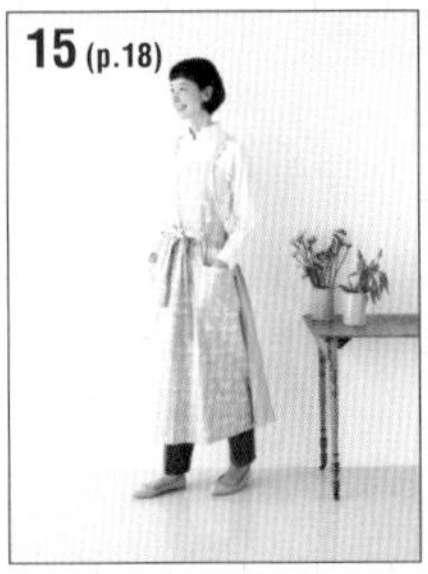

15 (p.18)   **16** (p.19)

15 / 프랑세즈 에이프런   **16** / 프랑세즈 쇼트 에이프런

■ 재료

15번 겉감(코튼 리넨 캔버스) … 148cm폭 x 210cm
　　　접착심(소잉심지) … 30cm폭 x 10cm
　　　단추 … 2cm폭 x 2개

16번 겉감(코튼 라이트 캔버스) … 137cm폭 x 190cm
　　　접착심(소잉심지) … 30cm폭 x 10cm
　　　단추 … 2cm폭 x 2개

■ 완성 사이즈 (어깨끈감 미포함)

가슴둘레 … **15**번 110cm / **16**번 72cm
옷길이 … **15**번 106cm / **16**번 94cm

패턴에 대해서

※모든 패턴은 직접 제도하여 사용합니다.
※M, L 사이즈 공통
※착용하여 어깨끈감의 길이를 조절한 뒤, 단추 다는 곳을 표시해주세요.

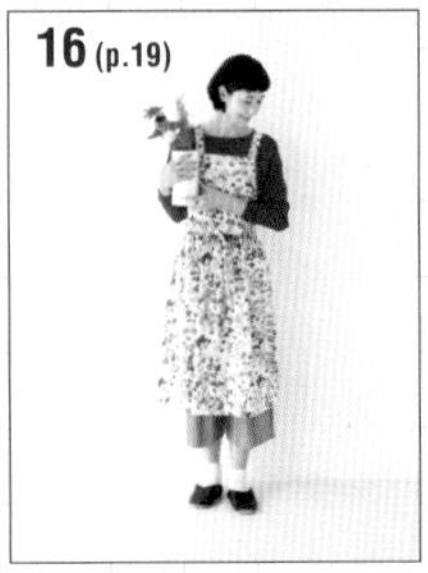

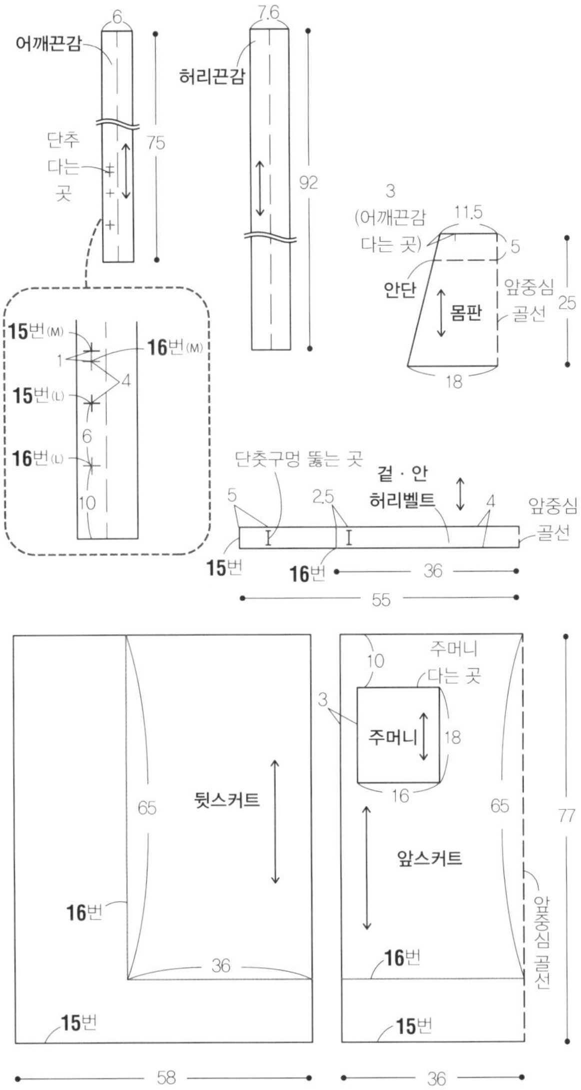

재단 배치도

※지정 이외의 시접은 1cm.
※▨▨▨는 안쪽에 접착심(소잉심지)을 붙입니다.

만드는 순서

3. 몸판에 어깨끈감과 허리끈감을 단다
2. 어깨끈감과 허리끈감을 만든다
1. 주머니를 만들어 스커트에 단다
5. 몸판과 스커트에 허리벨트를 단다
4. 스커트를 만든다
6. 스커트의 밑단을 정리하고, 허리벨트에 단춧구멍을 뚫는다

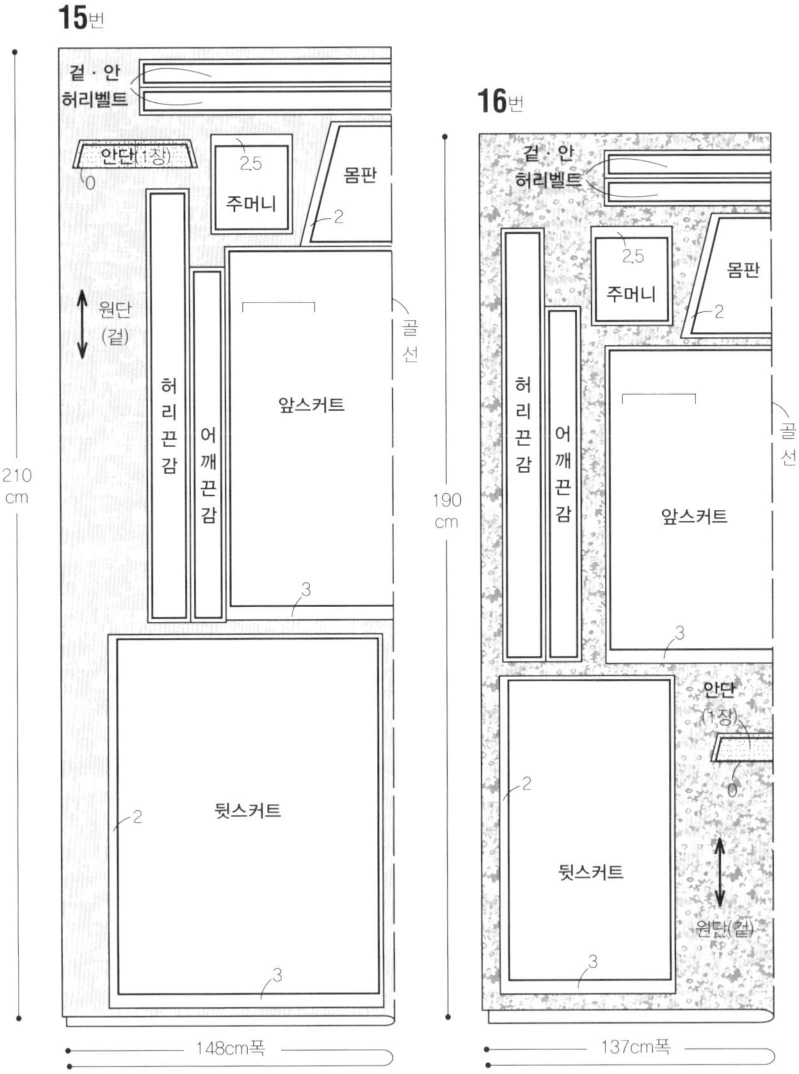

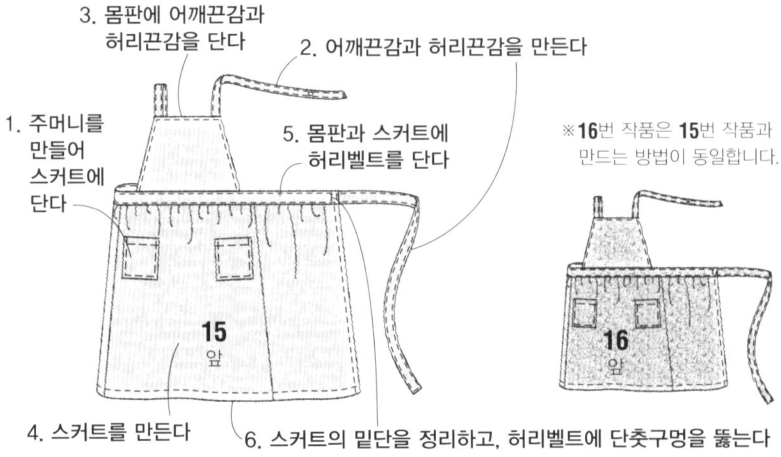

※**16**번 작품은 **15**번 작품과 만드는 방법이 동일합니다.

1. 주머니를 만들어 스커트에 단다

②1→1.5cm로
두 번 접어 상침

①지그재그
봉제 또는
오버록 처리

1.5   0.2
1

주머니(안)

스커트(겉)

③시접을
접는다

0.2   0.5

주머니(겉)

④주머니 다는 곳에
맞춰 상침

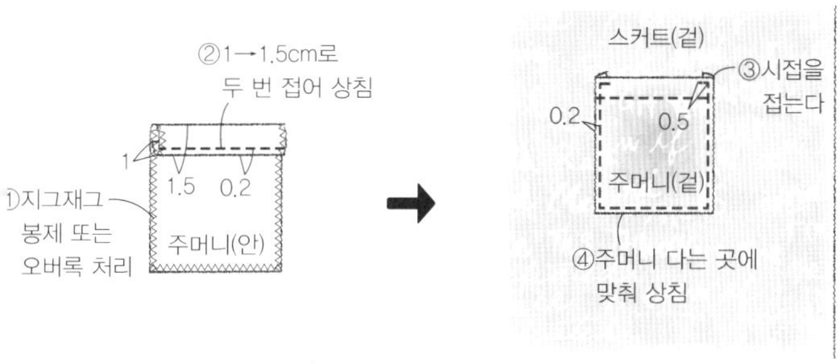

※반대쪽도 ①~④과정과 같은
방법으로 만든다

2. 어깨끈감과 허리끈감을 만든다

①어깨끈감을 만든다 (P.42 [끈감 만드는 방법 C] 참고)

어깨끈감 폭 : 3cm
허리끈감 폭 : 3.8cm   어깨끈감(겉)   0.2

1

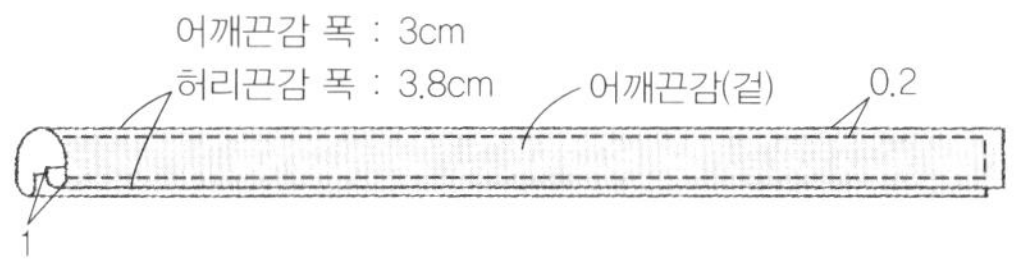

※허리끈감도 ①과정과 같은 방법으로 만든다
※어깨끈감은 총 2개, 허리끈감은 총 2개 만든다

3. 몸판에 어깨끈감과 허리끈감을 단다

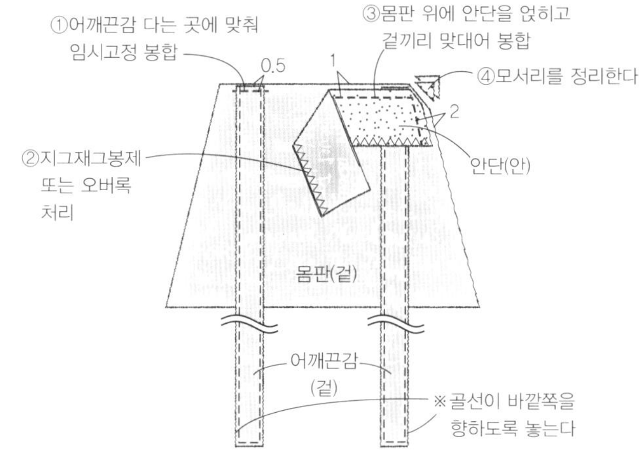

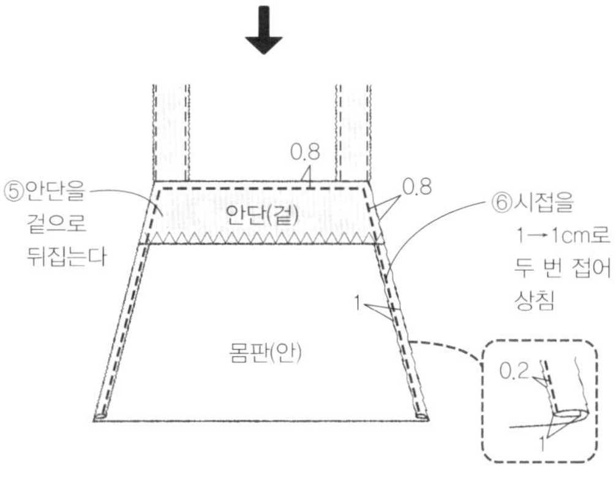

①어깨끈감 다는 곳에 맞춰
임시고정 봉합

0.5   1

②지그재그봉제
또는 오버록
처리

③몸판 위에 안단을 얹히고
겉끼리 맞대어 봉합

④모서리를 정리한다

2

안단(안)

몸판(겉)

어깨끈감
(겉)

※골선이 바깥쪽을
향하도록 놓는다

⑤안단을
겉으로
뒤집는다

0.8   0.8

안단(겉)

⑥시접을
1→1cm로
두 번 접어
상침

1

몸판(안)

0.2

4. 스커트를 만든다

①시접을 1→1cm로
두 번 접어 상침

②봉합

앞스커트
(겉)

③2장 함께
지그재그봉합
또는 오버록
통솔처리

뒷스커트
(안)

1

뒷스커트
(안)

1   0.2

④시접을
뒷스커트 쪽으로
넘긴다

---

⑤큰 땀으로 두 줄 봉합

0.5   1.5

앞스커트(겉)

뒷스커트
(안)   뒷스커트
(안)

5. 몸판과 스커트에 허리벨트를 단다

겉허리벨트(겉)   ※중심을
맞춘다   ②허리벨트 사이에 몸판을
끼워 봉합

1   1

①안허리벨트 시접을
1cm 접는다   몸판(안)   안허리벨트(안)

③겉허리벨트와 스커트를 겉끼리 맞대고
허리벨트 완성선에 맞춰 스커트의 실을
잡아당겨 주름을 잡는다

15번…34   **15번**…42   ④봉합
16번…18   **16번**…36   1   겉허리
벨트
(안)

몸판(안)   안허리
벨트
(안)

뒷스커트(겉)   앞
스커트
(겉)   뒷스커트(겉)

⑤겉·안허리벨트를 겉끼리 맞댄다

겉허리벨트(겉)   안허리벨트(안)

1

⑥허리벨트에
허리끈감을
끼워 봉합

뒷스커트(겉)   허리끈감
(겉)

⑦허리벨트를 겉으로 뒤집고
허리벨트 둘레를 상침한다

0.2

안허리벨트(겉)

뒷스커트
(안)   허리끈감
(겉)

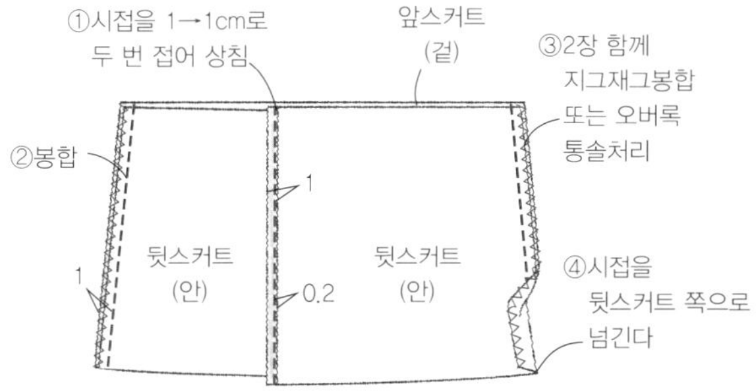

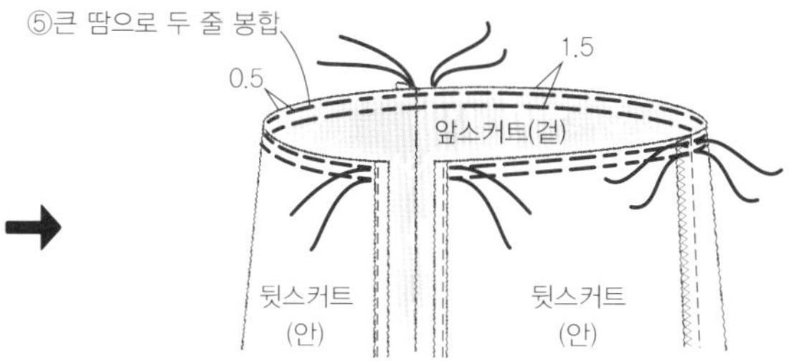

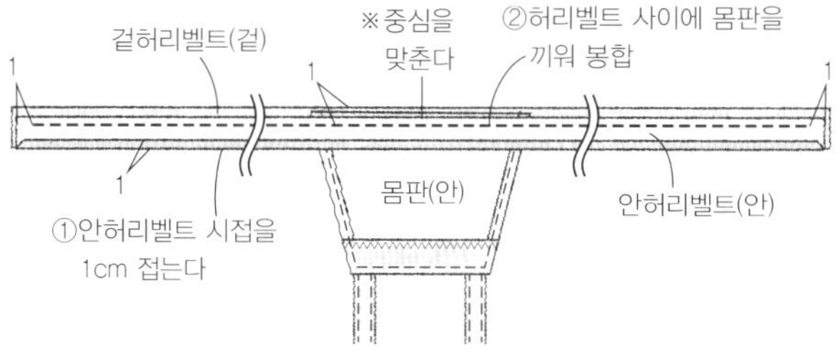

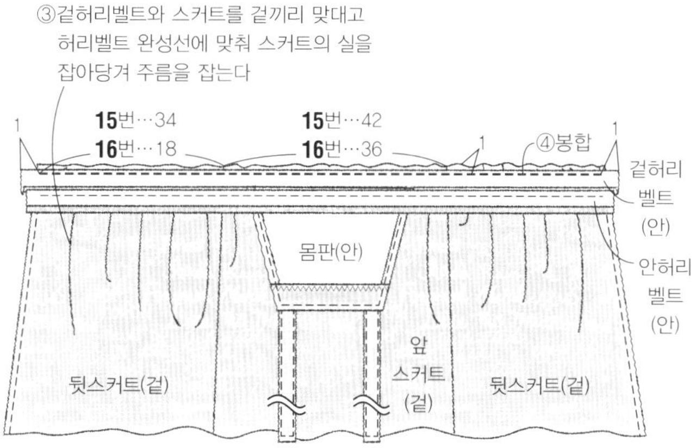

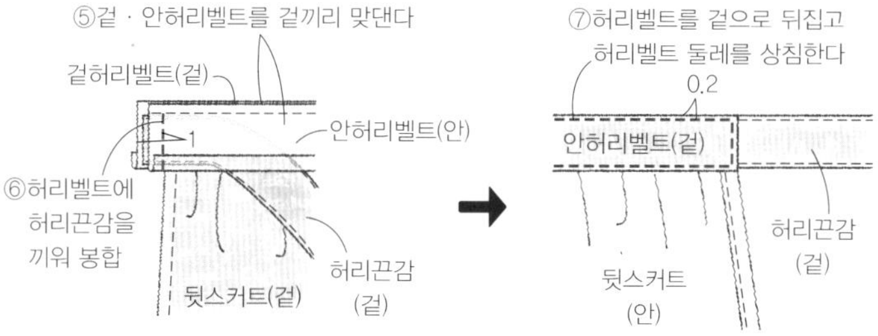

※반대쪽도 ⑤~⑥과정과 같은 방법으로 만든다

6. 스커트의 밑단을 정리하고, 허리벨트에 단춧구멍을 뚫는다

①어깨끈감에 단추를 단다
(착용하여 어깨끈감의
길이를 조절한다)

②P.42 [단춧구멍 뚫는 방법]을
참고하여 단춧구멍을 뚫는다

몸판
(겉)

뒷스커트(겉)

④겉에서 보이는 큰 땀으로
봉합한 실을 제거한다

(안)

0.2   2
1

앞스커트(겉)

③1→2cm로 두 번 접어 상침

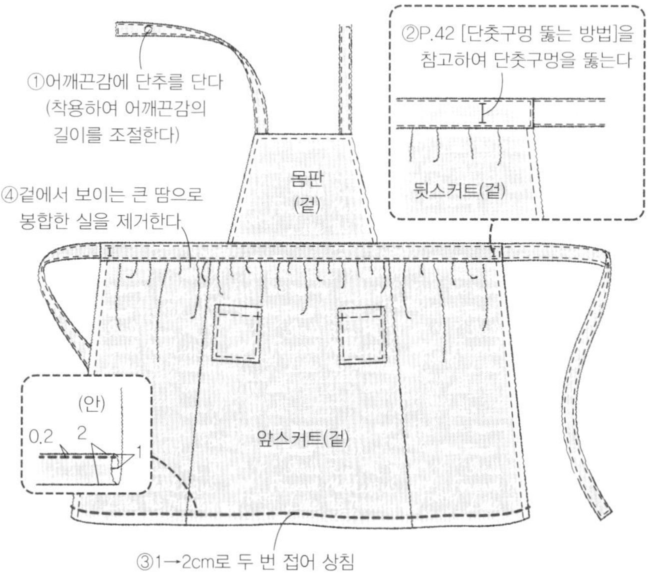

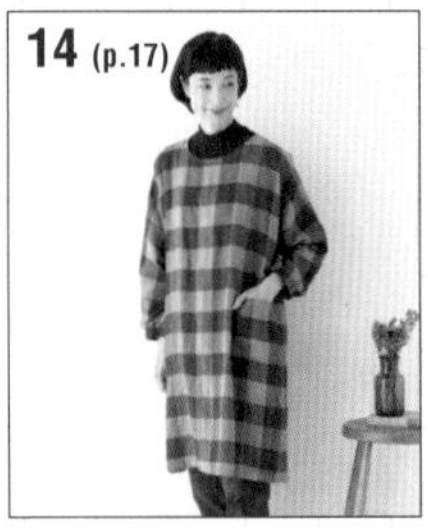

14 / 돌먼 슬리브 에이프런

14 (p.17)

■ 재료
겉감(얇은 리넨) ··· 123cm폭 x 320cm
안바이어스 테이프 ··· 1.2cm폭(완성폭) x 80cm
고무줄 ··· 2.5cm폭 x 50cm

■ 완성 사이즈
가슴둘레 ··· 110cm
옷길이 ··· 93cm

■ 실물크기 패턴 A면

[재단 배치도]

※지정 이외의 시접은 1cm.
※끈감은 직접 제도하여 사용합니다.

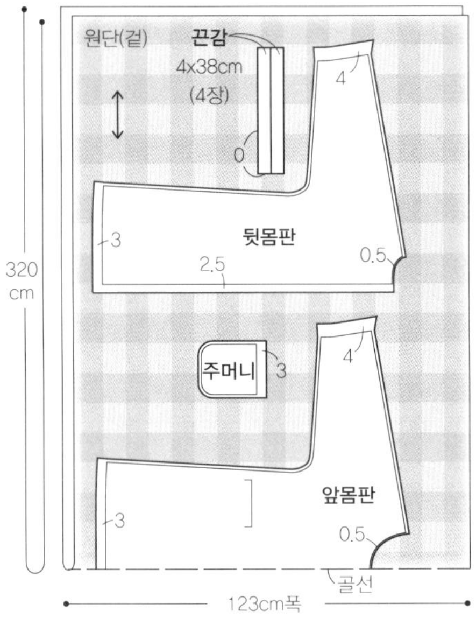

원단(겉)
끈감 4x38cm (4장)
0
320cm
뒷몸판
3
2.5
0.5
주머니
3
앞몸판
3
0.5
골선
123cm폭

[만드는 순서]

3. 뒷몸판의 뒤끝을 정리한다
1. 끈감을 만든다
5. 몸판의 목둘레를 안바이어스 처리한다
4. 몸판의 어깨를 봉합한다
7. 소매의 밑단을 정리한다
2. 주머니를 만들어 몸판에 단다
6. 몸판의 옆선을 봉합한다
앞
8. 몸판의 밑단을 정리한다

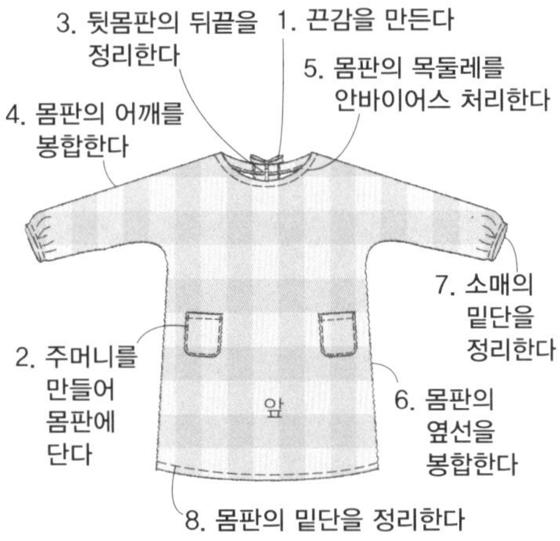

[만드는 방법]

1. 끈감을 만든다

①끈감을 만든다 (P.42 [끈감 만드는 방법 C] 참고)

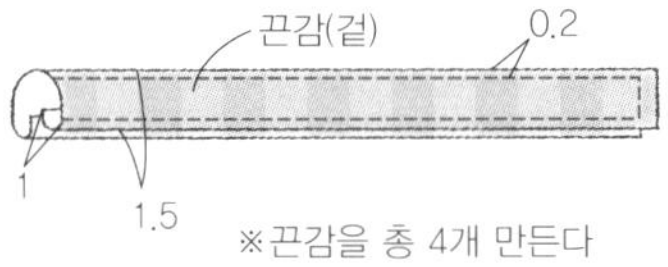

끈감(겉)
0.2
1
1.5
※끈감을 총 4개 만든다

2. 주머니를 만들어 몸판에 단다

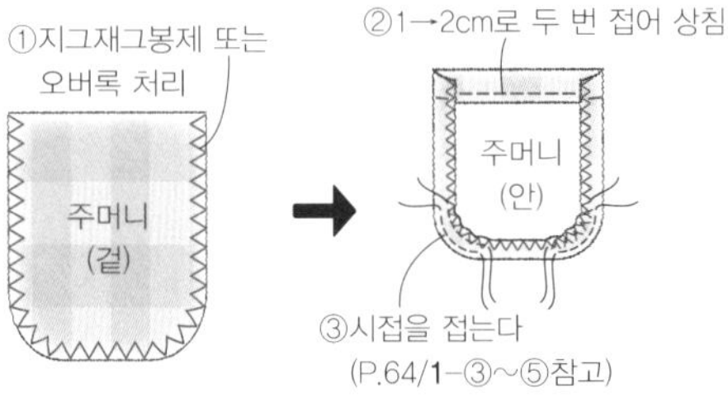

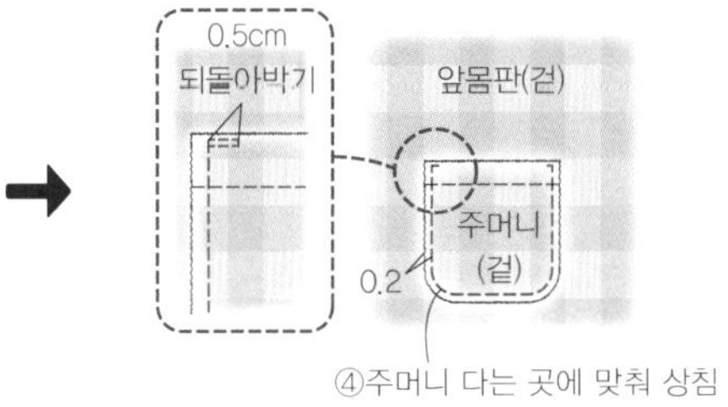

①지그재그봉제 또는 오버록 처리
②1→2cm로 두 번 접어 상침
③시접을 접는다 (P.64/1-③~⑤참고)

주머니(겉)
주머니(안)

0.5cm
되돌아박기
앞몸판(겉)
주머니(겉)
0.2
④주머니 다는 곳에 맞춰 상침

※반대쪽도 ①~④과정과 같은 방법으로 만든다

3. 뒷몸판의 뒤끝을 정리한다

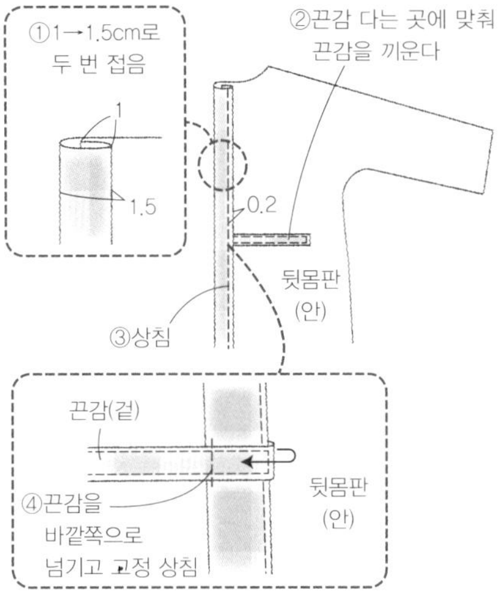

①1→1.5cm로 두 번 접음
1
1.5
②끈감 다는 곳에 맞춰 끈감을 끼운다
0.2
③상침
뒷몸판(안)

끈감(겉)
④끈감을 바깥쪽으로 넘기고 고정 상침
뒷몸판(안)

※반대쪽도 ①~④과정과 같은 방법으로 만든다

4. 몸판의 어깨를 봉합한다

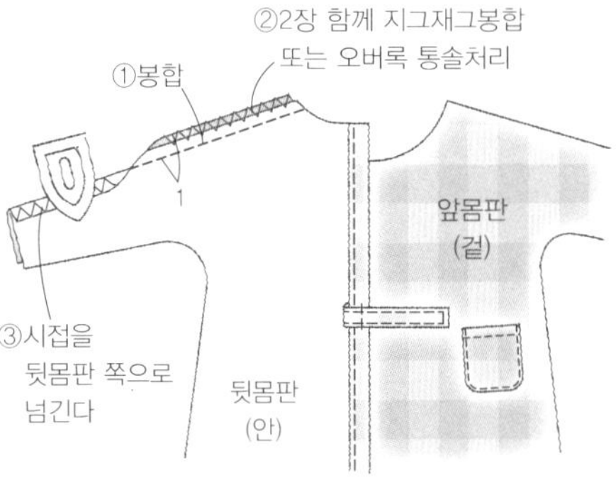

①봉합
②2장 함께 지그재그봉합 또는 오버록 통솔처리
③시접을 뒷몸판 쪽으로 넘긴다
앞몸판(겉)
뒷몸판(안)

※반대쪽도 ①~③과정과 같은 방법으로 만든다

5. 몸판의 목둘레를 안바이어스 처리한다

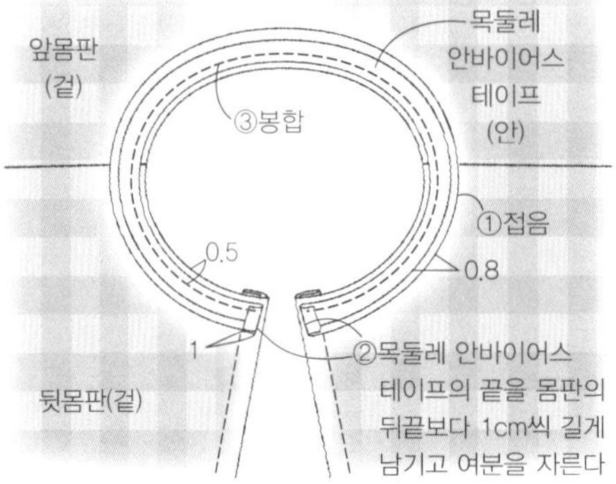

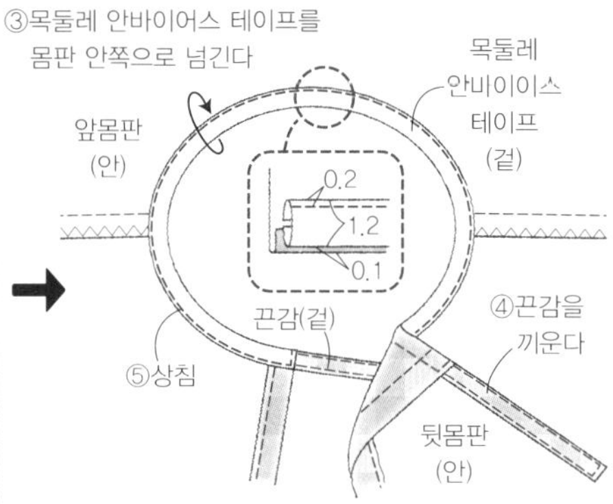

앞몸판(겉)
목둘레 안바이어스 테이프(안)
③봉합
①접음
0.8
0.5
1
②목둘레 안바이어스 테이프의 끝을 몸판의 뒤끝보다 1cm씩 길게 남기고 여분을 자른다
뒷몸판(겉)

---

③목둘레 안바이어스 테이프를 몸판 안쪽으로 넘긴다
목둘레 안바이어스 테이프(겉)
앞몸판(안)
0.2
1.2
0.1
끈감(겉)
⑤상침
④끈감을 끼운다
뒷몸판(안)

6. 몸판의 옆선을 봉합한다

①봉합
뒷몸판(겉)
앞몸판(안)
고무줄 통로 입구
3cm
1
4
④가윗집
②2장 함께 지그재그봉합 또는 오버록 통솔처리
③시접을 뒷몸판 쪽으로 넘긴다

※반대쪽도 ①~③과정과 같은 방법으로 만든다

7. 소매의 밑단을 정리한다

뒷몸판(안)
앞몸판(안)
①가름솔

뒷몸판(안)
앞몸판(안)
0.2
3
②1→3cm로 두 번 접어 상침

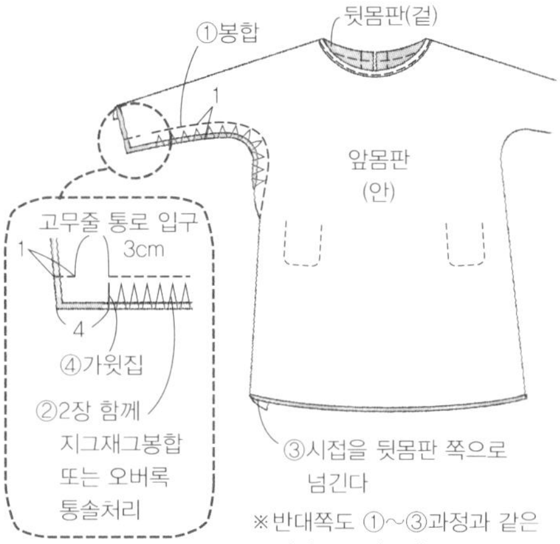

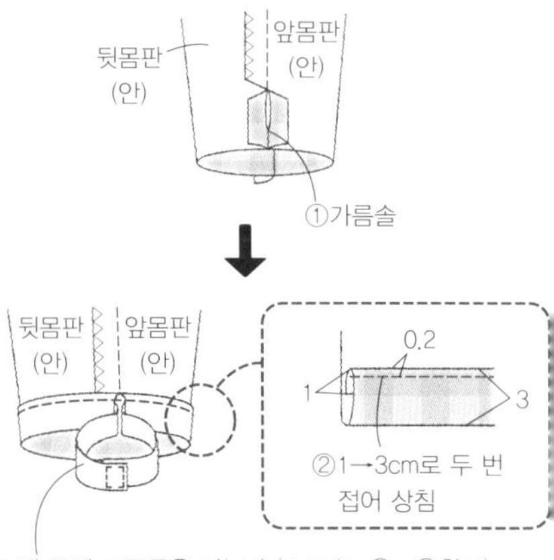

③소매 끝에 고무줄을 넣는다 (P.51/5-⑦~⑧참고)
※고무줄 길이 : 25cm

※반대쪽도 ①~③과정과 같은 방법으로 만든다

8. 몸판의 밑단을 정리한다

앞몸판(겉)
①1.5→1.5cm로 두 번 접어 상침
0.2
1.5
뒷몸판(안)

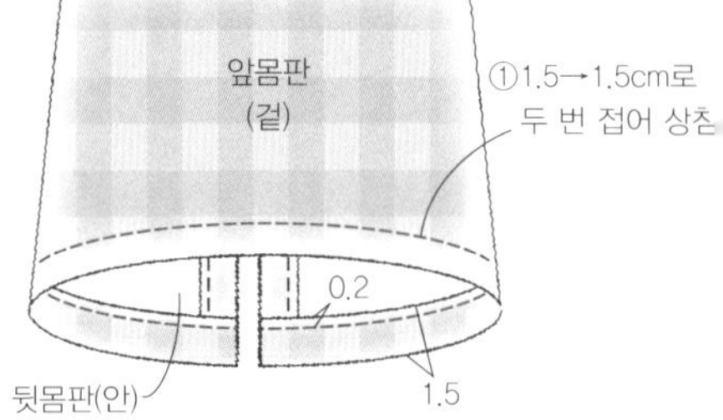

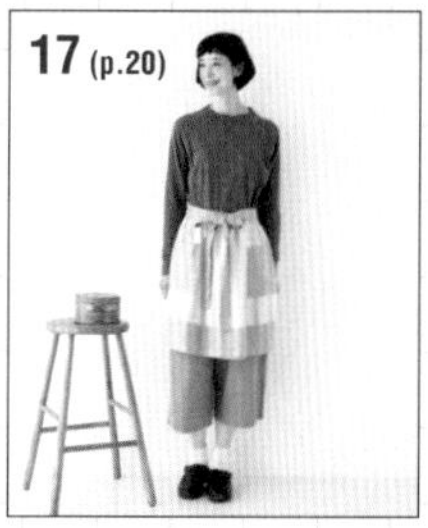

17 / 살롱 에이프런

- **재료**
  겉감(리넨 트윌) … 146cm폭 x 50cm
  배색감(리넨 트윌) … 142cm폭 x 50cm

- **완성 사이즈**
  옷길이 … 52cm

패턴에 대해서

※모든 패턴은 직접 제도하여 사용합니다.

허리벨트
8
36
앞중심
골선

허리끈감
7.6
92

주머니 다는 곳
10 17.5
스커트1 18 주머니 37
16 앞중심 골선

스커트2 11 앞중심 골선
58

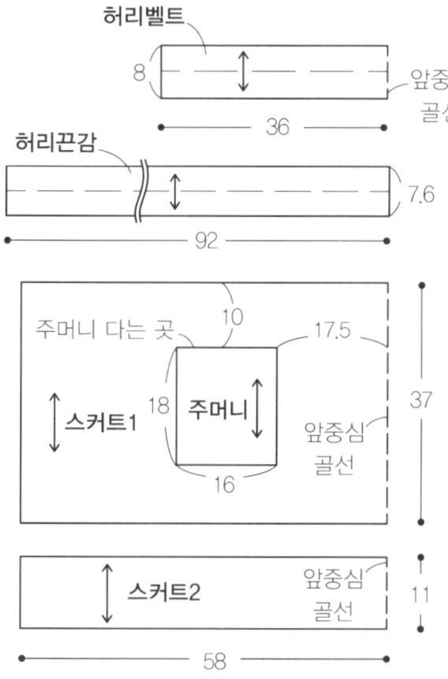

재단 배치도

※지정 이외의 시접은 1cm.

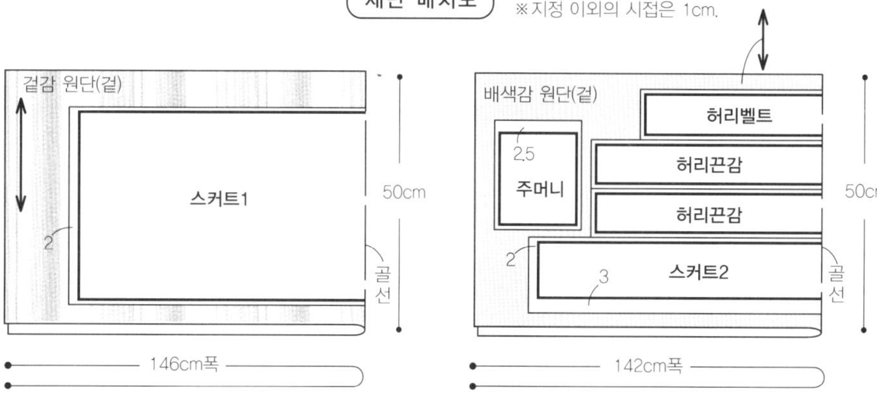

겉감 원단(겉)
스커트1
50cm
2 골선
146cm폭

배색감 원단(겉)
허리벨트
2.5 주머니 허리끈감
허리끈감
50cm
2 3 스커트2 골선
142cm폭

만드는 순서

2. 허리끈감을 만든다
4. 스커트에 허리벨트를 단다
1. 주머니를 만들어 스커트에 단다
앞
3. 스커트1·2를 연결한다

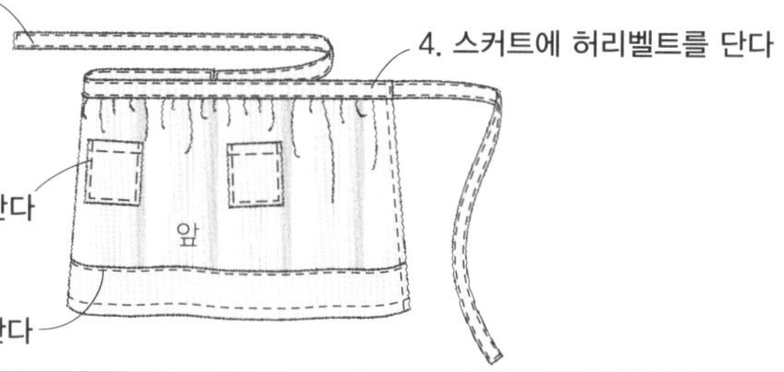

만드는 방법

1. 주머니를 만들어 스커트에 단다 (P.55/1-①~④ 참고)

2. 허리끈감을 만든다 (P.55/2-① 참고)
   ※허리끈감을 총 2개 만든다

3. 스커트1·2를 연결한다

스커트1 (겉)
스커트2(안)
①봉합
②2장 함께 지그재그봉합 또는 오버록 통솔처리
1

스커트1 (겉)
스커트2(겉)
0.2
③시접을 스커트2 쪽으로 넘기고 상침

0.2
1
(안)
1

0.2
1
(안)
1
스커트1 (안)
0.5 1.5
⑥큰 땀으로 두 줄 봉합
⑤뒤끝을 1→1cm로 두 번 접어 상침
스커트2 (안)
2
④밑단을 1→2cm로 두 번 접어 상침

4. 스커트에 허리벨트를 단다

②허리벨트 완성선에 맞춰 스커트의 실을 잡아당겨 주름을 잡는다
1 1 ※중심을 맞춘다 ③봉합 1
①허리벨트의 한쪽 시접을 1cm 접는다
허리벨트(안)
스커트(겉)

④허리벨트를 겉끼리 맞닿게 반으로 접는다
4
허리벨트(안)
1
⑤허리벨트에 허리끈감을 끼워 봉합
허리끈감(겉)
스커트(겉)
※반대쪽도 ④~⑤과정과 같은 방법으로 만든다

⑥허리벨트를 겉으로 뒤집고, 허리벨트 둘레를 상침한다
허리벨트(겉)
스커트 (겉)

0.2 허리끈감(겉)
허리벨트(겉)
스커트(안)

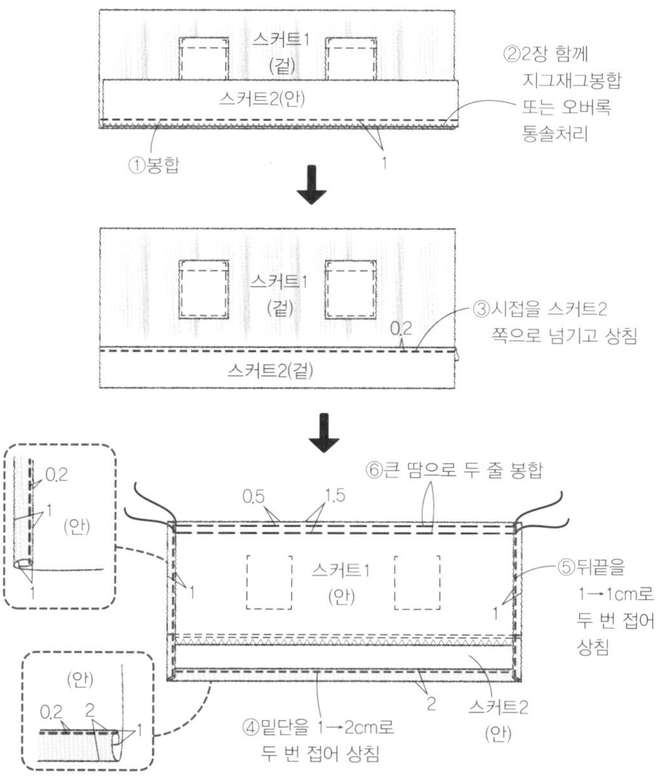

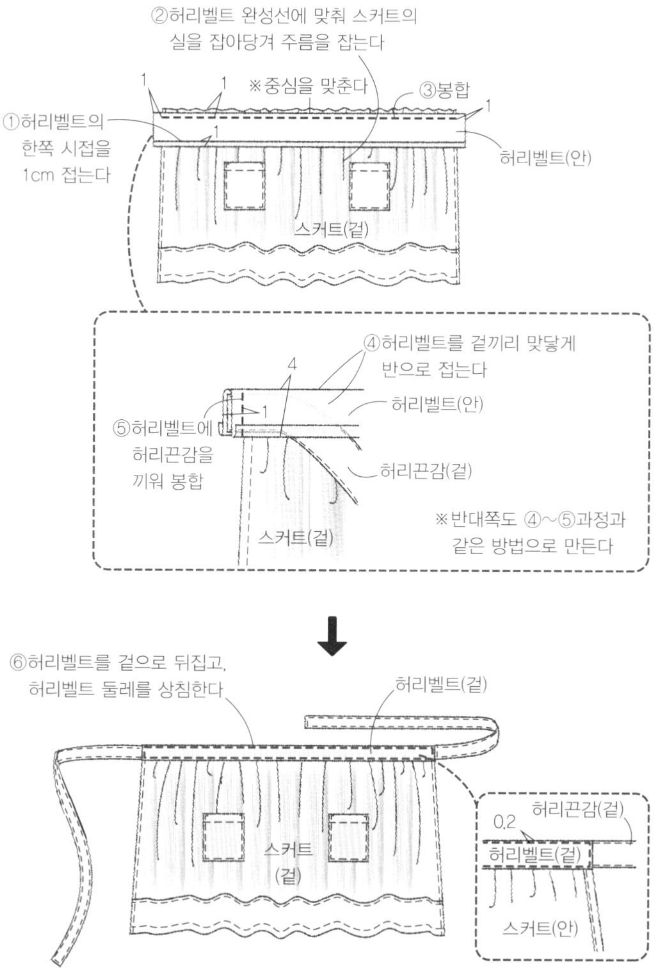

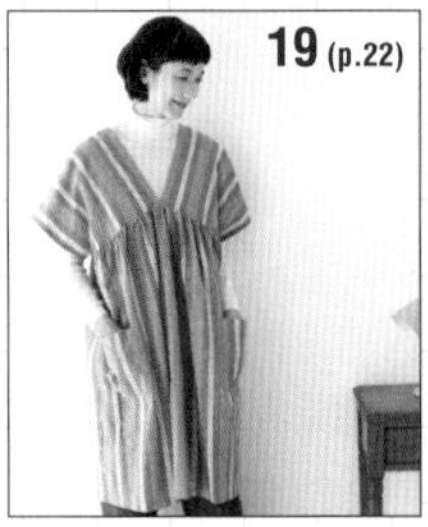

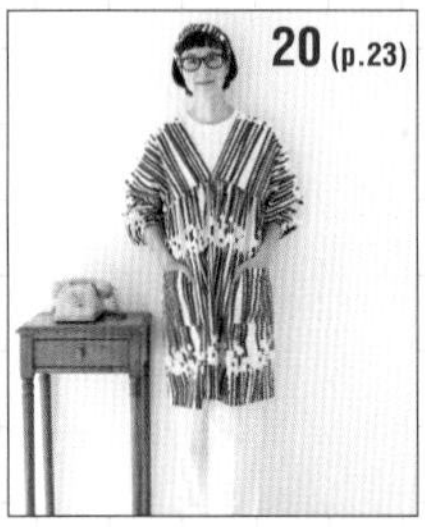

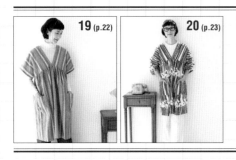

19 (p.22) **20** (p.23)

19 / 카프탄 반소매 에이프런

■ 재료(M/L사이즈)

19번 겉감(코튼 리넨 보더) ··· 110cm폭 x 240cm / 280cm
　　　고무줄 ··· 1cm폭 x 50cm

20번 겉감(코튼 론) ··· 108cm폭 x 260cm / 280cm
　　　고무줄 ··· 1cm폭 x 50cm

20 / 카프탄 긴소매 에이프런

■ 완성 사이즈(M/L사이즈)

가슴둘레 ··· 106cm / 114cm
옷길이 ··· 92.5cm / 96.5cm

패턴에 대해서

※모든 패턴은 직접 제도하여 사용합니다.

55 / 58
어깨선 골선
30 / 33
20번
소매
밑단
19번
소매
밑단
몸판
20번
19번
앞·뒤
중심
봉합 끝점
봉합 끝점
25.5
27.5
3
1
26.5 / 28.5

10
5
5
주름 끝점
앞·뒤
중심
골선
25
26
4.5 / 5
주머니
20번
19번
17
앞·뒤
스커트
20번
19번
16
67
69
2
43 / 45.5

만드는 순서

3. 몸판의 목둘레를 정리한다

4. 몸판과 소매의
　옆선을 한 번에
　이어서
　봉합한다

6. 몸판에
　스커트를
　단다

2. 몸판의 앞·뒤중심을
　연결한다

5. 스커트를 만든다

1. 주머니를 만들어
　스커트에 단다

20
앞

19
앞

※**19**번 작품은 **20**번 작품과
만드는 방법이 동일합니다.

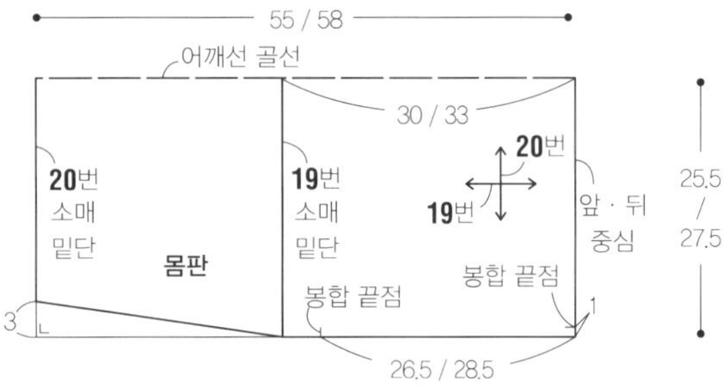

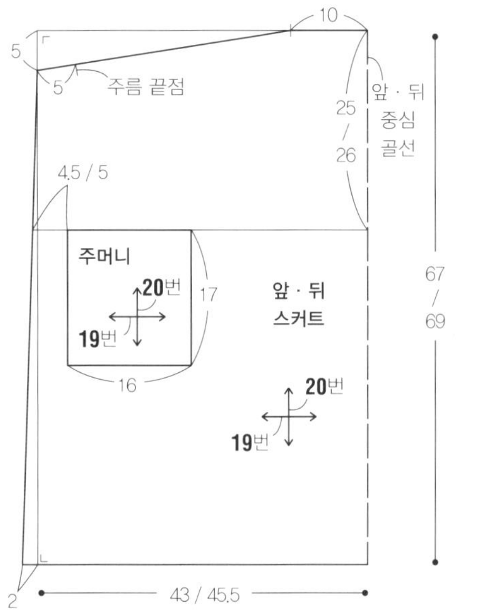

재단 배치도

20번　※지정 이외의 시접은 1cm.

몸판
3
※어깨선 골선 기준으로
몸판을 반전시켜
재단한다

원단(겉)

몸판
3
※어깨선 골선 기준으로
몸판을 반전시켜
재단한다

2.5
주머니
2.5
주머니

※원단을 자른 뒤.
다시 접는다

260
/
280
cm

골선

앞스커트
3

뒷스커트
3

108cm폭

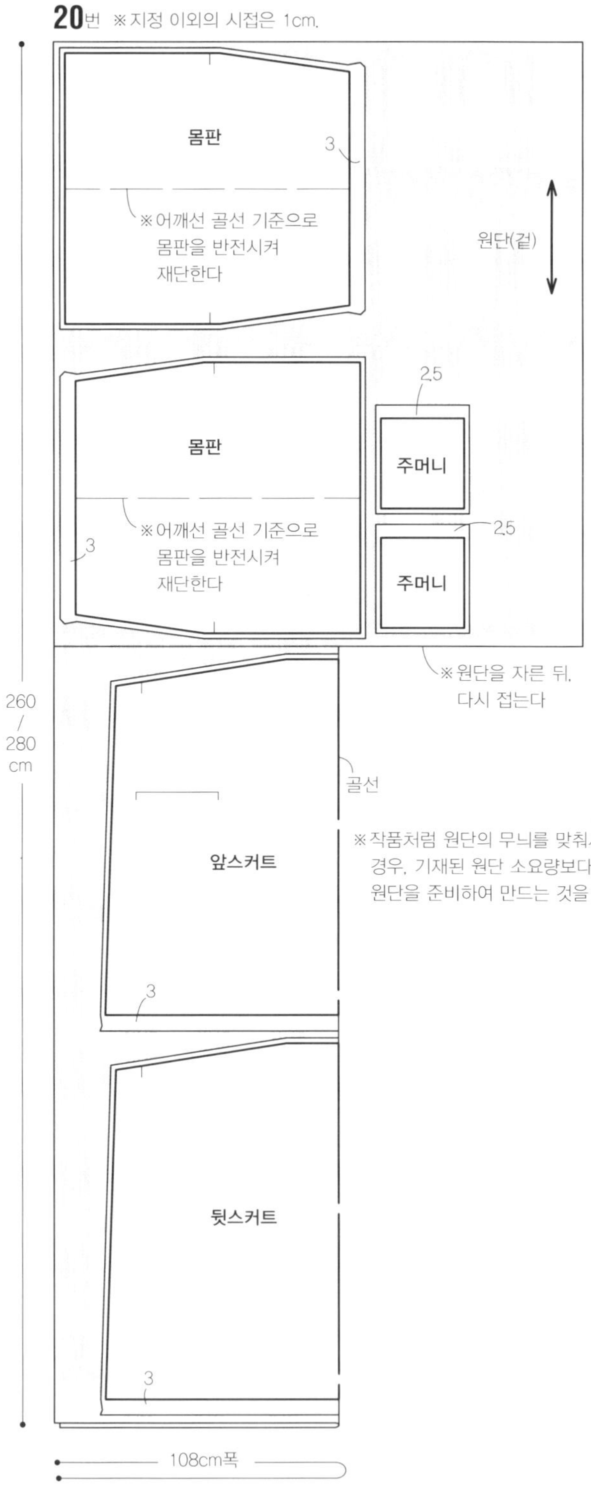

※작품처럼 원단의 무늬를 맞춰서 재단할
경우, 기재된 원단 소요량보다 여유있게
원단을 준비하여 만드는 것을 추천합니다

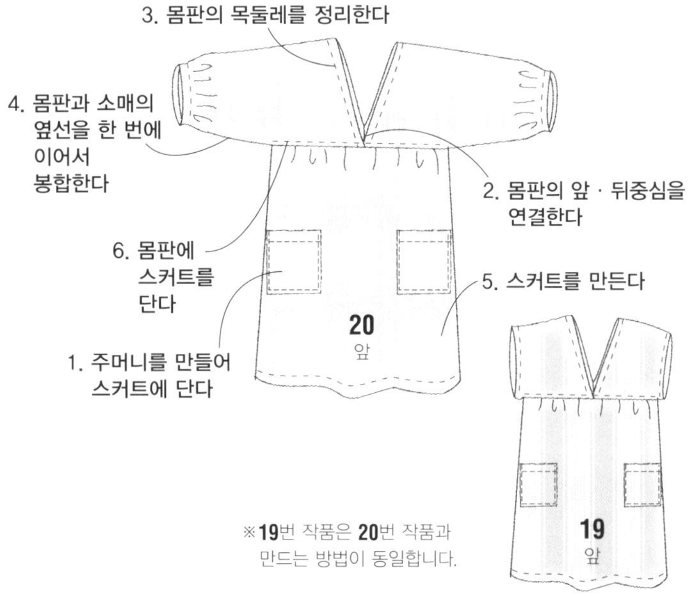

19번 ※M사이즈 재단 배치도입니다.
※지정 이외의 시접은 1cm.

240cm
110cm폭

280cm
110cm폭

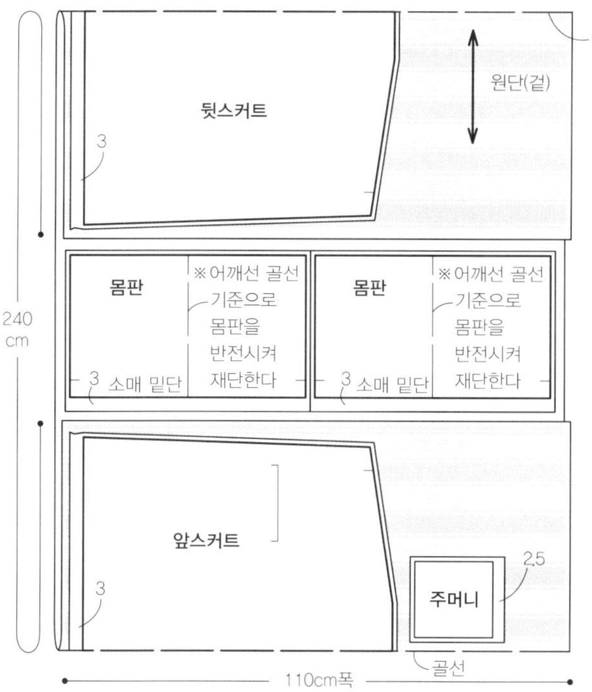

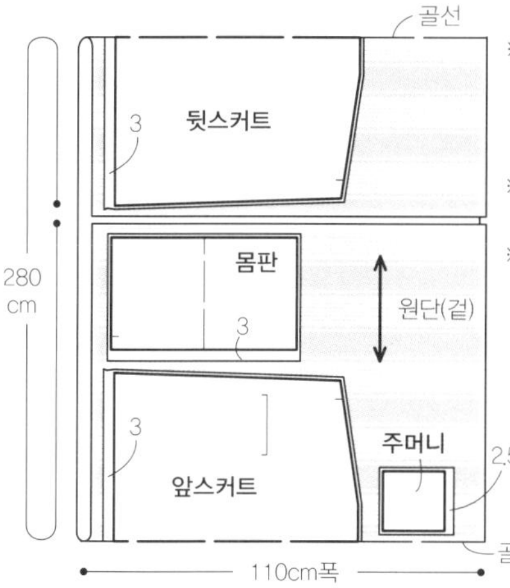

※L사이즈 원단 폭이 114cm 이상일
경우, M사이즈 재단 배치도와 같은
방법으로 배치할 수 있습니다.
원단 소요량은 250cm입니다.
※L사이즈 원단 폭이 114cm 이하일
경우, 왼쪽 그림처럼 배치해주세요.
※왼쪽 그림은 이해를 돕기 위한
축소 재단 배치도입니다.

만드는 방법

1. 주머니를 만들어 스커트에 단다(P.55/1-①~④ 참고)

2. 몸판의 앞·뒤중심을 연결한다

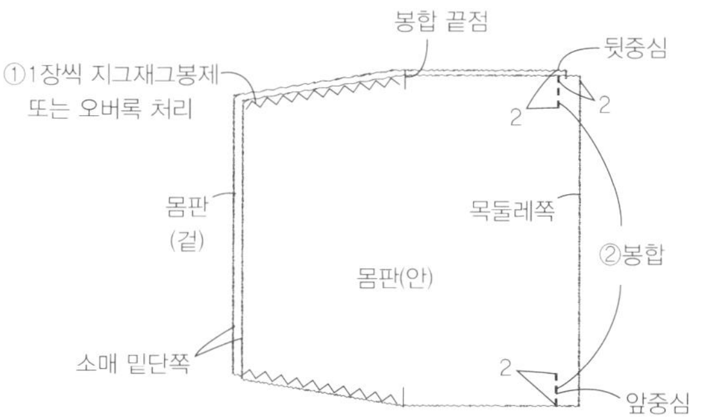

3. 몸판의 목둘레를 정리한다

4. 몸판과 소매의 옆선을 한 번에 이어서 봉합한다

5. 스커트를 만든다

6. 몸판에 스커트를 단다

①몸판을 스커트 안으로 넣어 겉끼리 맞대고, 앞·뒤중심, 스커트의
옆선과 몸판의 봉합 끝점을 각각 맞춰 시침핀으로 고정한다

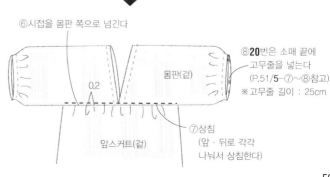

⑧**20**번은 소매 끝에
고무줄을 넣는다
(P.51/5-⑦~⑧참고)
※고무줄 길이 : 25cm

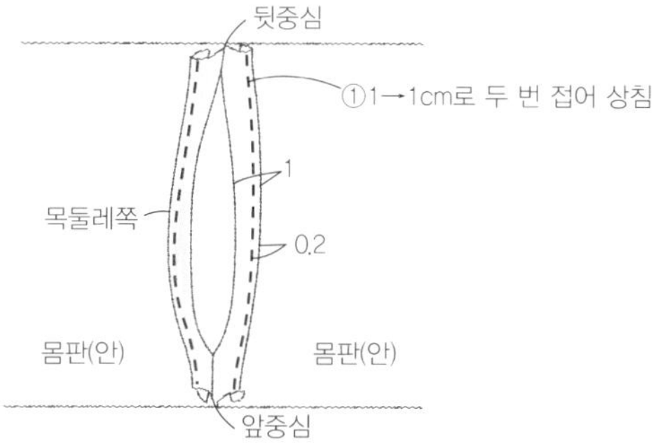

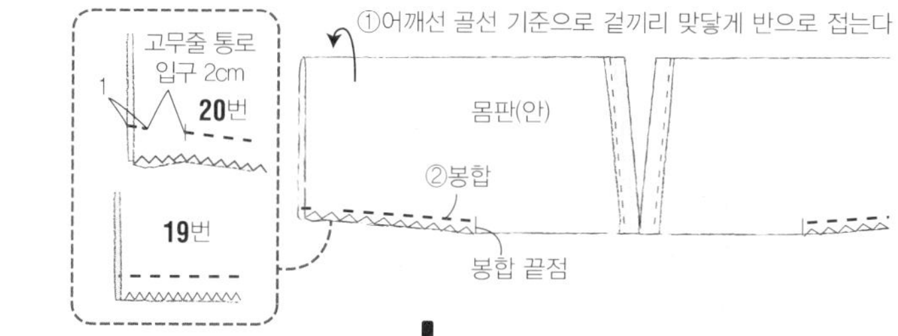

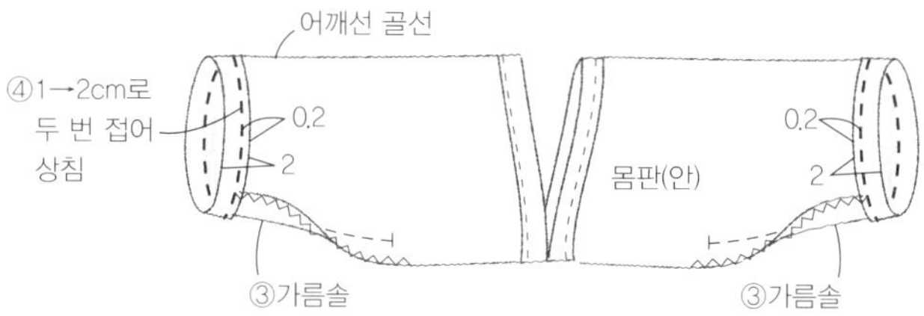

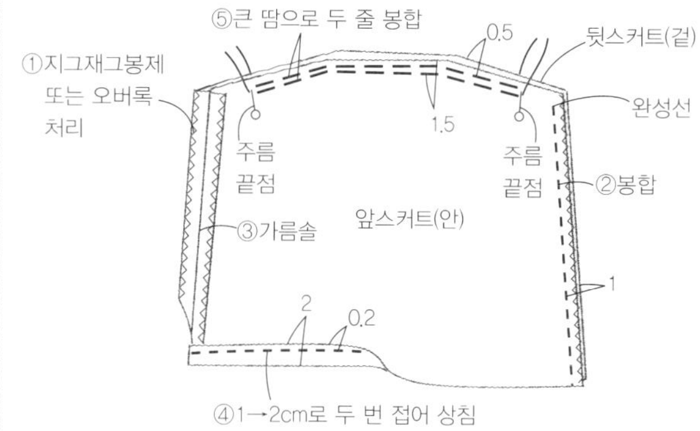

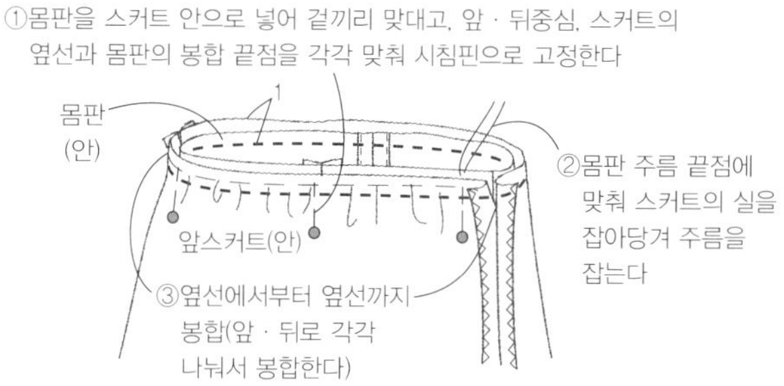

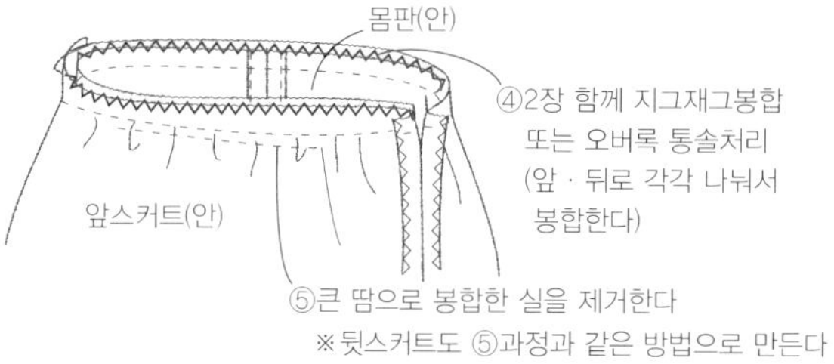

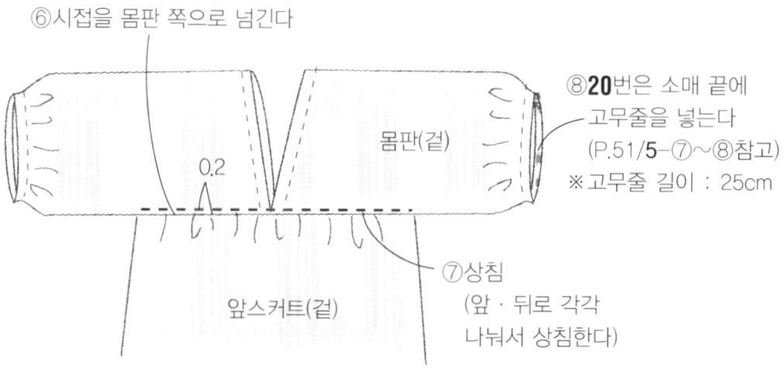

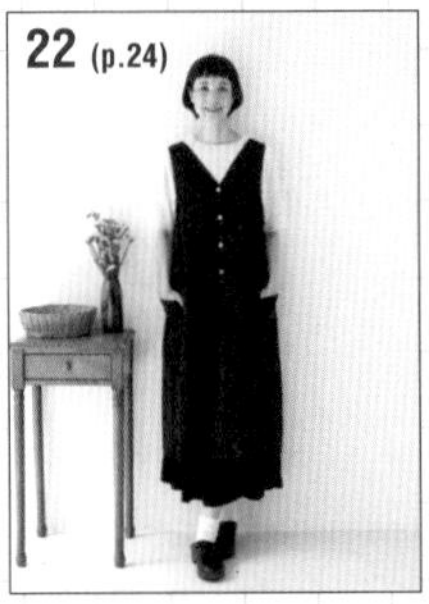

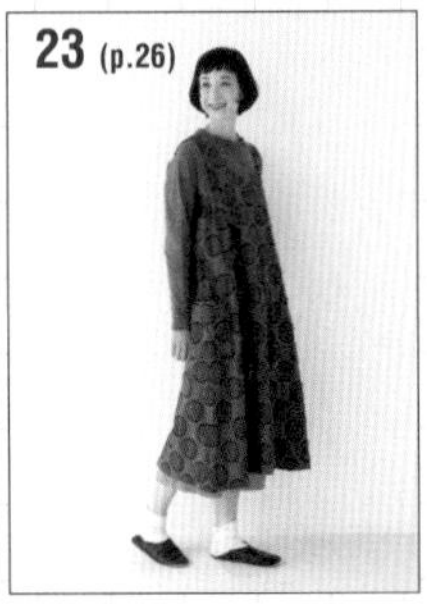

22 (p.24)

23 (p.26)

22／2way 에이프런

■ **재료**(M/L사이즈)

22번 겉감(코튼 리넨 헤링본) … 105cm폭
(L사이즈는 120cm폭 이상) x 260cm / 270cm
단추 … 1.5cm폭 x 4개

23번 겉감(코튼 자가드) … 120cm폭 x 240cm / 270cm
단추 … 1.5cm폭 x 9개

23／2way A라인 에이프런

■ **완성 사이즈**(M/L사이즈)

가슴둘레 … 102cm / 112cm

옷길이 … **22**번 110cm / 114cm
23번 110cm / 116.5cm

■ **실물크기 패턴 A면**

재단 배치도

※지정 이외의 시접은 1cm.
※목둘레 안바이어스천, 암홀 둘레 안바이어스천, 앞·뒤스커트(**22**번만)는 직접 제도하여 사용합니다.
※안바이어스천은 길게 준비하고, 다는 곳의 길이에 맞춰 여분을 잘라서 사용합니다.
※**23**번 작품에서 길이가 긴 패턴은 분리하여 수록하였습니다. 맞춤점에 맞춰 한 장으로 연결해주세요.

22번

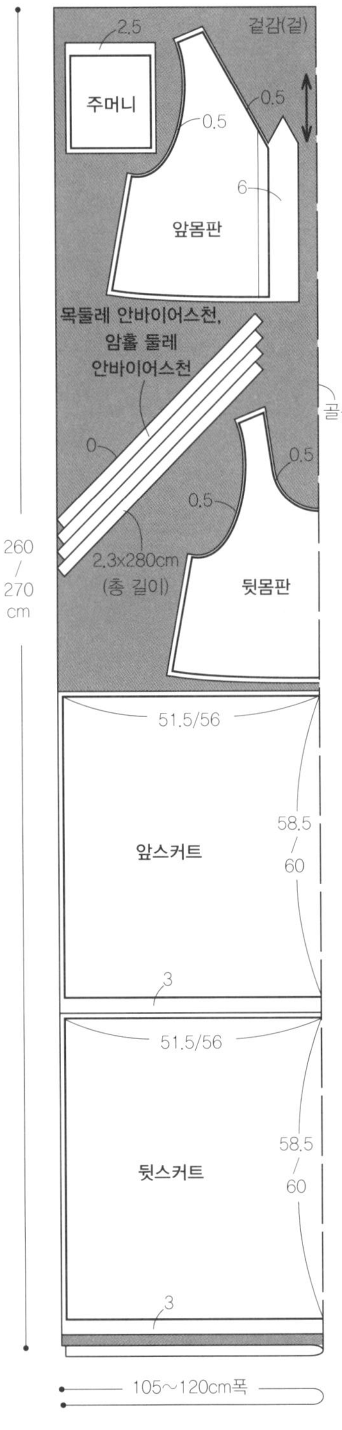

겉감(겉)

2.5

주머니

0.5

0.5

6

앞몸판

목둘레 안바이어스천,
암홀 둘레
안바이어스천

0

골선

0.5

0.5

뒷몸판

2.3x280cm
(총 길이)

260
/
270
cm

51.5/56

앞스커트

58.5
/
60

3

51.5/56

뒷스커트

58.5
/
60

3

3

105~120cm폭

23번

겉감(겉)

0.5

0.5

6

앞몸판

골선

240
/
270
cm

※패턴을
이어서
베낀다

3

목둘레 안바이어스천,
암홀 둘레
안바이어스천

0

0.5

0.5

2.3x280cm
(총 길이)

뒷몸판

2.5

주머니

※패턴을
이어서
베낀다

3

120cm폭

만드는 순서

2. 몸판의 목둘레를
안바이어스 처리하고,
앞끝을 정리한다

1. 몸판의 어깨를
봉합한다

4. 몸판의 암홀 둘레를
안바이어스 처리한다

3. 몸판의 옆선을
봉합한다

5. 스커트를
만든다
(**22**번만)

7. 몸판에 스커트를
단다(**22**번만)

22
앞

8. 몸판의 밑단을 정리한다

6. 주머니를 만들어
스커트에 단다

22
뒤

23
앞

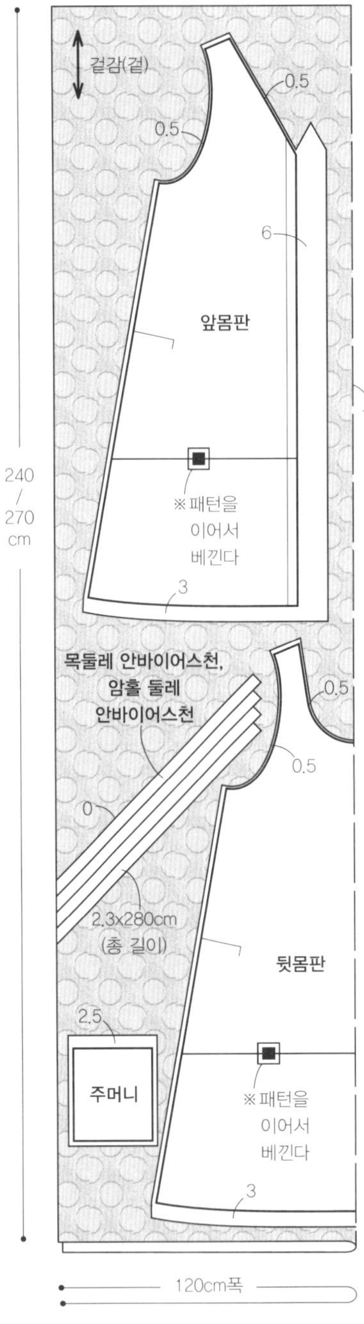

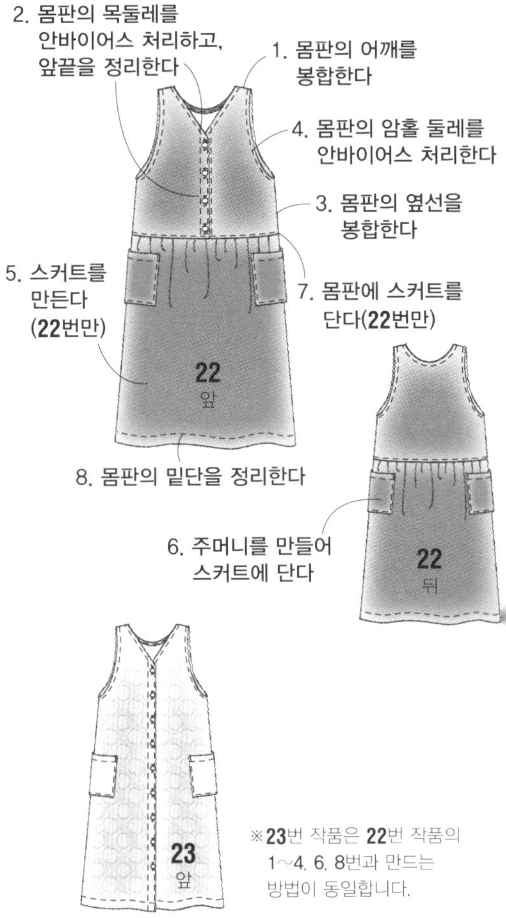

※**23**번 작품은 **22**번 작품의
1~4, 6, 8번과 만드는
방법이 동일합니다.

만드는 방법

1. 몸판의 어깨를 봉합한다

②2장 함께 지그재그봉합
또는 오버록 통솔처리

①봉합

③시접을
앞몸판 쪽으로
넘긴다

뒷몸판
(겉)

앞몸판
(안)

앞몸판
(안)

2. 몸판의 목둘레를 안바이어스 처리하고, 앞끝을 정리한다

①P.42 [바이어스천 연결하기]를 참고하여
목둘레 안바이어스천을 이어서 연결한다

목둘레
안바이어스천
(안)

0.8

②접음

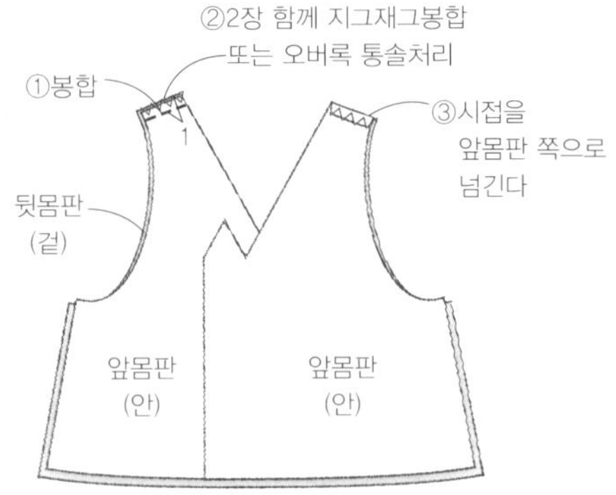

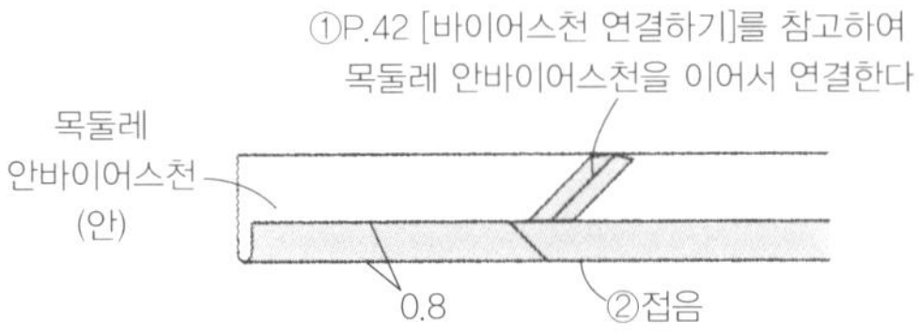

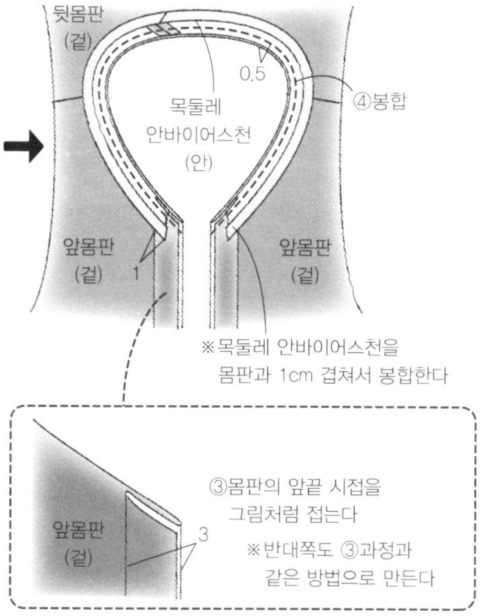

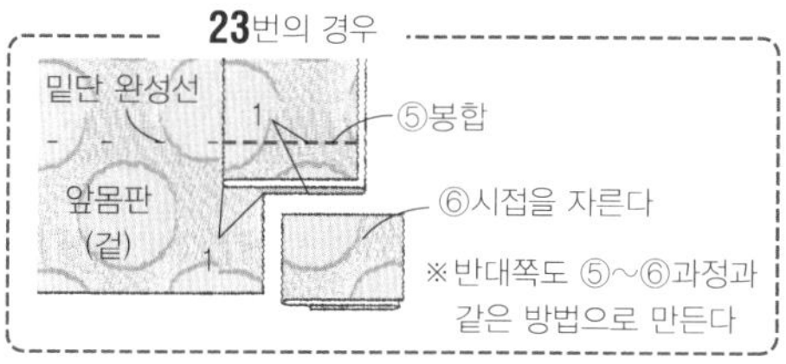

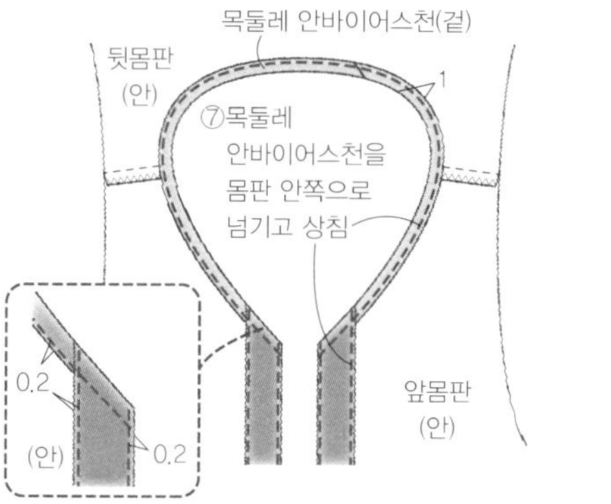

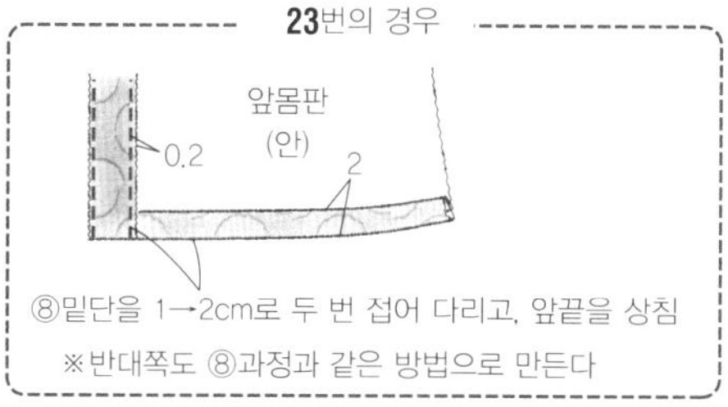

뒷몸판
(겉)

0.5

목둘레
안바이어스천
(안)

④봉합

앞몸판
(겉)
1

앞몸판
(겉)

※목둘레 안바이어스천을
몸판과 1cm 겹쳐서 봉합한다

③몸판의 앞끝 시접을
그림처럼 접는다

앞몸판
(겉)
3

※반대쪽도 ③과정과
같은 방법으로 만든다

23번의 경우

밑단 완성선
1
⑤봉합

앞몸판
(겉)
1

⑥시접을 자른다

※반대쪽도 ⑤~⑥과정과
같은 방법으로 만든다

목둘레 안바이어스천(겉)

뒷몸판
(안)
1

⑦목둘레
안바이어스천을
몸판 안쪽으로
넘기고 상침

0.2

(안)

0.2

앞몸판
(안)

23번의 경우

앞몸판
(안)
0.2
2

⑧밑단을 1→2cm로 두 번 접어 다리고, 앞끝을 상침

※반대쪽도 ⑧과정과 같은 방법으로 만든다

3. 몸판의 옆선을 봉합한다

②2장 함께
지그재그봉합
또는 오버록
통솔처리

뒷몸판
(겉)

③시접을
뒷몸판
쪽으로
넘긴다

①봉합

앞몸판
(안)

앞몸판
(안)

1

22번의 경우

오른쪽
앞몸판
(겉)

왼쪽
앞몸판
(겉)

0.5

④앞중심에 맞춰 오른쪽 앞몸판이 위로
오도록 겹치고 임시고정 봉합한다

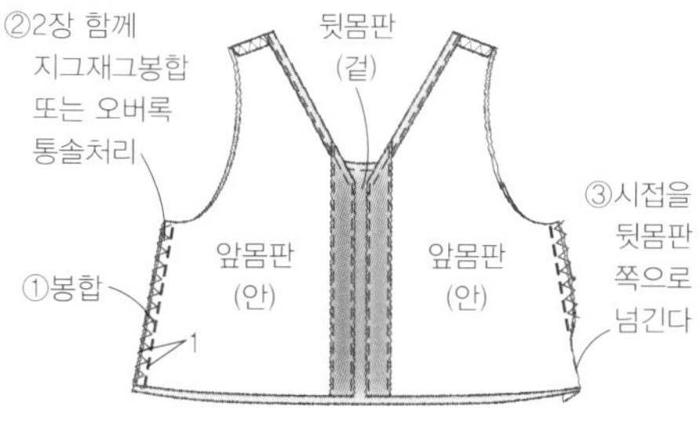

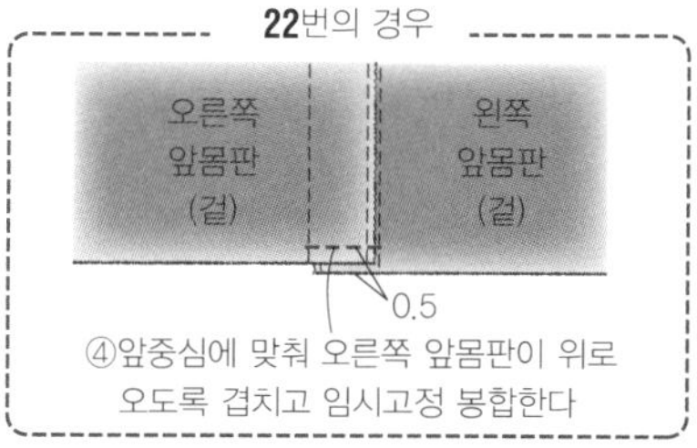

4. 몸판의 암홀 둘레를 안바이어스 처리한다

암홀 둘레
안바이어스천
(안)

0.5

뒷몸판(안)

앞몸판
(겉)

②옆선을 기준으로 앞·뒤로
2cm씩 남기고 봉합한다

2   2

①접음선을
펼친다

1   1

옆선

③암홀 둘레 안바이어스천의
끝을 옆선보다 1cm씩 길게
남기고 여분을 자른다

④옆선을 기준으로 반으로 접는다

⑤암홀 둘레 안바이어스천의
끝을 겉끼리 맞대어
봉합한다

1

옆선

※몸판과 함께 봉합되지
않도록 주의한다

⑥가름솔한 뒤, 남은 부분을
이어서 봉합한다

0.8
옆선

⑦펼친 접음선을
다시 접는다

암홀 둘레
안바이어스천
(겉)

⑧암홀 둘레
안바이어스천을
몸판 안쪽으로
넘기고 상침

0.2

앞몸판
(안)
1

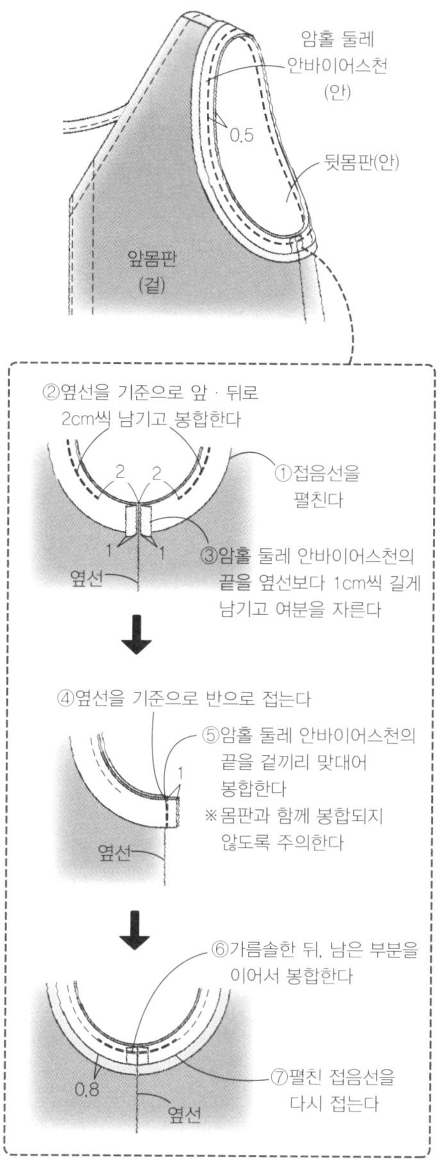

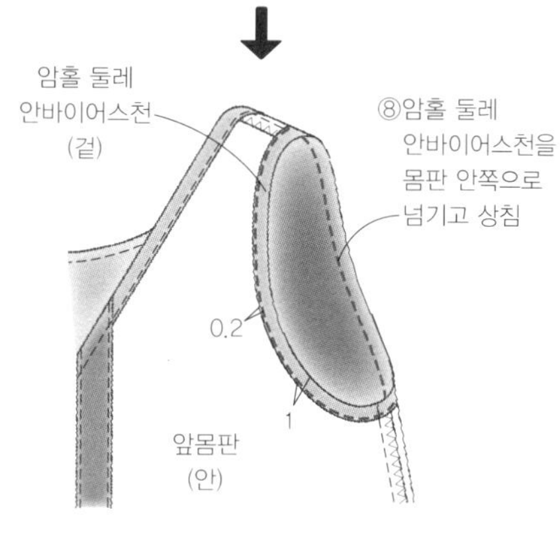

※반대쪽도 ①~⑧과정과 같은 방법으로 만든다

5. 스커트를 만든다(22번만)

①큰 땀으로 두 줄 봉합
0.5   1.5

앞스커트
(안)

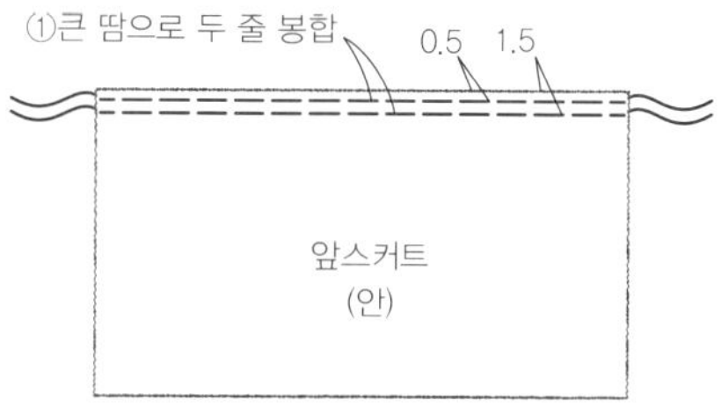

※뒷스커트도 ①과정과 같은 방법으로 만든다

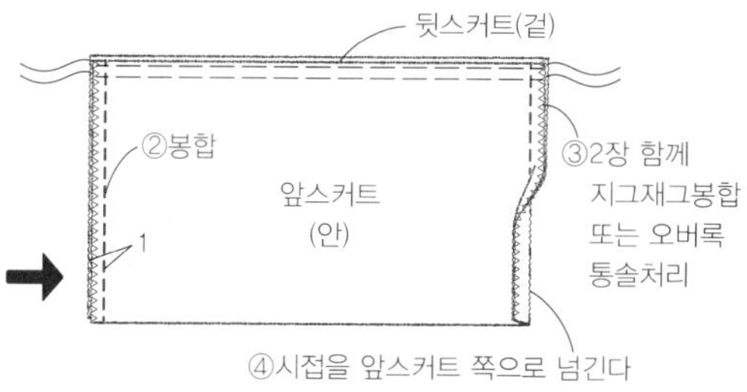

뒷스커트(겉)

②봉합

앞스커트
(안)
1

③2장 함께
지그재그봉합
또는 오버록
통솔처리

④시접을 앞스커트 쪽으로 넘긴다

6. 주머니를 만들어 스커트에 단다

①지그재그봉제
또는 오버록
처리

②1→1.5cm로
두 번 접어
상침

1   1.5   0.2

주머니(안)

0.2
4

③시접을
접는다

앞스커트
(겉)

주머니(겉)

0.5

뒷스커트
(겉)

④주머니 다는 곳에
맞춰 상침

옆선

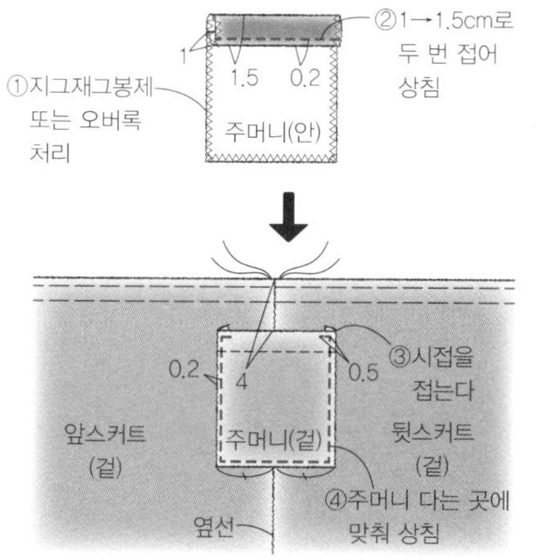

※반대쪽도 ①~④과정과 같은 방법으로 만든다
※**23**번은 패턴에 기재된 주머니 다는 곳에 맞춰 단다

7. 몸판에 스커트를 단다(**22**번만)

①몸판을 스커트 안으로 넣어
앞·뒤중심, 옆선을 각각 맞춰
겉끼리 맞댄다

③봉합

중심
1

②몸판 둘레에 맞춰
스커트의 실을
잡아당겨 주름을
잡는다

④2장 함께
지그재그봉합
또는 오버록
통솔처리

뒷몸판(안)

⑤큰 땀으로
봉합한
실을
제거한다

앞스커트(안)

앞몸판(겉)

0.2

⑥시접을
몸판 쪽으로
넘기고 상침

앞스커트
(겉)

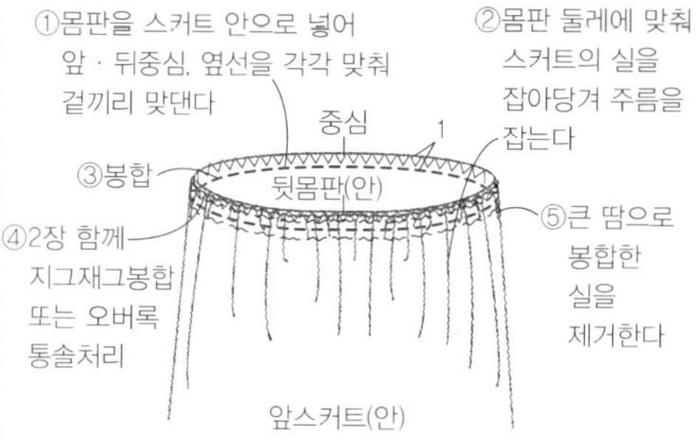

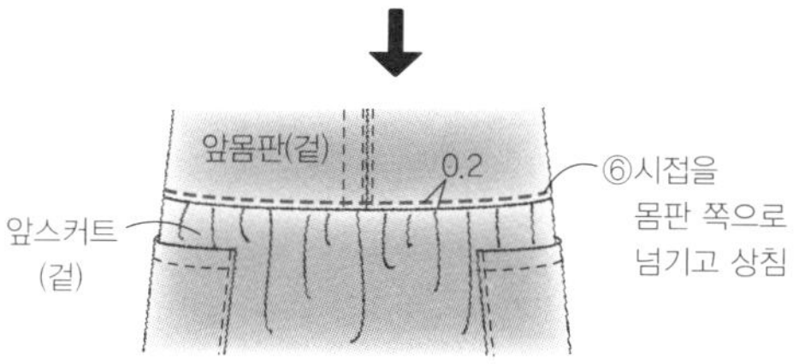

8. 몸판의 밑단을 정리한다

①단춧구멍을 뚫고, 단추를 단다
※P.42 [단춧구멍 뚫는 방법],
[단추 다는 곳 정하는 방법] 참고

22번

23번

(안)
0.2   2

②1→2cm로 두 번 접어 상침

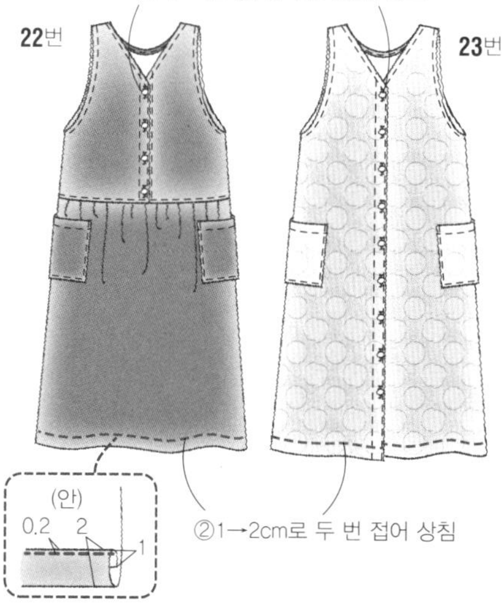

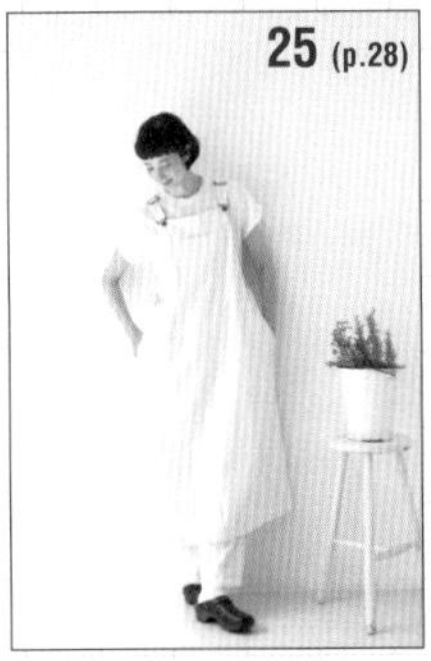

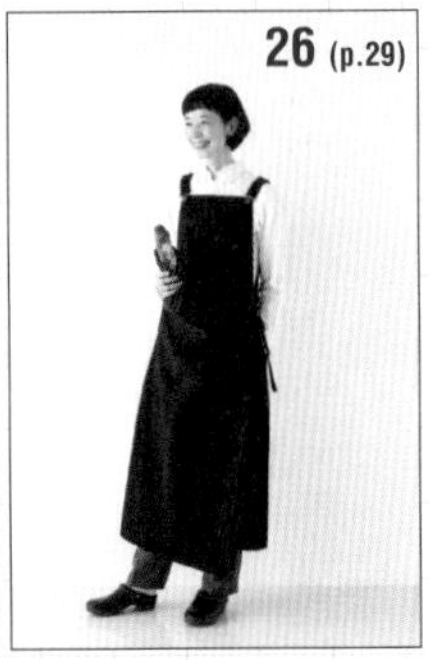

25 (p.28)   **26** (p.29)

25／점퍼 에이프런

■ 재료(M/L사이즈)
25번 겉감(코튼리넨) … 100cm폭 × 260cm / 280cm
소잉테이프 심지 … 1cm폭 × 40cm
접착심(소잉심지) … 70cm폭 × 10cm
멜빵고리 … 3.3cm폭 × 2쌍

26번 겉감(코튼리넨) … 108cm폭 × 320cm / 350cm
소잉테이프 심지 … 1cm폭 × 20cm
접착심(소잉심지) … 70cm폭 × 10cm
멜빵고리 … 3.3cm폭 × 2쌍

26／랩스타일 점퍼 에이프런

■ 완성 사이즈(M/L사이즈) (어깨끈감 미포함)

가슴둘레 … 105cm / 110cm
옷길이 … 100cm / 105cm

■ 실물크기 패턴 A면

패턴에 대해서

※어깨끈감은 직접 제도하여
사용합니다.

뒤쪽 — 0.7

어깨끈감
40 / 42

앞쪽 — 6

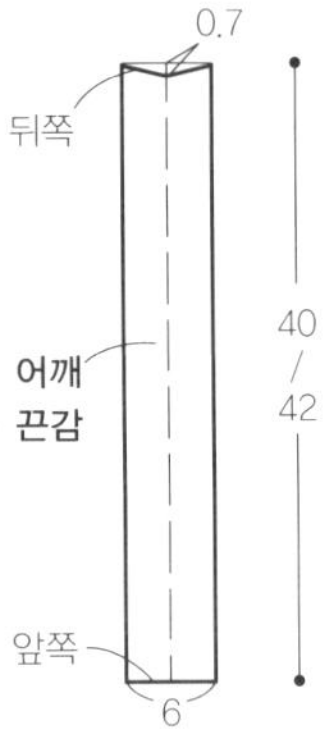

재단 배치도

※지정 이외의 시접은 1cm.
※암홀 둘레 안바이어스천과 허리끈감(**26번**만)은 직접
제도하여 사용합니다.
※안바이어스천은 길게 준비하고, 다는 곳의 길이에 맞춰
여분을 잘라서 사용합니다.
※▨▨▨는 안쪽에 접착심(소잉심지)을 붙입니다.
※길이가 긴 패턴은 분리하여 수록하였습니다.
맞춤점에 맞춰 한 장으로 연결해주세요.

25번

암홀 둘레
안바이어스천
2.3x70cm(2장)   2.5

0.5 앞안단 0.5
0

주머니

0.5 뒤안단 0.5
0

※원단을 자른 뒤,
다시 접는다

0.5
골선
옆선
주머니

앞몸판

원단
(겉)

260 / 280 cm

패턴을
이어서
베낀다

3

옆선
주머니

0.5

어깨
끈감

뒷몸판

패턴을
이어서
베낀다

3

— 100cm폭 —

만드는 순서

5. 어깨끈감을 만든다

6. 몸판에
안단을
단다

1. 주머니를 만들어
몸판에 단다
(**25번**만)

2. 옆선 주머니를
만들어
몸판에
단다

4. 몸판의
옆선을
봉합한다

25
앞

3. 덮개감을
만들어
몸판에
단다
(**26번**만)

7. 완성한다

26
뒤

※**26번** 작품은 **25번** 작품의
2. 4~7번과 만드는 방법이
동일합니다.

26번

덮개감

2

원단
(겉)

2

0.5 앞안단 0.5
0

0.5 뒤안단 0.5
0

암홀 둘레
안바이어스천
2.3x70cm(2장)

※원단을 자른 뒤,
다시 접는다

0.5

앞몸판

어깨
끈감

320 / 350 cm

패턴을
이어서
베낀다

3

0.5
골선
옆선
주머니

뒷몸판

패턴을
이어서
베낀다

3

0

허리
끈감
5x47cm

— 108cm폭 —

1

주머니
입구

앞몸판(안)

※앞몸판의 주머니 입구에서
위·아래 1cm씩 길게
소잉테이프 심지를 붙인다

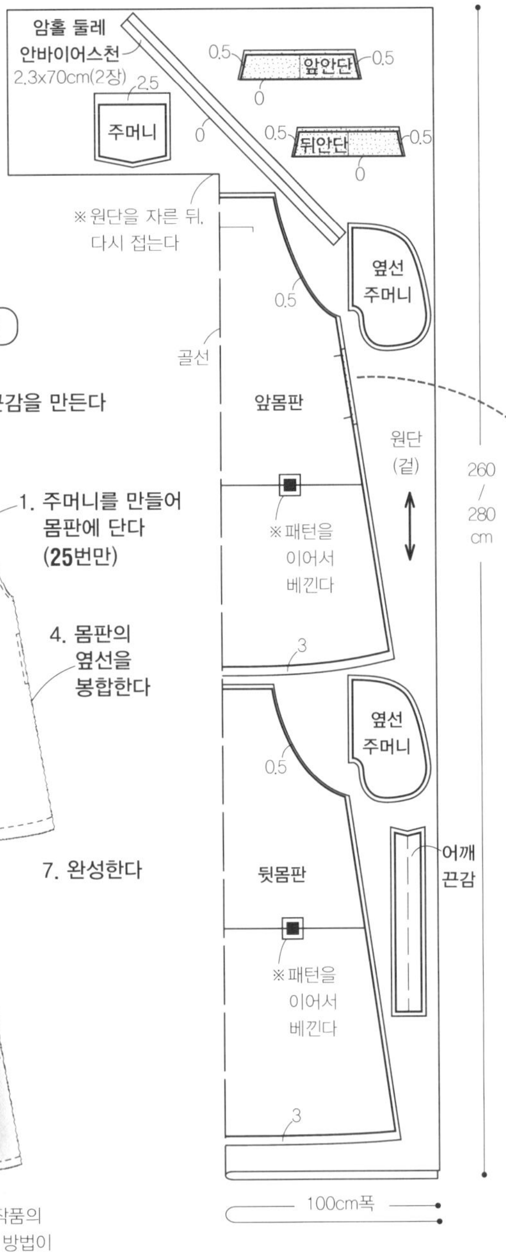

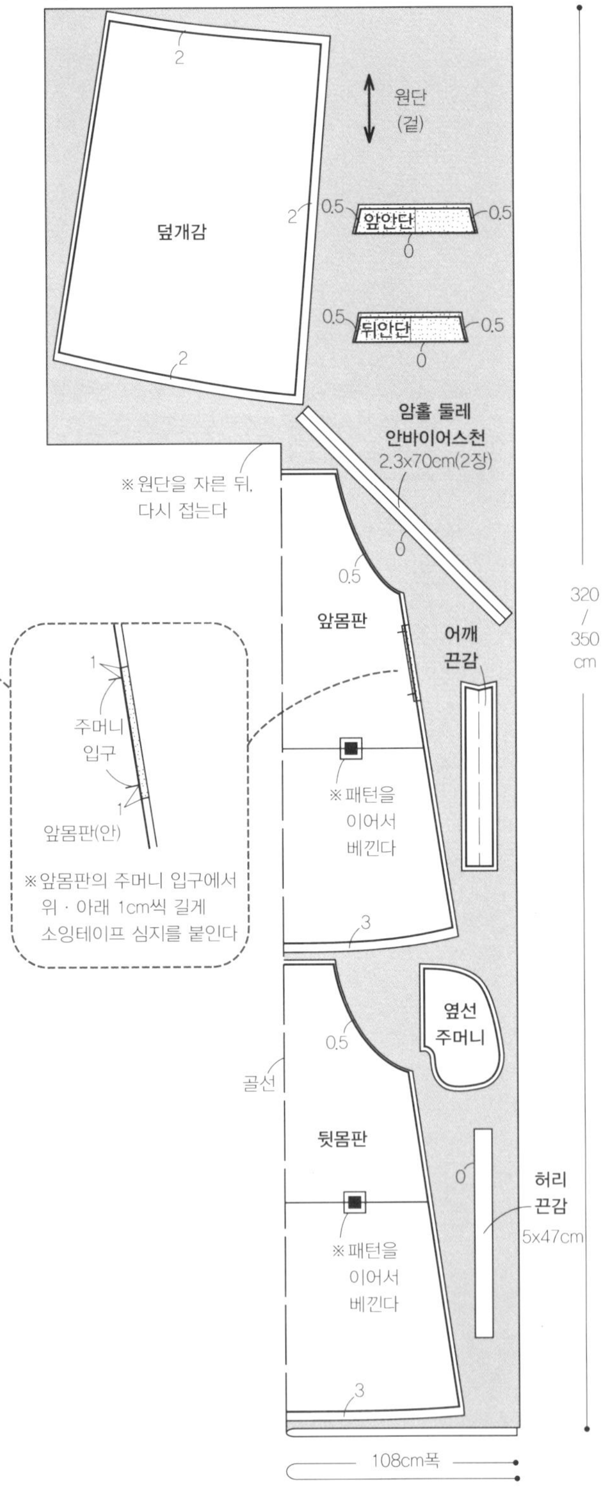

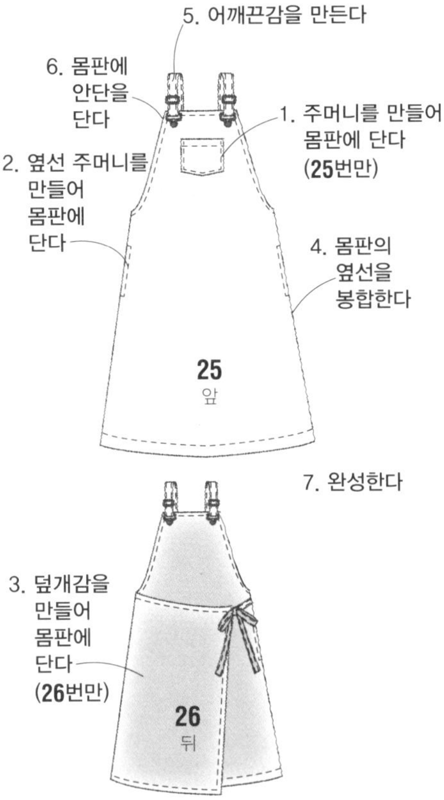

만드는 방법

1. 주머니를 만들어 몸판에 단다(25번만)

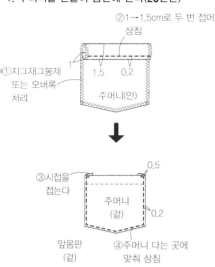

②1→1.5cm로 두 번 접어
상침

①지그재그봉제
또는 오버록
처리

1.5　0.2

주머니(안)

③시접을
접는다

0.5

주머니
(겉)

0.2

앞몸판
(겉)

④주머니 다는 곳에
맞춰 상침

2. 옆선 주머니를 만들어 몸판에 단다

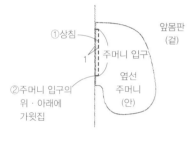

①상침

앞몸판
(겉)

주머니 입구

1

②주머니 입구의
위·아래에
가윗집

옆선
주머니
(안)

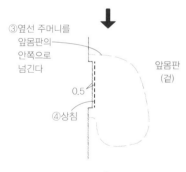

③옆선 주머니를
앞몸판의
안쪽으로
넘긴다

앞몸판
(겉)

0.5

④상침

⑤옆선 주머니 위에 다른 한 장의
옆선 주머니를 겉끼리 맞대어
겹치고 앞몸판을 젖혀 봉합

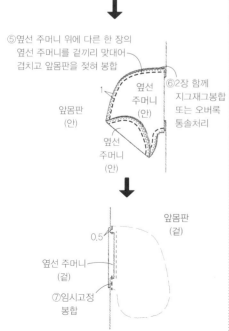

옆선
주머니
(안)

1

앞몸판
(안)

⑥2장 함께
지그재그봉합
또는 오버록
통솔처리

옆선
주머니
(안)

0.5

앞몸판
(겉)

옆선 주머니
(겉)

⑦임시고정
봉합

※25번은 양 옆선에 옆선 주머니를 달고,
　26번은 왼쪽 옆선에만 옆선 주머니를 단다

3. 덮개감을 만들어 몸판에 단다(26번만)

①허리끈감을 만든다 (P.42 [끈감 만드는 방법 C] 참고)

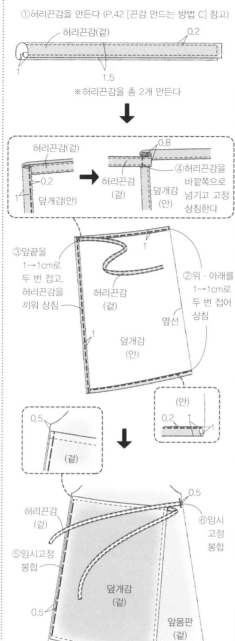

허리끈감(겉)

0.2

1　　1.5

※허리끈감을 총 2개 만든다

허리끈감(겉)

0.2

1

덮개감(안)

0.8

④허리끈감을
바깥쪽으로
넘기고 고정
상침한다

허리끈감
(겉)

덮개감
(안)

③앞끝을
1→1cm로
두 번 접고,
허리끈감을
끼워 상침

허리끈감
(겉)

옆선

덮개감
(안)

1

②위·아래를
1→1cm로
두 번 접어
상침

0.5

(겉)

(안)

0.2　1

허리끈감
(겉)

⑤임시고정
봉합

0.5

0.5

⑥임시
고정
봉합

덮개감
(겉)

앞몸판
(겉)

4. 몸판의 옆선을 봉합한다

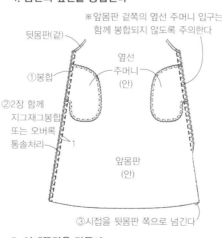

※앞몸판 겉쪽의 옆선 주머니 입구는
함께 봉합되지 않도록 주의한다

뒷몸판(겉)

옆선
주머니
(안)

①봉합

②2장 함께
지그재그봉합
또는 오버록
통솔처리

1

앞몸판
(안)

③시접을 뒷몸판 쪽으로 넘긴다

5. 어깨끈감을 만든다

①어깨끈감을 만든다 (P.42 [끈감 만드는 방법 C] 참고)

어깨끈감(안)

0.2

0.2

※어깨끈감을 총 2개 만든다

6. 몸판에 안단을 단다

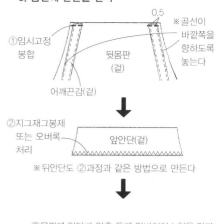

①임시고정
봉합

0.5

뒷몸판
(겉)

※골선이
바깥쪽을
향하도록
놓는다

어깨끈감(겉)

②지그재그봉제
또는 오버록
처리

앞안단(겉)

※뒤안단도 ②과정과 같은 방법으로 만든다

③몸판에 안단과 암홀 둘레 안바이어스천을 단다
(P.47/4-③~④ 참고)

④모서리를
정리한다

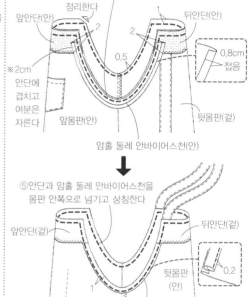

앞안단(안)

1

2

뒤안단(안)

2

0.8cm
접음

※2cm
안단에
겹치고
여분은
자른다

0.5

앞몸판(안)

뒷몸판(겉)

암홀 둘레 안바이어스천(안)

⑤안단과 암홀 둘레 안바이어스천을
몸판 안쪽으로 넘기고 상침한다

앞안단(겉)

뒤안단(겉)

0.2

뒷몸판
(안)

1

앞몸판
(안)

암홀 둘레
안바이어스천
(겉)

7. 완성한다

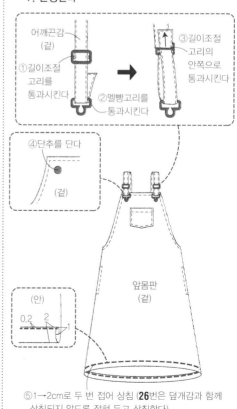

어깨끈감
(겉)

①길이조절
고리를
통과시킨다

②멜빵고리를
통과시킨다

③길이조절
고리의
안쪽으로
통과시킨다

④단추를 단다

(겉)

(안)

0.2　2

1

앞몸판
(겉)

⑤1→2cm로 두 번 접어 상침 (26번은 덮개감과 함께
상침되지 않도록 젖혀 두고 상침한다)

63

27 (p.30)	29 (p.32)

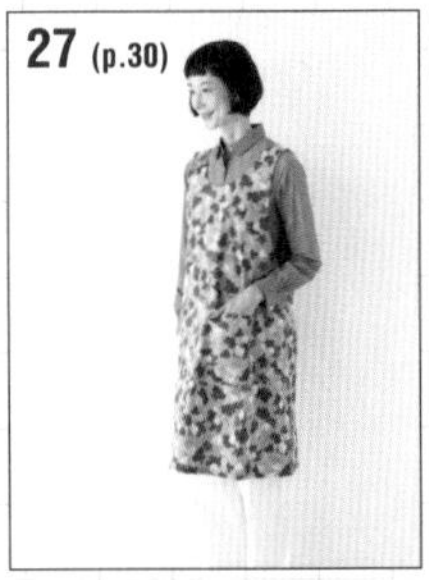

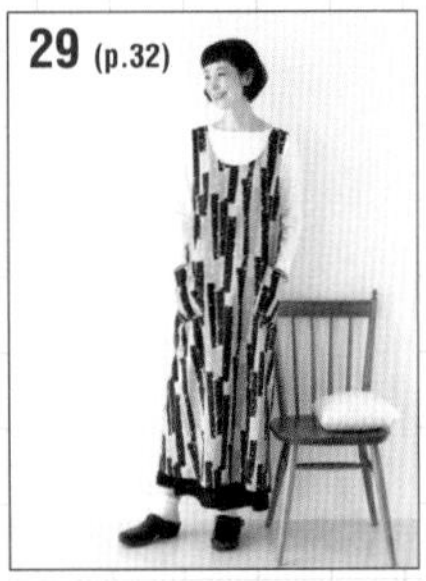

27 / 쉐프 에이프런

29 / 쉐프 롱 에이프런

■ 재료
27번 겉감(코튼 옥스퍼드) … 150cm폭 x 170cm
29번 겉감(코튼 리넨 캔버스) … 108cm폭 x 240cm

■ 완성 사이즈
가슴둘레 … 118.5cm
옷길이 … **27**번 93cm / **29**번 116cm

■ 실물크기 패턴 B면

〔 재단 배치도 〕

※지정 이외의 시접은 1cm.
※암홀 둘레 안바이어스천은 직접 제도하여 사용합니다.
※안바이어스천은 길게 준비하고, 다는 곳의 길이에 맞춰 여분을 잘라서 사용합니다.
※길이가 긴 패턴은 분리하여 수록하였습니다. 맞춤점에 맞춰 한 장으로 연결해주세요.

27번

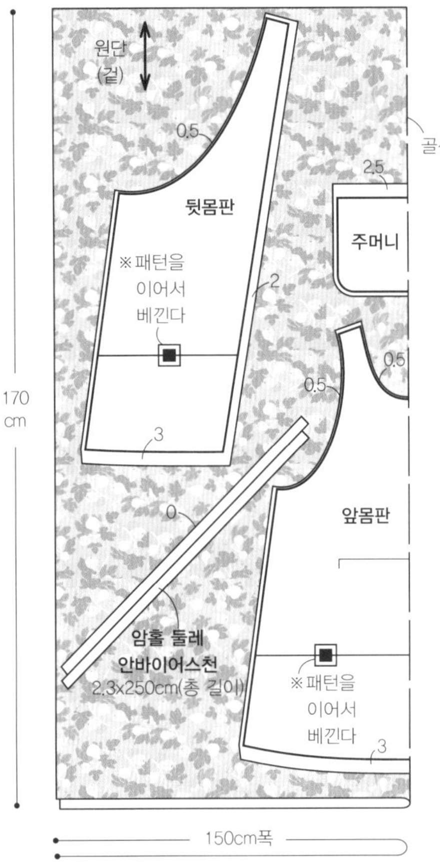

원단
(겉)

0.5

뒷몸판

※패턴을
이어서
베낀다

2.5

골선

주머니

2

0.5

170
cm

3

0.5

0

앞몸판

암홀 둘레
안바이어스천
2.3x250cm(총 길이)

※패턴을
이어서
베낀다

3

━ 150cm폭 ━

29번

암홀 둘레 안바이어스천
2.3x250cm(총 길이)

원단
(겉)

0

0.5

뒷몸판

※패턴을
이어서
베낀다

2

골선

240
cm

3

2.5

0.5

주머니

0.5

앞몸판

※패턴을
이어서
베낀다

3

━ 108cm폭 ━

〔 만드는 순서 〕

2. 뒷몸판의 뒤끝을 정리한다

4. 몸판의 어깨를 봉합한다

5. 몸판의 목둘레와
암홀 둘레를
안바이어스
처리한다

1. 주머니를
만들어
몸판에
단다

3. 몸판의
옆선을
봉합한다

27
앞

6. 몸판의 밑단을 정리한다

29
앞

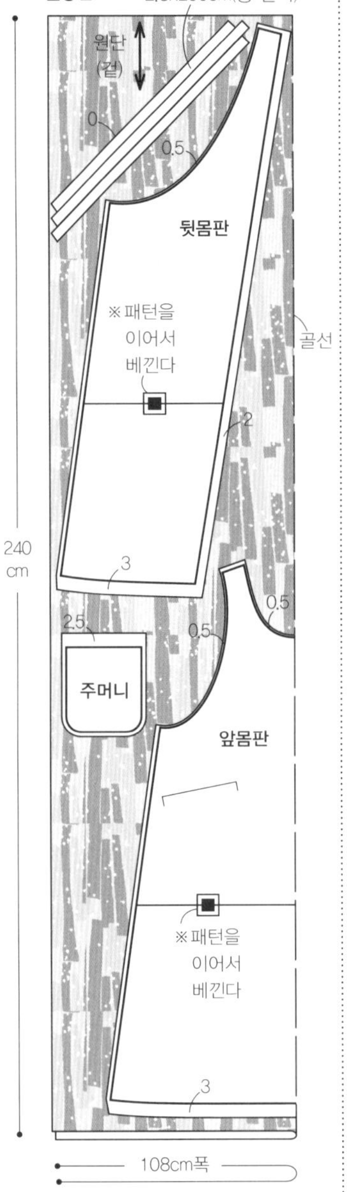

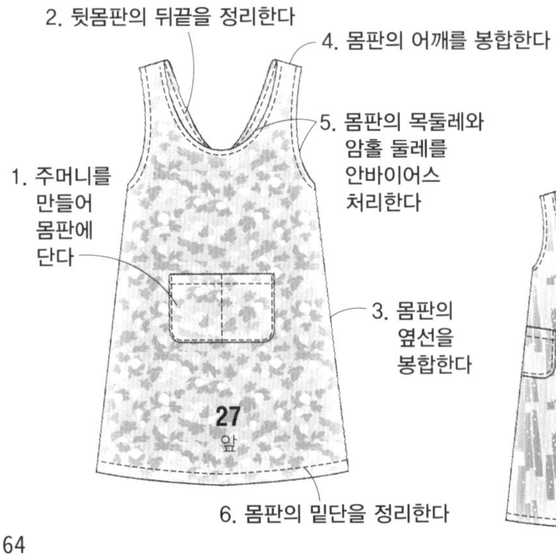

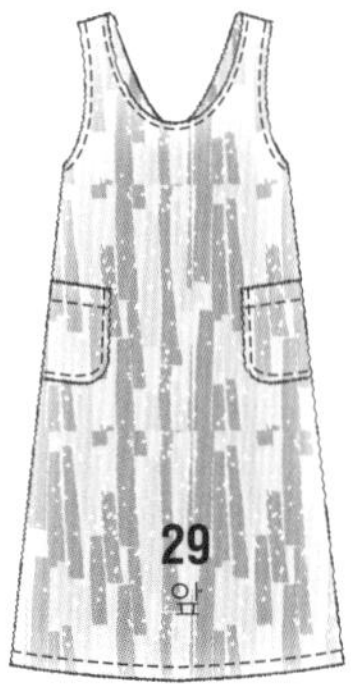

※**29**번 작품은 **27**번과 만드는
방법이 동일합니다.

〔 만드는 방법 〕

1. 주머니를 만들어 몸판에 단다

27번의 경우

주머니(겉)

①지그재그봉제
또는 오버록 처리

②1→1.5cm로
두 번 접어 상침

1.5

1

0.2

③곡선 부분에
큰 땀으로
두 줄 봉합

주머니(안)

0.3

0.5

④두꺼운 종이로
완성선에 맞춰
곡선 부분에
맞춘다

주머니(안)

1

두꺼운 종이

⑤큰 땀으로
봉합한 실을
당겨 두꺼운
종이를 따라
시접을 접는다

2~3땀
되돌아박기

앞몸판
(겉)

0.2

주머니
(겉)

⑥주머니 다는 곳에
맞춰 상침

⑦중심에 고정 상침

29번의 경우

앞몸판(겉)

①주머니를 만들어
몸판에 단다
(P.64/1-①~⑥ 참고)

주머니
(겉)

0.2

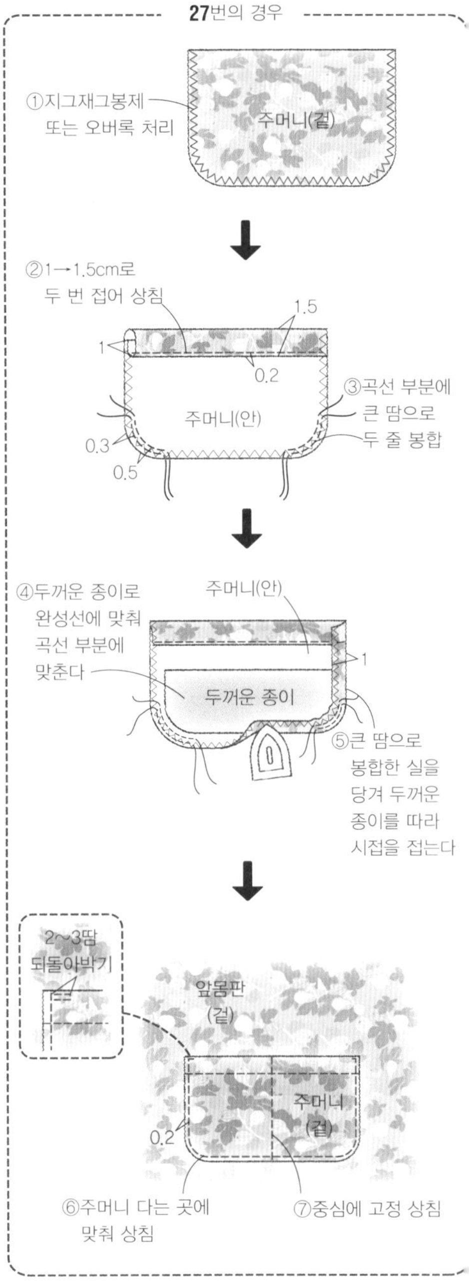

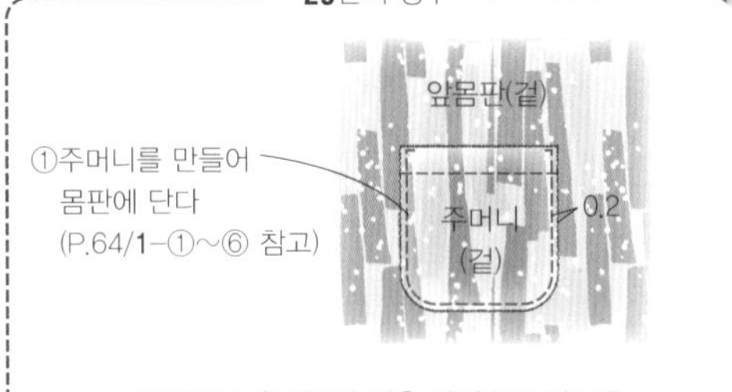

※반대쪽도 ①과정과 같은 방법으로 만든다

2. 뒷몸판의 뒤끝을 정리한다

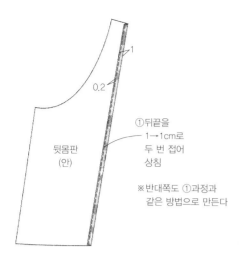

1

0.2

뒷몸판
(안)

①뒤끝을
1→1cm로
두 번 접어
상침

※반대쪽도 ①과정과
같은 방법으로 만든다

3. 몸판의 옆선을 봉합한다

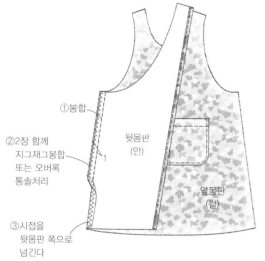

①봉합

②2장 함께
지그재그봉합
또는 오버록
통솔처리

1

뒷몸판
(안)

앞몸판
(겉)

③시접을
뒷몸판 쪽으로
넘긴다

※반대쪽도 ①~③과정과 같은 방법으로 만든다

4. 몸판의 어깨를 봉합한다

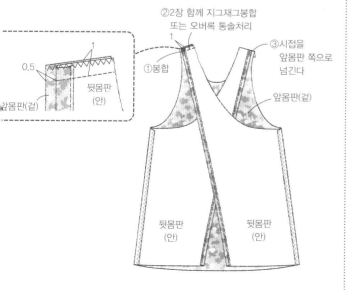

②2장 함께 지그재그봉합
또는 오버록 통솔처리

1

0.5

앞몸판(겉)

①봉합

뒷몸판
(안)

③시접을
앞몸판 쪽으로
넘긴다

앞몸판(겉)

뒷몸판
(안)

뒷몸판
(안)

5. 몸판의 목둘레와 암홀 둘레를 안바이어스 처리한다

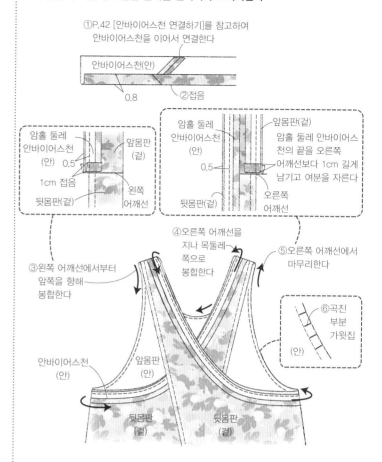

P.42 [안바이어스천 연결하기]를 참고하여
안바이어스천을 이어서 연결한다

안바이어스천(안)

0.8

②접음

암홀 둘레
안바이어스천
(안)

0.5

1cm 접음

뒷몸판(겉)

앞몸판
(겉)

왼쪽
어깨선

암홀 둘레
안바이어스천
(안)

0.5

뒷몸판(겉)

앞몸판(겉) 암홀 둘레 안바이어
스천의 끝을 오른쪽
어깨선보다 1cm 길게
남기고 여분을 자른다

오른쪽
어깨선

④오른쪽 어깨선을
지나 목둘레
쪽으로
봉합한다

③왼쪽 어깨선에서부터
앞쪽을 향해
봉합한다

⑤오른쪽 어깨선에서
마무리한다

⑥곡진
부분
가윗집

(안)

안바이어스천
(안)

앞몸판
(안)

뒷몸판
(겉)

뒷몸판
(겉)

⑦안바이어스천을
몸판 안쪽으로
넘기고 상침

(안)

0.2

1

앞몸판
(안)

뒷몸판
(겉)

뒷몸판
(겉)

6. 몸판의 밑단을 정리한다

뒷몸판
(겉)

뒷몸판
(겉)

(안)

0.2   2

1

①1→2cm로 두 번 접어 상침

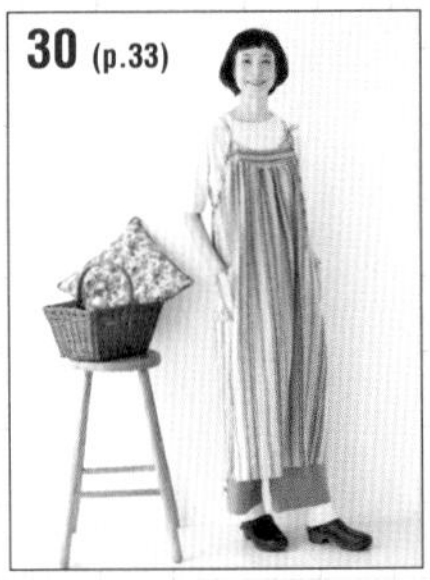

30 (p.33)

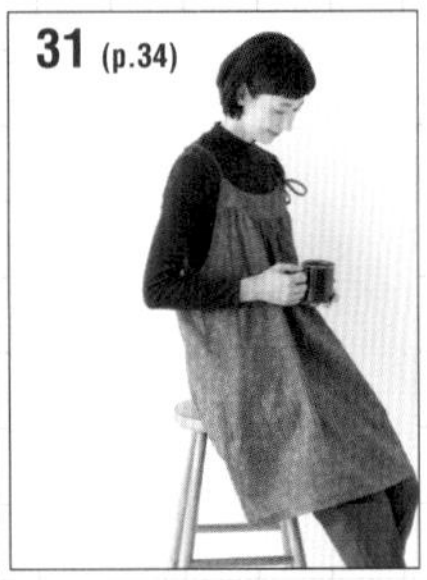

31 (p.34)

30／캐미솔 에이프런

- **재료(M/L사이즈)**

  30번 겉감(리넨) … 140cm폭 x 220cm / 250cm
  31번 겉감(더블거즈) … 108cm폭 x 190cm / 210cm

31／캐미솔 쇼트 에이프런

- **완성 사이즈(M/L사이즈)** (어깨끈감 미포함)

  가슴둘레 … 139cm / 154cm
  옷길이 … **30**번 104.5cm / 114.5cm
  　　　　31번 77.5cm / 82cm

- **실물크기 패턴 B면**

【 패턴에 대해서 】

※뒷요크와 주머니는 직접 제도하여 사용합니다.

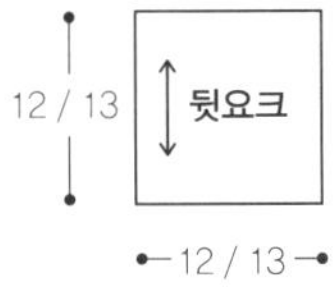

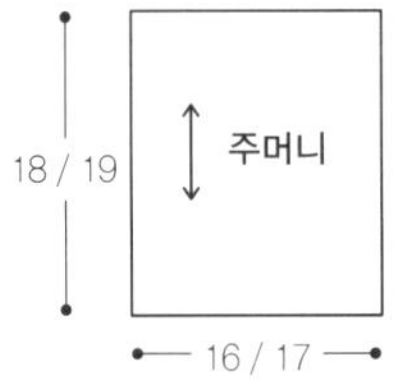

12 / 13　뒷요크
← 12 / 13 →

18 / 19　주머니
← 16 / 17 →

【 재단 배치도 】

30번

암홀 둘레 바이어스천
4x280cm(총 길이)

겉·안 앞요크

뒷요크 다는 끝점

※지정 이외의 시접은 1cm.
※암홀 둘레 바이어스천은 직접 제도하여 사용합니다.
※바이어스천은 길게 준비하고, 다는 곳의 길이에 맞춰 여분을 잘라서 사용합니다.
※길이가 긴 패턴은 분리하여 수록하였습니다. 맞춤점에 맞춰 한 장으로 연결해주세요.

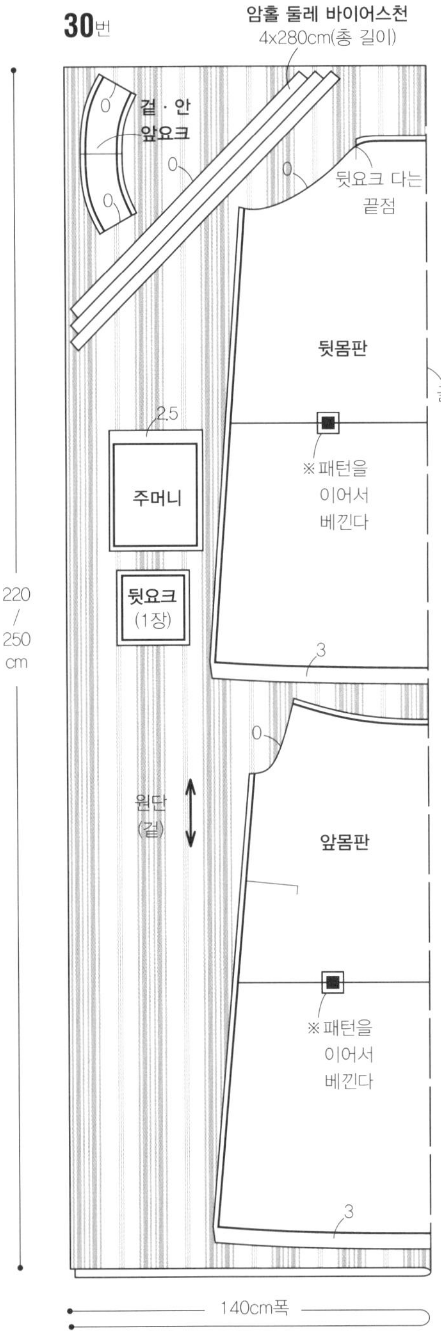

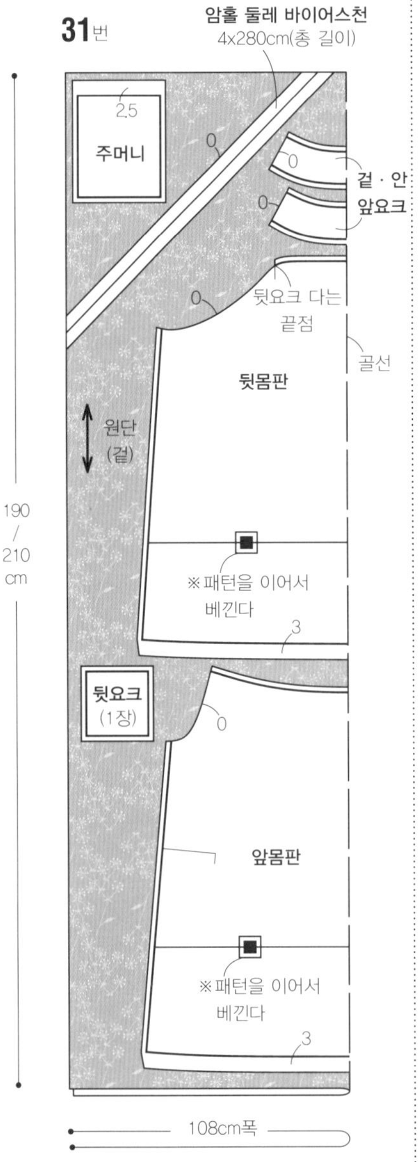

뒷몸판

골선

2.5

주머니

2.5

뒷요크 (1장)

※패턴을 이어서 베낀다

3

0

원단 (겉)

앞몸판

※패턴을 이어서 베낀다

3

220 / 250 cm

← 140cm폭 →

31번

암홀 둘레 바이어스천
4x280cm(총 길이)

2.5

주머니

0

0

겉·안 앞요크

뒷요크 다는 끝점

골선

뒷몸판

원단 (겉)

※패턴을 이어서 베낀다

3

뒷요크 (1장)

0

앞몸판

※패턴을 이어서 베낀다

3

190 / 210 cm

← 108cm폭 →

【 만드는 순서 】

5. 뒷몸판에 뒷요크를 단다

1. 앞몸판에 앞요크를 단다

2. 몸판의 옆선을 봉합한다

4. 몸판의 암홀 둘레를 바이어스 처리한다

3. 주머니를 만들어 몸판에 단다

30
앞

6. 완성한다

31
앞

※**31**번 작품은 **30**번 작품과 만드는 방법이 동일합니다.

【 만드는 방법 】

1. 앞몸판에 앞요크를 단다

②곡진 부분 가윗집

①봉합

겉앞요크(겉)

안앞요크(안)

1

③가름솔

겉앞요크(안)

안앞요크(안)

④시접을 접는다

1

⑤큰 땀으로 두 줄 봉합

1.5　0.5

앞몸판 (안)

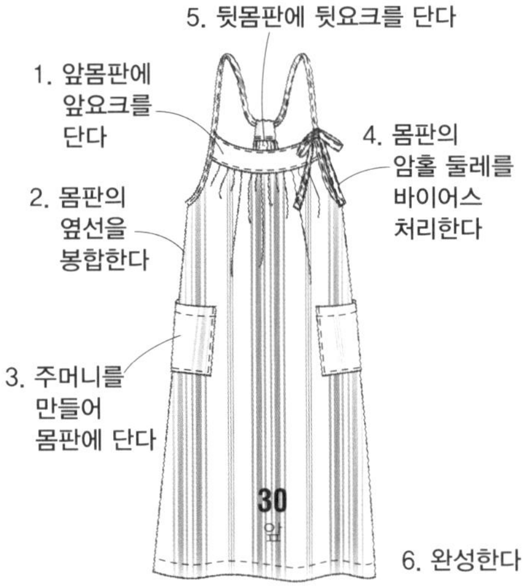

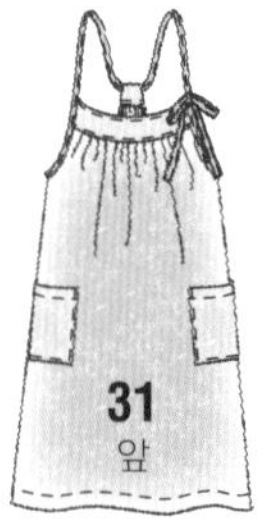

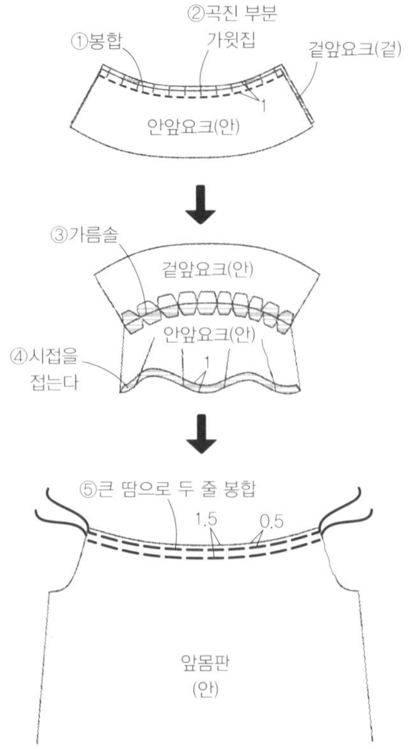

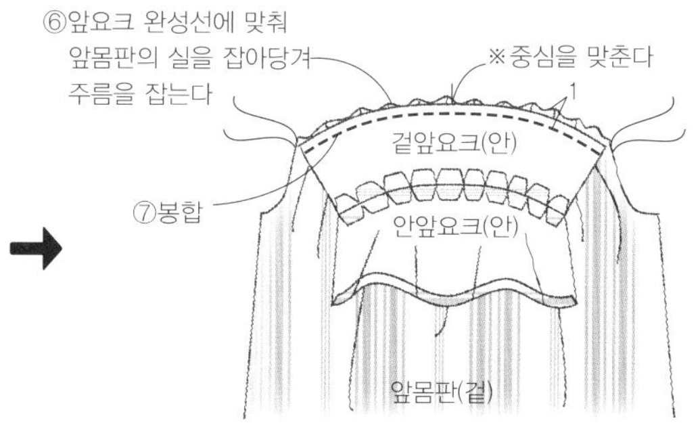

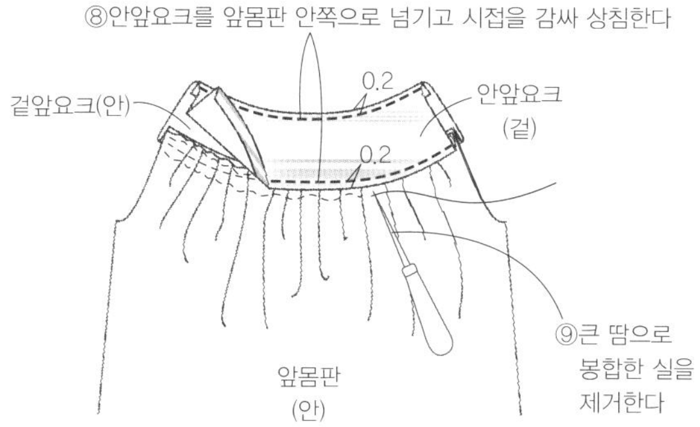

⑥앞요크 완성선에 맞춰
앞몸판의 실을 잡아당겨
주름을 잡는다

⑦봉합

※중심을 맞춘다

겉앞요크(안)

안앞요크(안)

앞몸판(겉)

↓

⑧안앞요크를 앞몸판 안쪽으로 넘기고 시접을 감싸 상침한다

겉앞요크(안)

안앞요크(겉)

0.2

0.2

앞몸판(안)

⑨큰 땀으로
봉합한 실을
제거한다

2. 몸판의 옆선을 봉합한다

뒷몸판(겉)

①봉합

1

②2장 함께
지그재그봉합
또는 오버록
통솔처리

앞몸판(안)

③시접을
뒷몸판 쪽으로
넘긴다

3. 주머니를 만들어 몸판에 단다

②1→1.5cm로
두 번 접어 상침

1

1.5   0.2

주머니(안)

①지그재그봉제 또는
오버록 처리

뒷몸판
(겉)

앞몸판
(겉)

0.2

주머니
(겉)

0.5

③시접을
접는다

옆선

④주머니 다는 곳에
맞춰 상침

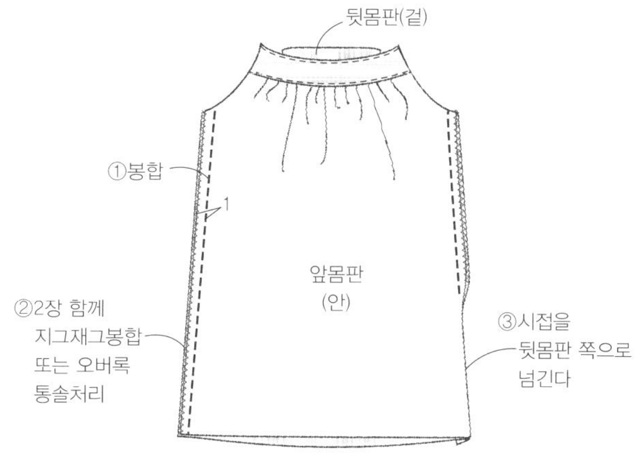

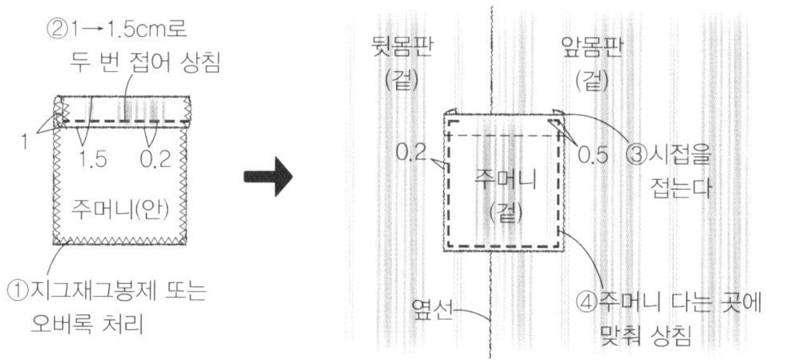

※반대쪽도 ①~④과정과 같은 방법으로 만든다

4. 몸판의 암홀 둘레를 바이어스 처리한다

①P.42 [바이어스천 연결하기]를 참고하여
암홀 둘레 바이어스천을 이어서 연결한다

1

암홀 둘레 바이어스천(겉)

②세 번 접는다
(P.42 [바이어스 처리 B]-①참고)

암홀 둘레 바이어스천
(겉)

1cm 접음

1cm 접음

100 / 105cm

40 / 42cm

암홀 둘레
바이어스천
(안)

③몸판과 암홀 둘레
바이어스천을
겉끼리 맞대어
봉합한다
(P.42 [바이어스 처리 B]-②~③참고)

1

앞몸판
(겉)

뒷몸판
(겉)

※여분은 자른다

↓

④암홀 둘레 바이어스천을 접음선에
맞춰 다시 접고 상침
(P.42 [바이어스 처리 B]-④참고)

암홀 둘레
바이어스천
(겉)

1

앞몸판
(안)

뒷몸판
(안)

(안)

0.2

5. 뒷몸판에 뒷요크를 단다

뒷요크
(안)

①봉합

1

②가름솔

③겉으로 뒤집고
솔기를 중앙에
맞춘다

뒷요크
(겉)

↓

④뒷요크의
완성선에
맞춰 뒷몸판의
실을
잡아당겨
주름을
잡는다

뒷요크(겉)

1

⑤뒷요크의 솔기가 없는
쪽과 뒷몸판(겉)을
맞대어 봉합한다

뒷몸판
(안)

뒷요크
(겉)

1cm
접음

0.2

⑥뒷요크를
반으로
접은 뒤,
상침

뒷몸판
(안)

6. 완성한다

①긴 쪽의 바이어스천을
뒷요크에 통과시키고,
짧은 쪽의 바이어스천과
리본을 묶는다

②1→2cm로 두 번
접어 상침

앞몸판
(겉)

(안)

0.2   2

1

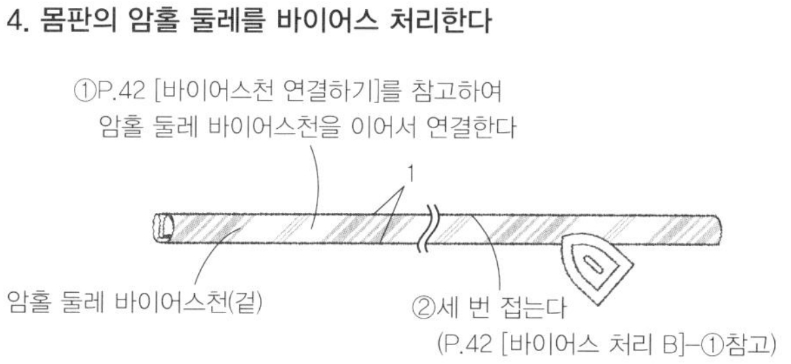

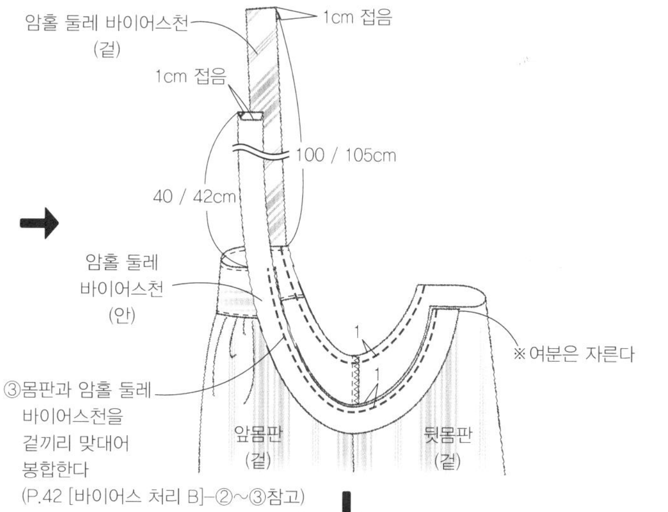

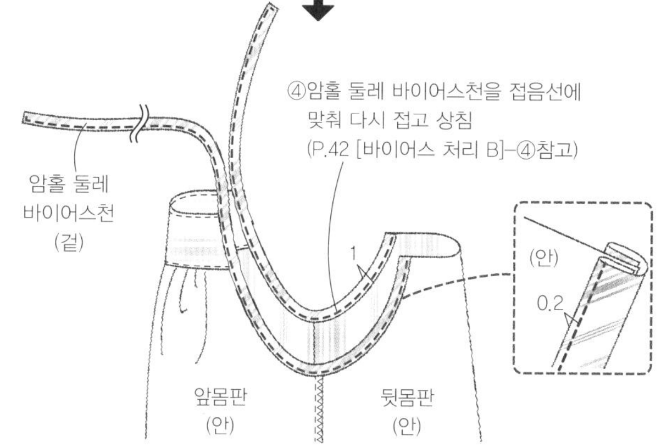

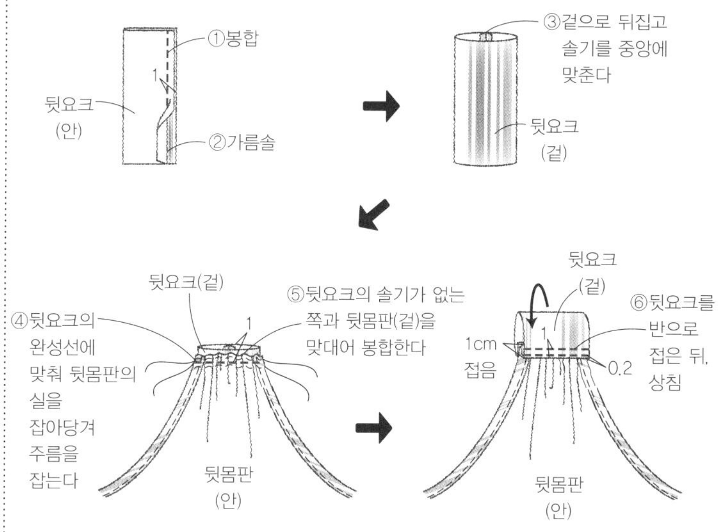

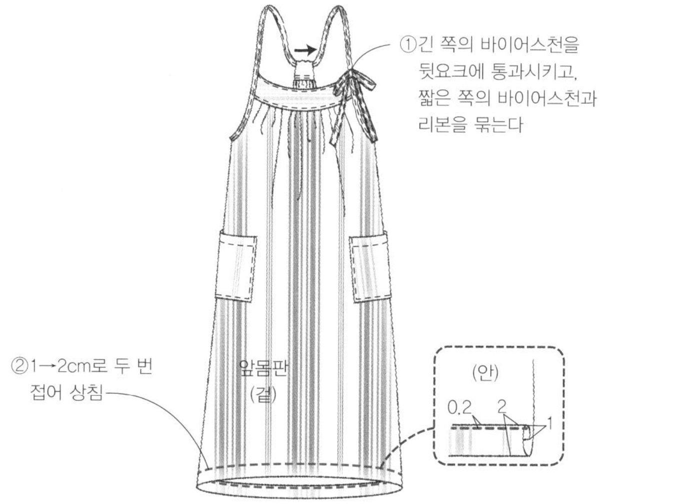

33 (p.36)

33／메이드 에이프런

- 재료(M/L사이즈 공통)
  겉감(리넨) … 141cm폭 x 260cm
  단추 … 1.5cm폭 x 2개

- 완성 사이즈(M/L사이즈 공통) (어깨끈감 미포함)
  스커트 폭 … 115.2cm
  옷길이 … 118.5cm

- 실물크기 패턴 B면

【 패딘에 대해서 】

※겉·안허리벨트, 허리끈감, 겉·안어깨끈감. 주머니는 직접 제도하여 사용합니다.
※M, L사이즈 공통
※착용하여 어깨끈감의 길이를 조절한 뒤, 단추 다는 곳을 표시해주세요.

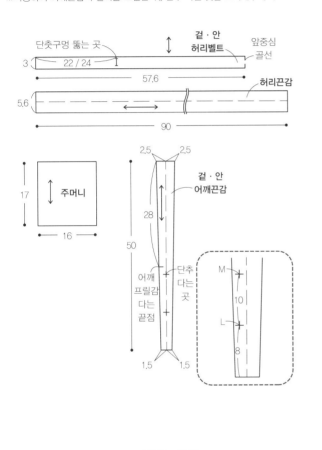

【 새난 배치노 】

※지정 이외의 시접은 1cm.

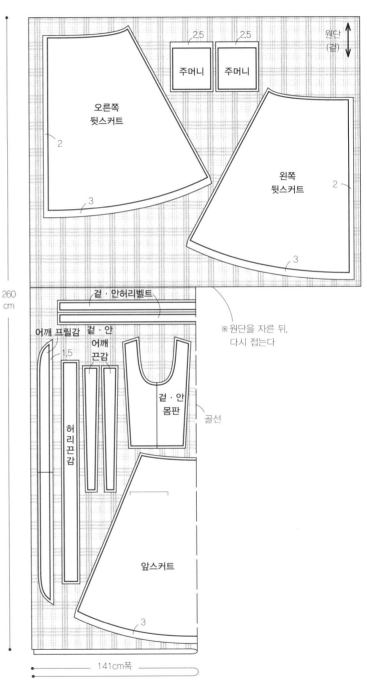

※원단을 자른 뒤,
다시 접는다

【 만드는 순서 】

1. 어깨 프릴감을 만든다
5. 허리끈감을 만든다
2. 몸판을 만든다
6. 몸판과 스커트에 허리벨트를 단다
3. 주머니를 만들어 스커트에 단다
4. 스커트를 만든다

※**33**번 만드는 방법 P.70~71 참고

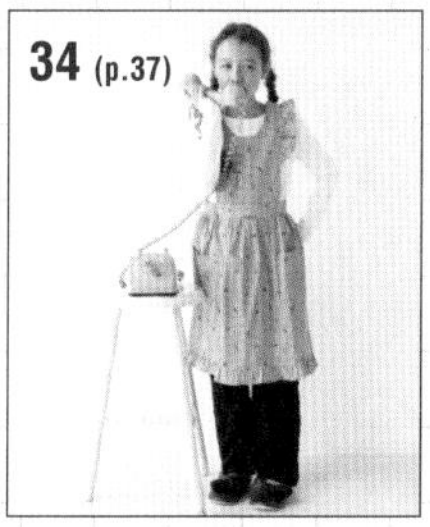

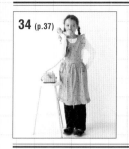

34 (p.37)

34 / 아동용 메이드 에이프런

■ 재료(120/130/140사이즈)

겉감(코튼 프린트) … 109cm폭 x 120cm / 130cm / 150cm

단추 … 1.5cm폭 x 2개

■ 완성 사이즈(120/130/140사이즈) (어깨끈감 미포함)

스커트 폭 … 52cm / 56cm / 58cm

옷길이 … 75cm / 81cm / 87cm

■ 실물크기 패턴 B면

패턴에 대해서

※겉·안허리벨트, 허리끈감, 주머니, 겉·안어깨끈감, 스커트는 직접 제도하여 사용합니다.

※착용하여 어깨끈감의 길이를 조절한 뒤, 단추 다는 곳을 표시해주세요.

※겉·안허리벨트의 단춧구멍 뚫는 위치는 어깨끈감의 단추 위치에 맞춰 표시해주세요.

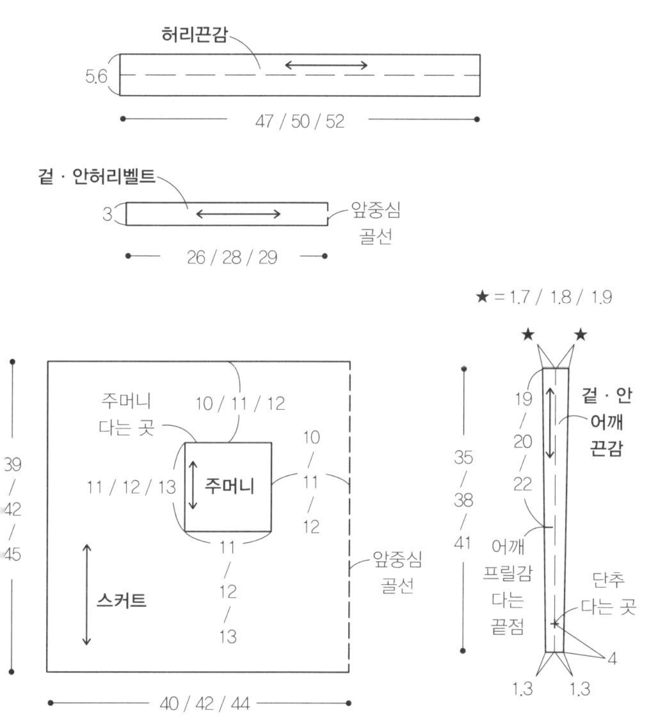

재단 배치도

※지정 이외의 시접은 1cm.

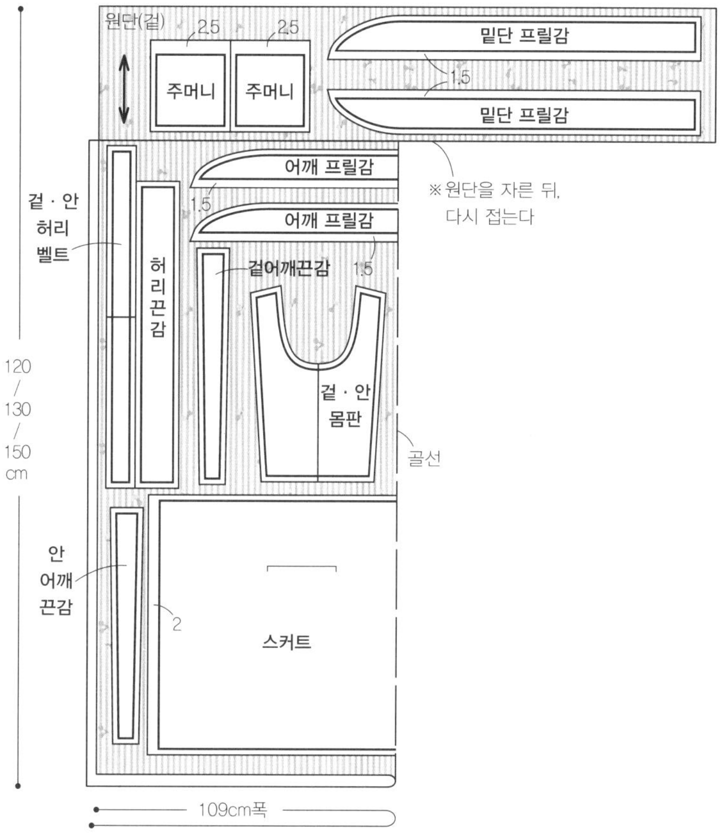

만드는 순서

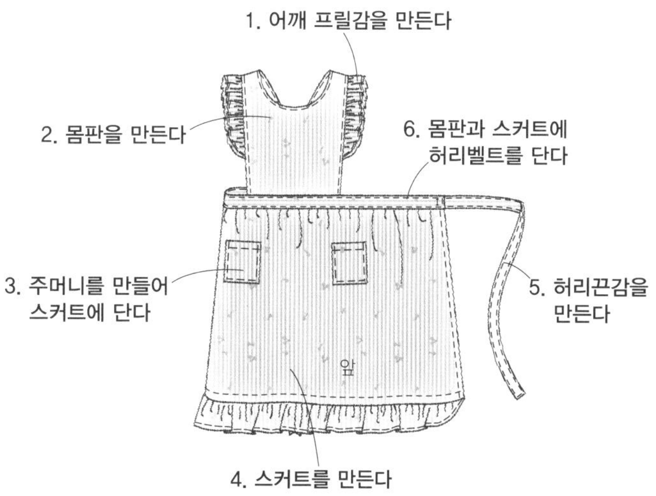

1. 어깨 프릴감을 만든다

2. 몸판을 만든다

6. 몸판과 스커트에 허리벨트를 단다

3. 주머니를 만들어 스커트에 단다

5. 허리끈감을 만든다

4. 스커트를 만든다

69

만드는 방법

1. 어깨 프릴감을 만든다

②큰 땀으로
두 줄 봉합

0.2 0.5

어깨 프릴감(안)

①0.7→0.8cm로
두 번 접어 상침

0.7 0.8 0.2

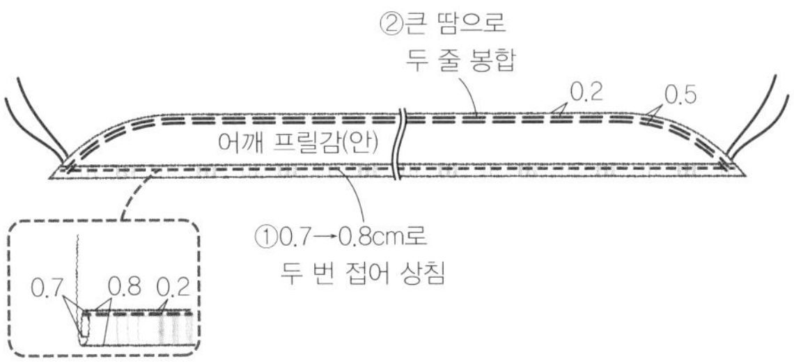

※어깨 프릴감을 총 2개 만든다

2. 몸판을 만든다

①봉합

②가름솔

1

겉어깨끈감(안)

겉어깨끈감(안)

겉몸판
(겉)

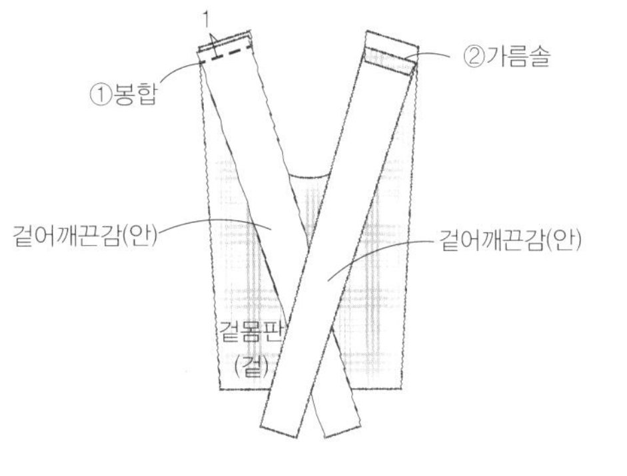

※안몸판과 안어깨끈감도 ①~②과정과 같은 방법으로 만든다

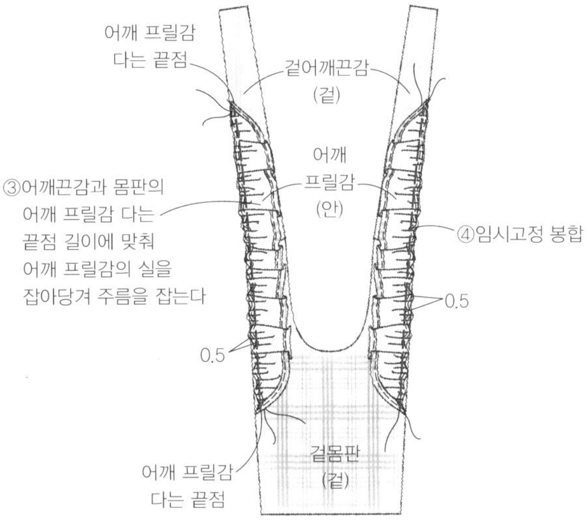

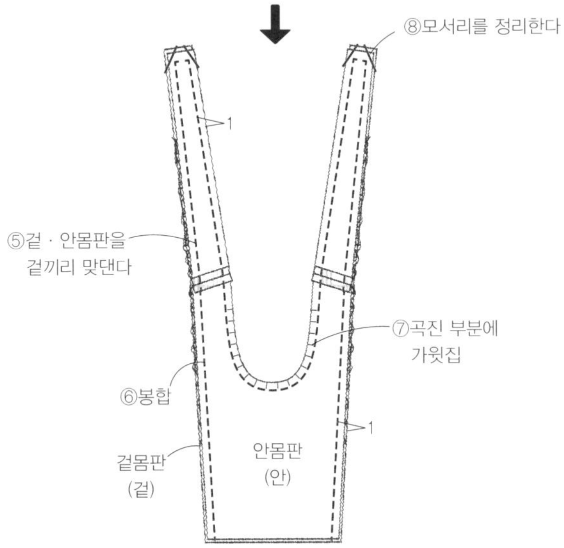

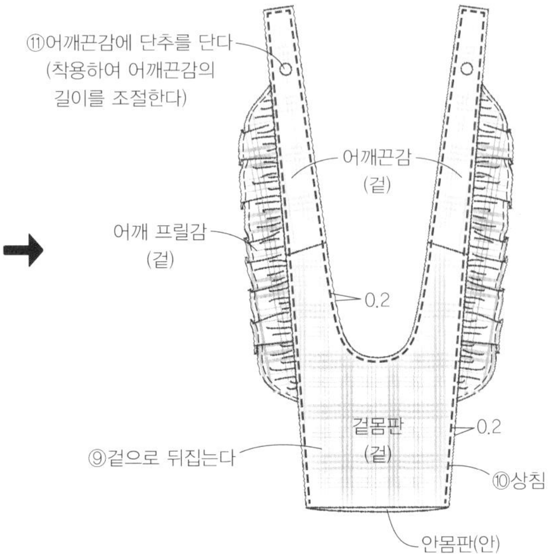

어깨 프릴감
다는 끝점

겉어깨끈감
(겉)

③어깨끈감과 몸판의
어깨 프릴감 다는
끝점 길이에 맞춰
어깨 프릴감의 실을
잡아당겨 주름을 잡는다

어깨
프릴감
(안)

④임시고정 봉합

0.5

0.5

어깨 프릴감
다는 끝점

겉몸판
(겉)

⑧모서리를 정리한다

1

⑤겉·안몸판을
겉끼리 맞댄다

⑦곡진 부분에
가윗집

⑥봉합

1

겉몸판
(겉)

안몸판
(안)

(오른쪽 단)

⑪어깨끈감에 단추를 단다
(착용하여 어깨끈감의
길이를 조절한다)

어깨끈감
(겉)

어깨 프릴감
(겉)

0.2

⑨겉으로 뒤집는다

겉몸판
(겉)

0.2

⑩상침

안몸판(안)

3. 주머니를 만들어 스커트에 단다

②1→1.5cm로 두 번 접어 상침

1

1.5 0.2

주머니(안)

①지그재그봉제 또는 오버록 처리

③시접을
접는다

스커트(겉)

주머니
(겉)

0.5

④주머니 다는
곳에 맞춰
상침

0.2

※반대쪽도 ①~④과정과
같은 방법으로 만든다

4. 스커트를 만든다

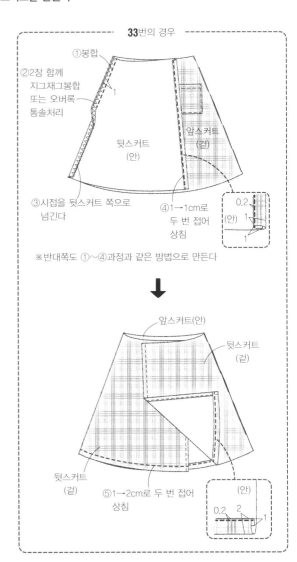

33번의 경우

①봉합

②2장 함께
지그재그봉합
또는 오버록
통솔처리

1

뒷스커트
(안)

앞스커트
(겉)

③시접을 뒷스커트 쪽으로
넘긴다

④1→1cm로
두 번 접어
상침

0.2
(안) 1
1

※반대쪽도 ①~④과정과 같은 방법으로 만든다

앞스커트(안)

뒷스커트
(겉)

뒷스커트
(겉)

⑤1→2cm로 두 번 접어
상침

(안)

0.2 2 1

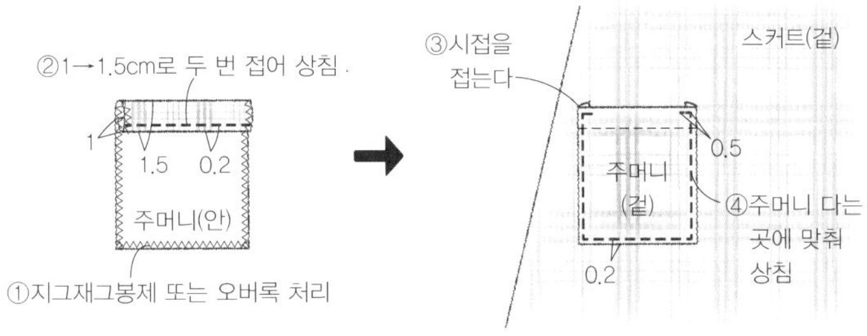

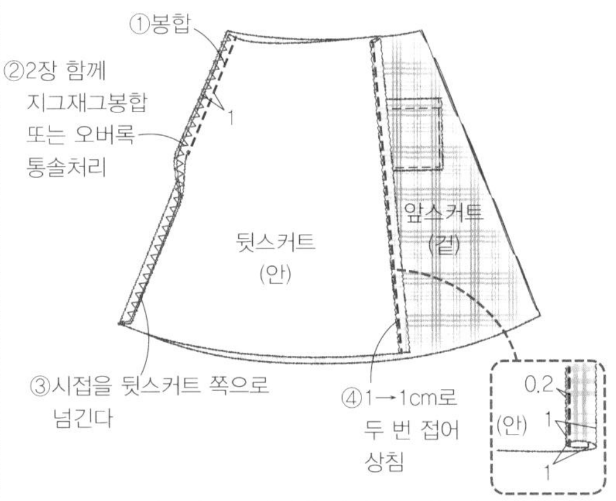

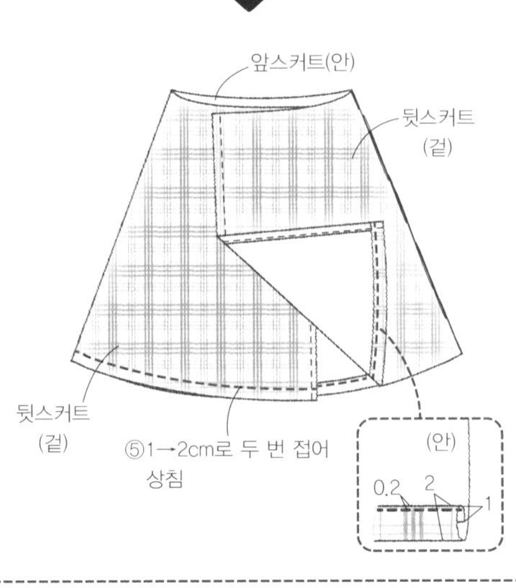

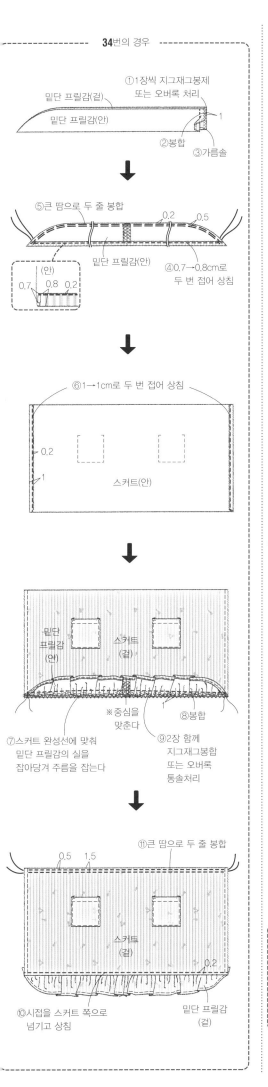

34번의 경우

밑단 프릴감(겉)
밑단 프릴감(안)
①1장씩 지그재그봉제 또는 오버록 처리
②봉합
③가름솔
1

⑤큰 땀으로 두 줄 봉합
0.2 0.5
밑단 프릴감(안)
④0.7→0.8cm로 두 번 접어 상침
(안)
0.7 0.8 0.2

⑥1→1cm로 두 번 접어 상침
0.2
1
스커트(안)

밑단 프릴감(안)
스커트(겉)
※중심을 맞춘다
⑧봉합
⑨2장 함께 지그재그봉합 또는 오버록 통솔처리
⑦스커트 완성선에 맞춰 밑단 프릴감의 실을 잡아당겨 주름을 잡는다

⑪큰 땀으로 두 줄 봉합
0.5 1.5
스커트(겉)
0.2
⑩시접을 스커트 쪽으로 넘기고 상침
밑단 프릴감(겉)

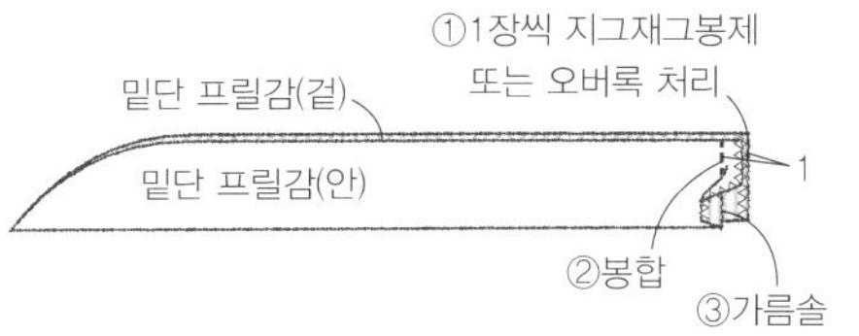

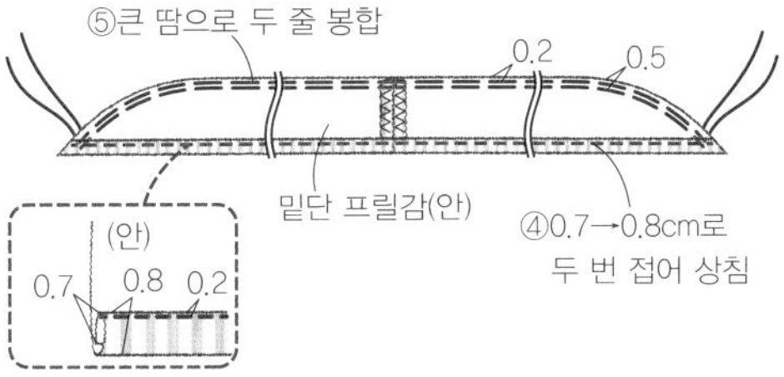

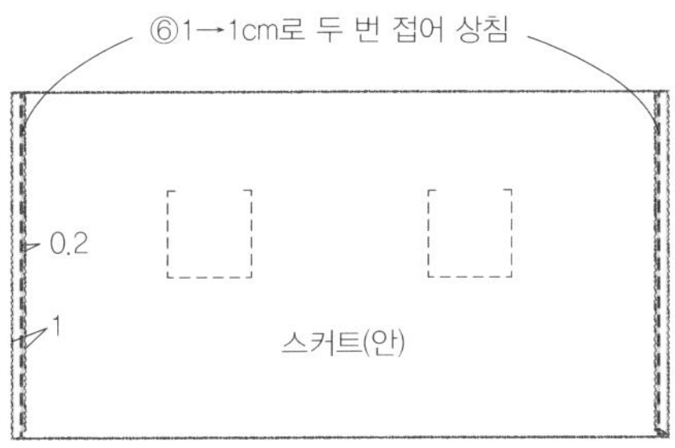

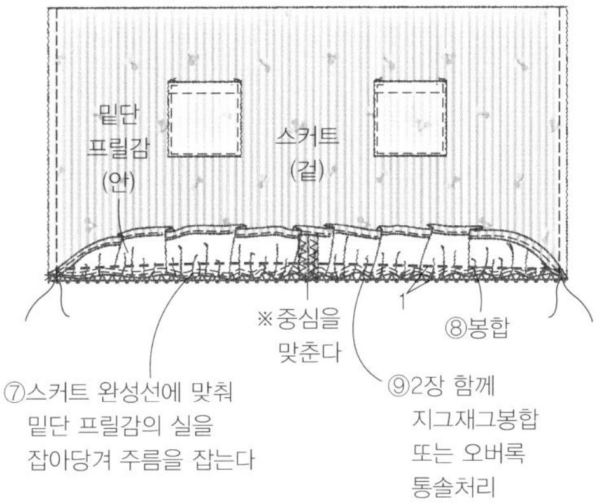

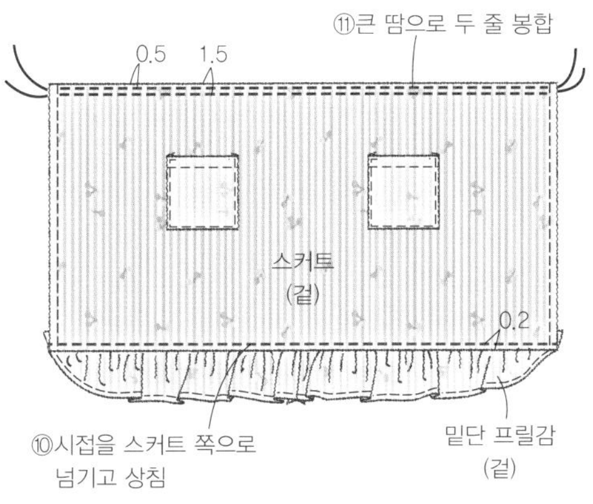

5. 허리끈감을 만든다

①허리끈감을 만든다 (P.42 [끈감 만드는 방법 C] 참고)

허리끈감(겉) 0.2
2.8

※허리끈감을 총 2개 만든다

6. 몸판과 스커트에 허리벨트를 단다

겉허리벨트(겉) ※중심을 맞춘다 ②허리벨트 사이에 몸판을 끼워 봉합
1 1 1
안몸판(겉)
①안허리벨트 시접을 1cm 접는다
안허리벨트(안)

③겉허리벨트와 스커트를 겉끼리 맞대고 봉합
※**34**번은 허리벨트 완성선에 맞춰 스커트의 실을 잡아당겨 주름을 잡는다
※중심을 맞춘다 ④봉합 겉허리벨트(안)
1
안몸판(겉) 안허리벨트(안)
뒷스커트(겉) 뒷스커트(겉)

⑤겉·안허리벨트를 겉끼리 맞댄다
겉허리벨트(겉) 안허리벨트(안)
⑥허리벨트에 허리끈감을 끼워 봉합
1
뒷스커트(겉) 허리끈감(겉)
⑦허리벨트를 겉으로 뒤집고 허리벨트 둘레를 상침한다
안허리벨트(겉) 허리끈감(겉)
0.2
뒷스커트(안)
※반대쪽도 ⑤~⑥과정과 같은 방법으로 만든다

⑧P.42 [단춧구멍 뚫는 방법]을 참고하여 단춧구멍을 뚫는다
뒷스커트(겉)

겉몸판(겉)
허리끈감(겉)
⑨**34**번은 겉에서 보이는 큰 땀으로 봉합한 실을 제거한다
앞스커트(겉)

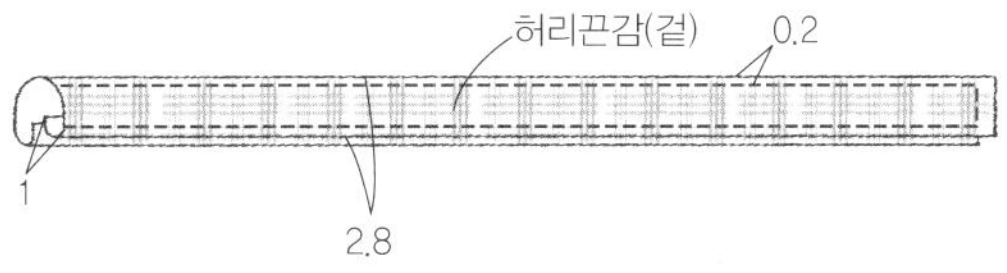

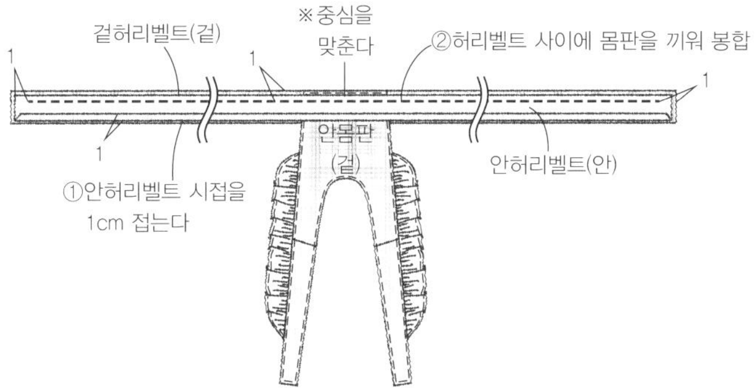

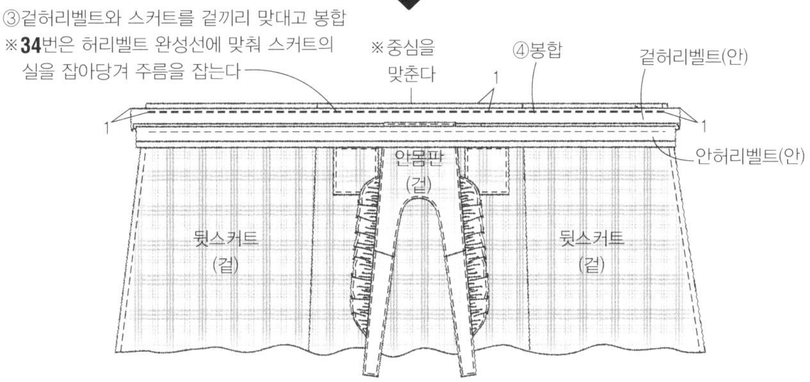

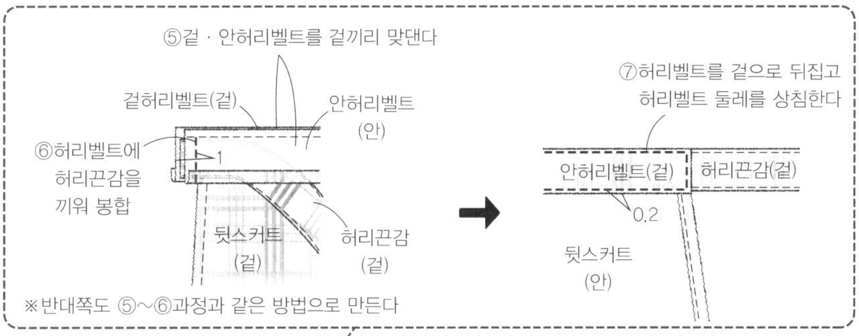

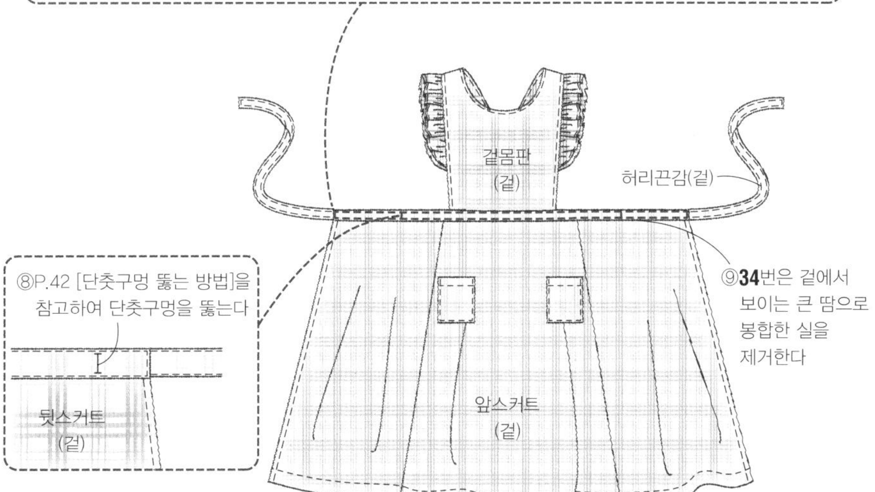

35 (p.38)   **36** (p.39)

35／남성용 에이프런

■ 재료
　35번 겉감(코튼) … 110cm폭 x 100cm
　　　　배색감(코튼) … 110cm폭 x 110cm
　　　　접착심(소잉심지) … 35cm폭 x 10cm
　　　　길이조절 고리 … 3cm폭 x 1개

■ 재료(120/130/140사이즈)
　36번 겉감(코튼) … 110cm폭 x 60cm / 70cm / 80cm
　　　　배색감(코튼) … 110cm폭 x 80cm / 80cm / 90cm
　　　　접착심(소잉심지) … 35cm폭 x 10cm
　　　　길이조절 고리 … 3cm폭 x 1개

36／아동용 에이프런

■ 완성 사이즈 (목끈감 미포함)
　35번 스커트 폭 … 76cm
　　　　옷길이 … 90cm

■ 완성 사이즈(120/130/140사이즈) (목끈감 미포함)
　36번 스커트 폭 … 56cm / 60cm / 66cm
　　　　옷길이 … 51cm / 60cm / 68cm

■ 실물크기 패턴 B면

패턴에 대해서

※목끈감, 허리끈감, 고리감, 주머니, 가슴 주머니(**35**번만)는 직접 제도하여 사용합니다.

35번

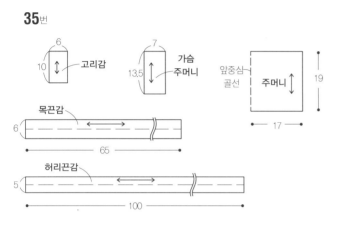

36번

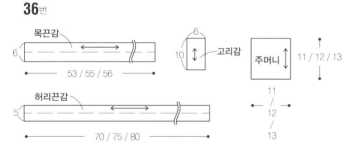

만드는 순서

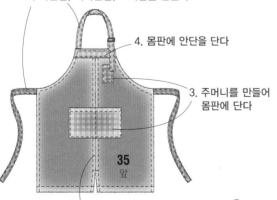

1. 목끈감, 허리끈감, 고리감을 만든다
4. 몸판에 안단을 단다
3. 주머니를 만들어 몸판에 단다
2. 몸판을 만든다(**35**번만)
5. 완성한다

35
앞

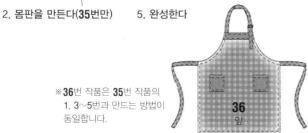

※**36**번 작품은 **35**번 작품의 1, 3~5번과 만드는 방법이 동일합니다.

36
앞

재단 배치도

※지정 이외의 시접은 1cm.
※▒는 안쪽에 접착심(소잉심지)을 붙인다

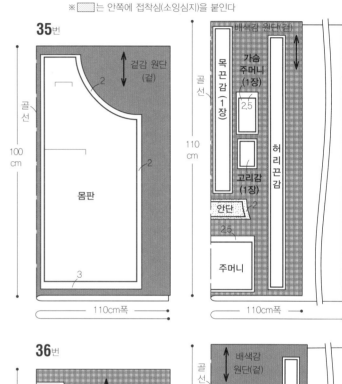

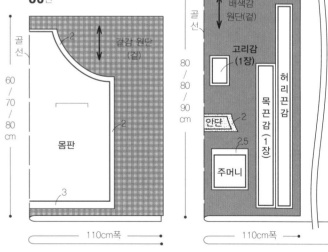

만드는 방법

1. 목끈감, 허리끈감, 고리감을 만든다

①목끈감을 만든다 (P.42 [끈감 만드는 방법 C] 참고)

목끈감 폭 : 3cm
허리끈감 폭 : 2.5cm　목끈감(겉)　0.2

※허리끈감도 ①과정과 같은 방법으로 만든다
※목끈감은 총 1개, 허리끈감은 총 2개 만든다

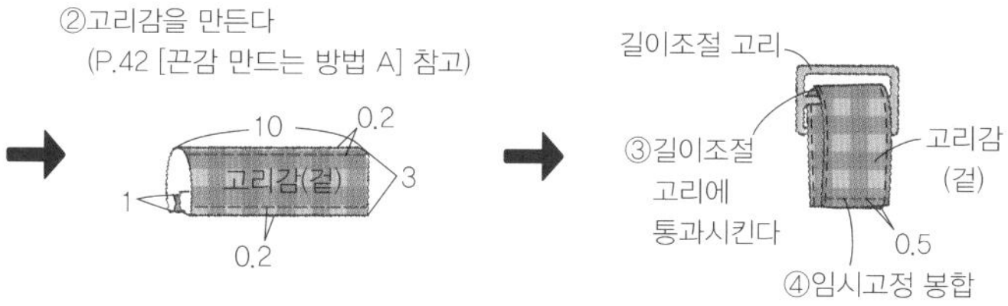

②고리감을 만든다
(P.42 [끈감 만드는 방법 A] 참고)

10 0.2
고리감(겉)
3
1
0.2

길이조절 고리
③길이조절 고리에 통과시킨다
고리감(겉)
0.5
④임시고정 봉합

2. 몸판을 만든다(35번만)

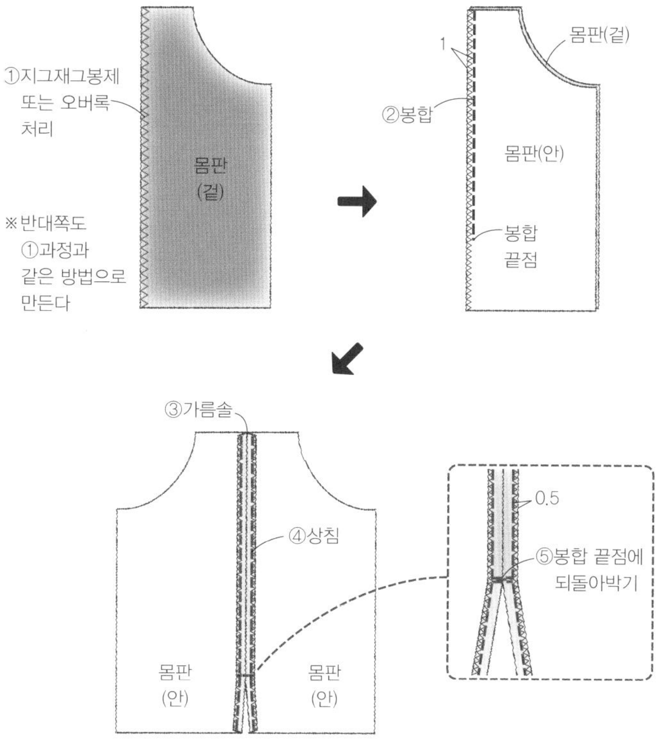

①지그재그봉제 또는 오버록 처리

몸판(겉)

※반대쪽도 ①과정과 같은 방법으로 만든다

1
②봉합
몸판(겉)
몸판(안)
봉합 끝점

③가름솔
④상침
0.5
⑤봉합 끝점에 되돌아박기
몸판(안) 몸판(안)

3. 주머니를 만들어 몸판에 단다

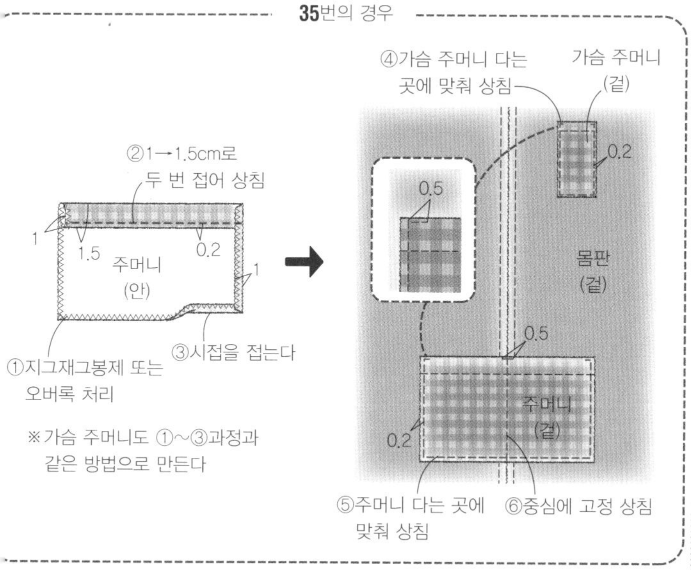

35번의 경우

②1→1.5cm로 두 번 접어 상침
1
1.5
주머니(안)
0.2
1
①지그재그봉제 또는 오버록 처리
③시접을 접는다
※가슴 주머니도 ①~③과정과 같은 방법으로 만든다

④가슴 주머니 다는 곳에 맞춰 상침
가슴 주머니(겉)
0.2
0.5
몸판(겉)
0.5
주머니(겉)
0.2
⑤주머니 다는 곳에 맞춰 상침 ⑥중심에 고정 상침

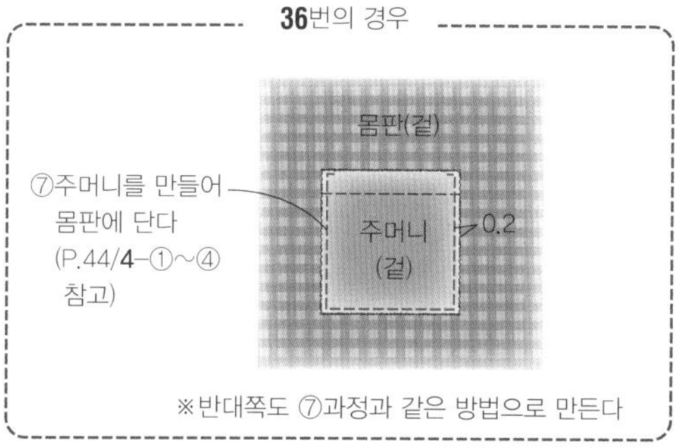

36번의 경우

⑦주머니를 만들어 몸판에 단다
(P.44/4-①~④ 참고)
몸판(겉)
주머니(겉)
0.2

※반대쪽도 ⑦과정과 같은 방법으로 만든다

4. 몸판에 안단을 단다

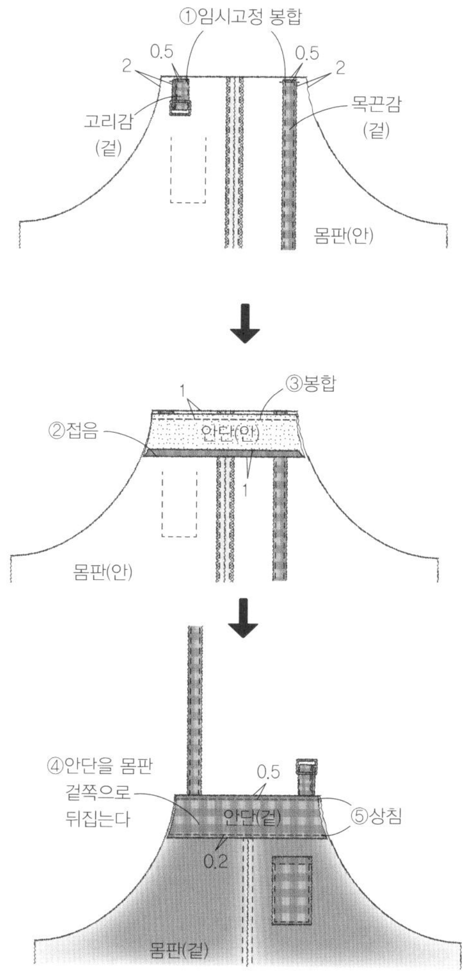

①임시고정 봉합
0.5 0.5
2 2
고리감(겉)
목끈감(겉)
몸판(안)

②접음
1
③봉합
안단(안)
1
몸판(안)

④안단을 몸판 겉쪽으로 뒤집는다
0.5
안단(겉)
⑤상침
0.2
몸판(겉)

5. 완성한다

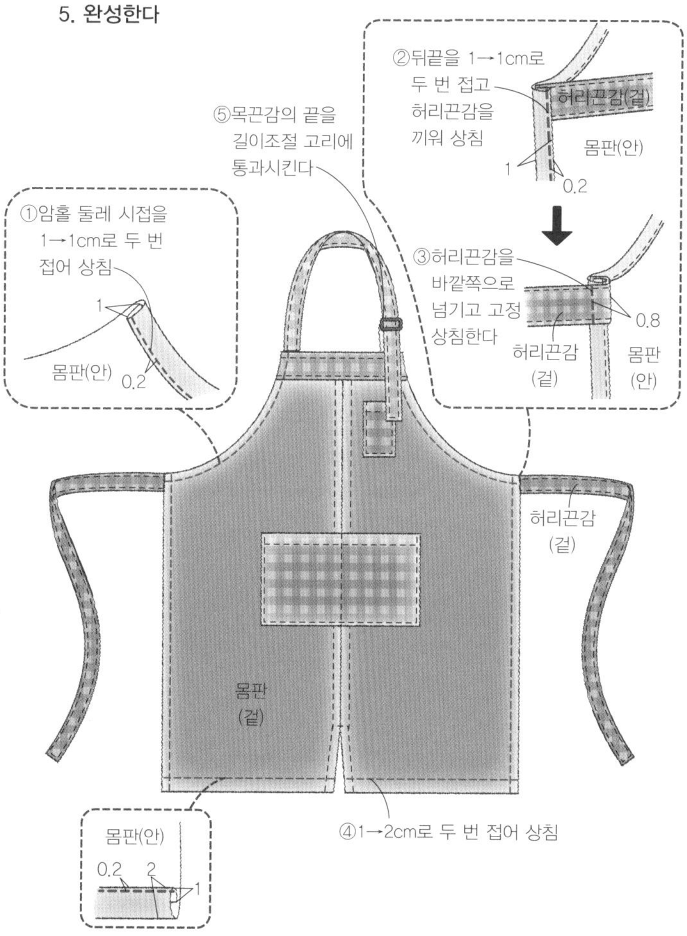

⑤목끈감의 끝을 길이조절 고리에 통과시킨다

②뒤끝을 1→1cm로 두 번 접고 허리끈감을 끼워 상침
허리끈감(겉)
몸판(안)
1
0.2

③허리끈감을 바깥쪽으로 넘기고 고정 상침한다
허리끈감(겉)
0.8
몸판(안)

①암홀 둘레 시접을 1→1cm로 두 번 접어 상침
1
몸판(안)
0.2

몸판(겉)

허리끈감(겉)

④1→2cm로 두 번 접어 상침
몸판(안)
0.2 2
1

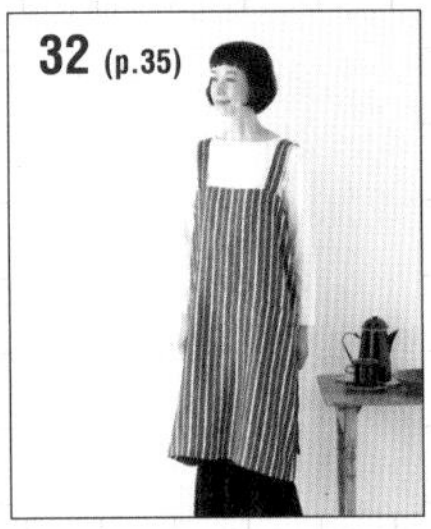

32／랩스타일 에이프런

■ 재료(M/L사이즈 공통)
겉감(리넨) … 152cm폭 x 180cm
접착심(소잉심지) … 80cm폭 x 20cm

■ 완성 사이즈(M/L사이즈 공통) (어깨끈감 미포함)
스커트 폭 … 130cm
옷걸이 … 80cm

패턴에 대해서

※모든 패턴은 직접 제도하여 사용합니다.
※M, L사이즈 공통
※착용하여 어깨끈감의 길이를 조절해주세요.

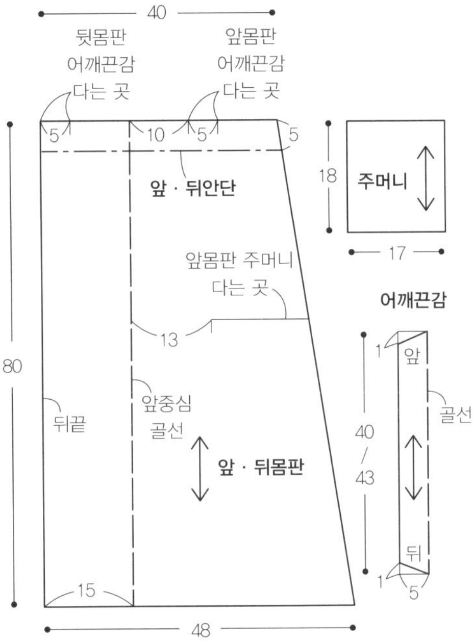

재단 배치도

※지정 이외의 시접은 1cm.
※▨는 안쪽에 접착심(소잉심지)을 붙인다

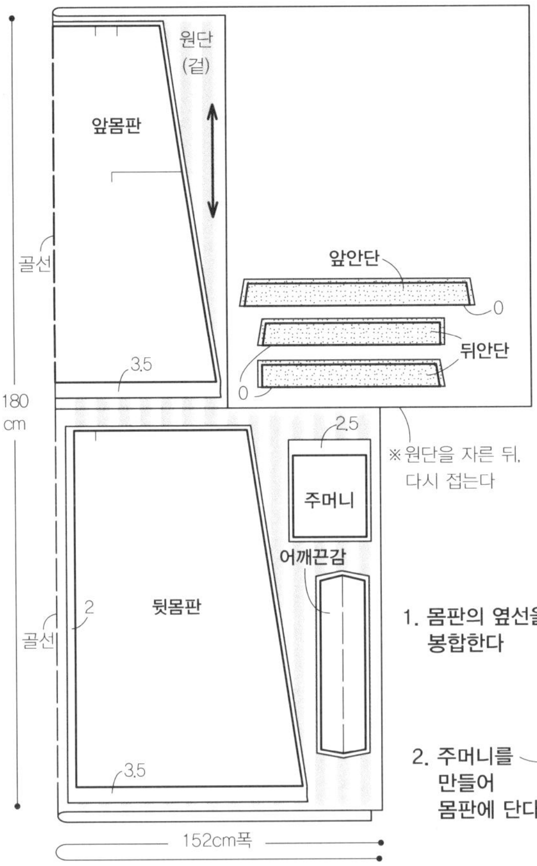

※원단을 자른 뒤, 다시 접는다

만드는 순서

3. 어깨끈감을 만든다
4. 안단을 만든다
1. 몸판의 옆선을 봉합한다
2. 주머니를 만들어 몸판에 단다
5. 몸판에 안단 달고 뒤끝과 밑단을 정리한다

앞

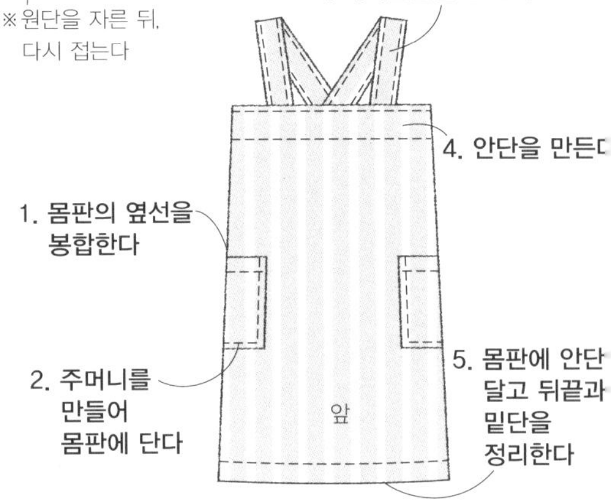

만드는 방법

1. 몸판의 옆선을 봉합한다

①봉합
1
앞몸판(겉)
뒷몸판(안)
뒷몸판(안)
②2장 함께 지그재그봉합 또는 오버록 통솔처리
③시접을 뒷몸판 쪽으로 넘긴다

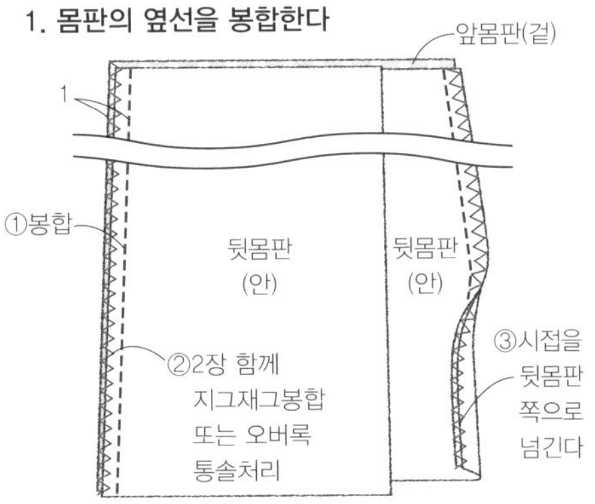

2. 주머니를 만들어 몸판에 단다
(P.47/ 2-①~④참고)

3. 어깨끈감을 만든다

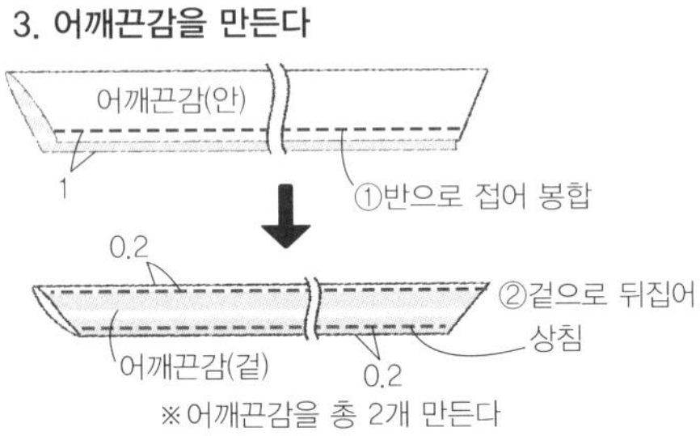

어깨끈감(안)
1
①반으로 접어 봉합

0.2
어깨끈감(겉)
0.2
②겉으로 뒤집어 상침
※어깨끈감을 총 2개 만든다

4. 안단을 만든다

뒤안단(겉)
②가름솔
뒤안단(안)
①봉합
1
앞안단(안)
③지그재그봉제 또는 오버록 처리

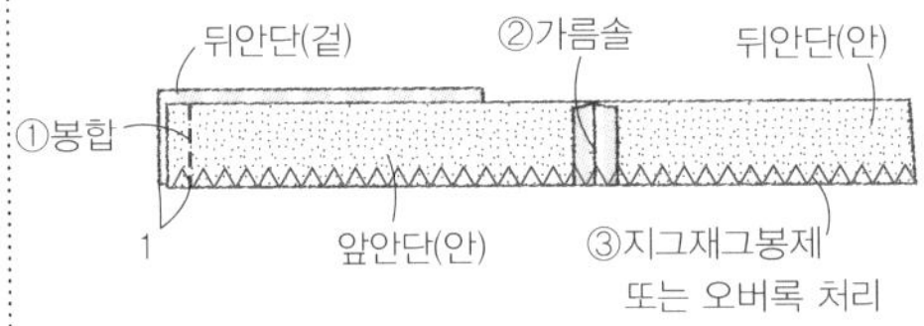

5. 몸판에 안단을 달고 뒤끝과 밑단을 정리한다

①몸판과 안단을 겉끼리 맞대고 사이에 어깨끈감을 끼운다
②봉합
앞몸판(안)
1
2
1
뒤안단(안)
어깨끈감(겉)
2
골선
골선
뒷몸판(겉)

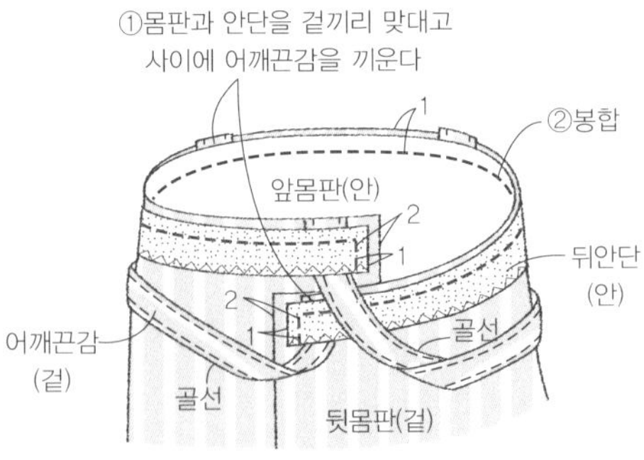

※앞몸판의 오른쪽에 끼운 어깨끈감은 뒷몸판의 왼쪽에. 앞몸판의 왼쪽에 끼운 어깨끈감은 뒷몸판의 오른쪽에 끼워 크로스되도록 교차시킵니다.

③안단을 몸판 안쪽으로 뒤집는다
⑤봉합
0.2
안단(겉)
0.5
1
앞몸판(안)
0.2
④1~1cm로 두 번 접어 상침
뒷몸판(안)
2.5
0.2
⑥1→2.5cm로 두 번 접어 상침

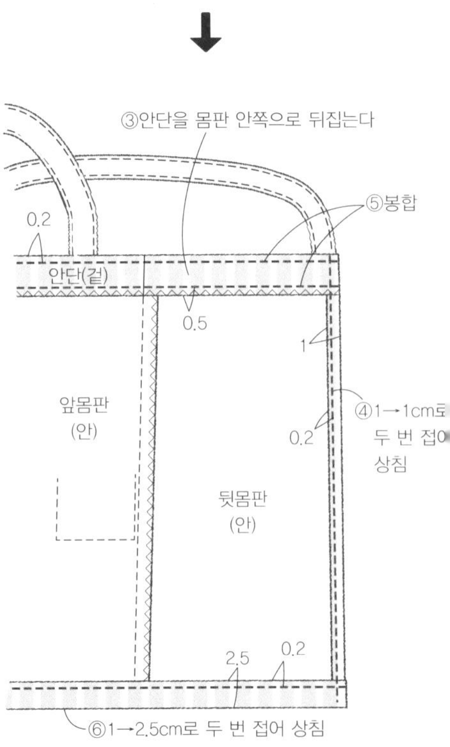

2 (p.5)

2 / 마르쉐백

■ 재료
겉감(코튼리넨) … 110cm폭 x 120cm
배색감(코튼리넨 헤링본) … 105cm폭 x 80cm
고무줄 … 1cm폭 x 20cm

■ 완성 사이즈 (손잡이감 미포함)
가로 … 60cm
세로 … 30cm
밑모서리 … 24cm

■ 실물크기 패턴 B면

재단 배치도

※지정 이외의 시접은 1cm.
※주머니, 손잡이감, 고정용감, 입구감, 끈감, 입구 둘레 바이어스천은 직접 제도하여 사용합니다.

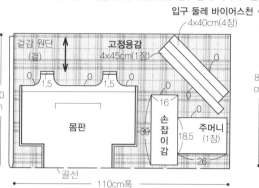

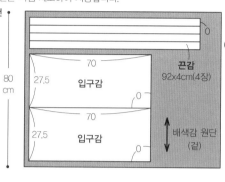

만드는 순서

3. 고정용감을 만들어 몸판에 단다
5. 손잡이를 만들어 몸판에 단다

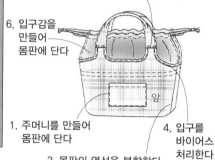

6. 입구감을 만들어 몸판에 단다

1. 주머니를 만들어 몸판에 단다
4. 입구를 바이어스 처리한다
2. 몸판의 옆선을 봉합한다

만드는 방법

1. 주머니를 만들어 몸판에 단다

①주머니를 만든다 (P.73/3-①~③ 참고)

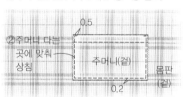

②주머니 다는 곳에 맞춰 상침

2. 몸판의 옆선을 봉합한다

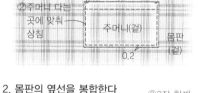

③2장 함께 지그재그봉합 또는 오버록 통솔처리
④주머니를 달지 않는 쪽으로 시접을 넘긴다

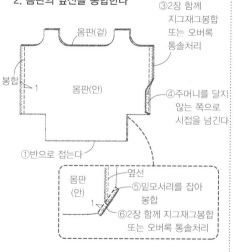

①반으로 접는다
⑤밑모서리를 잡아 봉합
⑥2장 함께 지그재그봉합 또는 오버록 통솔처리

3. 고정용감을 만들어 몸판에 단다

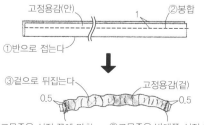

①반으로 접는다
②봉합
③겉으로 뒤집는다
④고무줄을 시접 끝에 맞춰 임시고정 봉합한다
　고무줄 길이 : 20cm
⑤고무줄을 반대쪽 시접 끝에 맞춰 통과시킨 후, 임시고정 봉합한다

⑥고정용감을 반으로 접어 양 끝을 임시고정 봉합한다

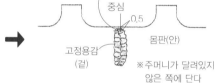

※주머니가 달려있지 않은 쪽에 단다

4. 입구를 바이어스 처리한다

①P.42 [바이어스 처리 B]를 참고하여 입구 둘레를 바이어스 처리한다

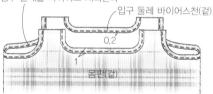

5. 손잡이를 만들어 몸판에 단다

①손잡이의 양 옆선을 1cm 접는다
②반으로 접고, 몸판의 손잡이 다는 곳에 끼우고 봉합한다

※반대쪽도 ①~②과정과 같은 방법으로 만든다

⑤손잡이를 반으로 접어 고정 상침한다

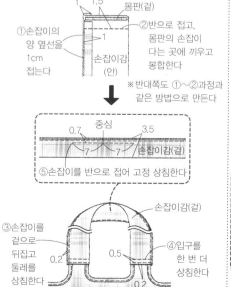

③손잡이를 겉으로 뒤집고 둘레를 상침한다
④입구를 한 번 더 상침한다

※반대쪽도 ①~⑤과정과 같은 방법으로 만든다

6. 입구감을 만들어 몸판에 단다

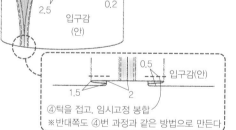

①봉합
②시접을 1→1cm로 두 번 접어 상침
③1→2.5cm로 두 번 접어 상침
※되돌아박기 한다

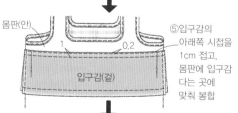

④턱을 접고, 임시고정 봉합한다
※반대쪽도 ④번 과정과 같은 방법으로 만든다

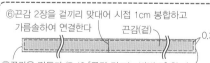

⑤입구감의 아래쪽 시접을 1cm 접고, 몸판에 입구감 다는 곳에 맞춰 봉합

⑥끈감 2장을 겉끼리 맞대어 시접 1cm 봉합하고 가름솔하여 연결한다
⑦끈감을 만든다 (P.42 [끈감 만드는 방법 B] 참고)
※끈감의 양 끝을 모두 P.42 [끈감 만드는 방법 B]-④참고하여 시접을 정리한다
※끈감을 총 2개 만든다

⑧끈감을 입구감에 통과시킨 후, 끈 끝을 묶어 정리한다

75

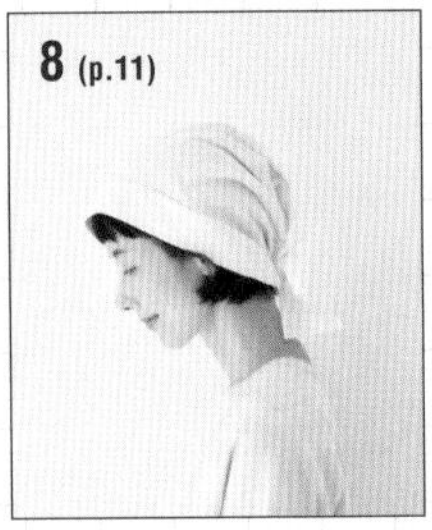

8 / 두건모자

- ■ 재료
  겉감(리넨 론) … 114cm폭 x 70cm
  고무줄 … 1cm폭 x 10cm

- ■ 완성 사이즈
  머리둘레 … 56~58cm

- ■ 실물크기 패턴 B면

재단 배치도

※지정 이외의 시접은 1cm.
※리본감은 직접 제도하여 사용합니다.

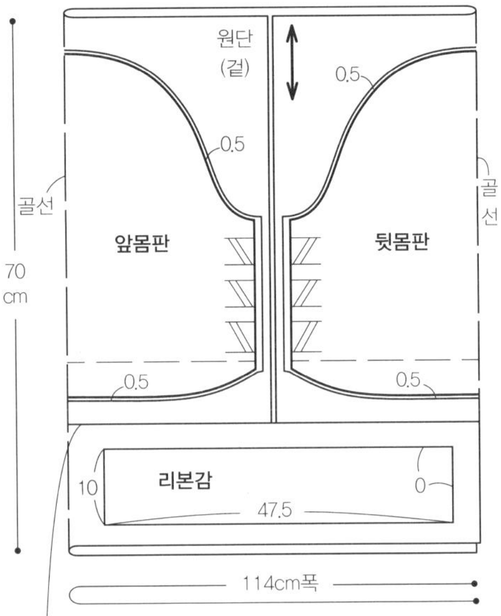

※원단을 자른 뒤,
다시 접는다

만드는 순서

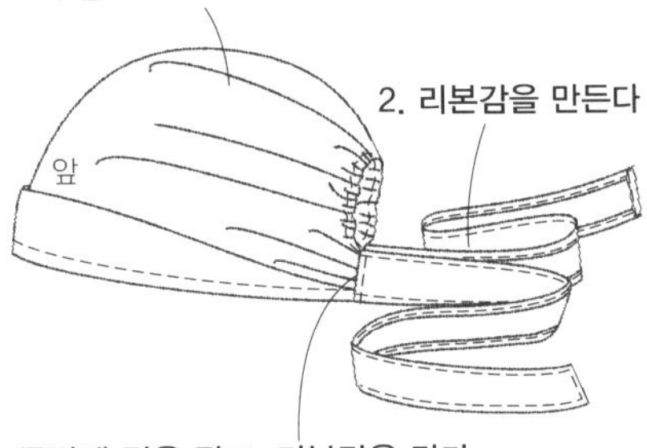

1. 몸판을 만든다
2. 리본감을 만든다
3. 몸판에 턱을 잡고, 리본감을 단다

만드는 방법

1. 몸판을 만든다

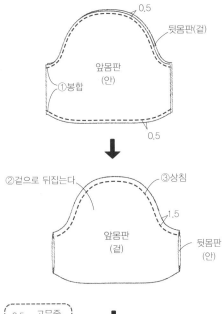

①봉합

②겉으로 뒤집는다   ③상침   1.5

④고무줄을 시접 끝에 맞춰 임시고정 봉합한다
※고무줄 길이 : 10cm

⑤고무줄을 반대쪽 시접 끝에 맞춰 통과시킨 후, 임시고정 봉합한다

접음선

⑥접음선에 맞춰 접는다   ⑦상침   1

2. 리본감을 만든다

①3변을 0.7→0.8cm로 두 번 접어 상침한다

0.8   0.2   0.7

리본감(안)

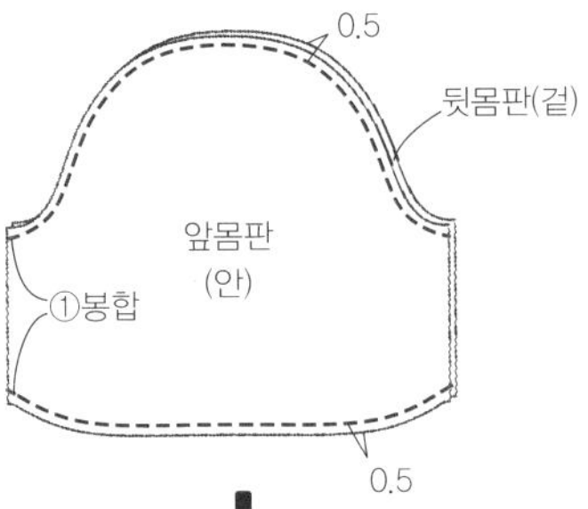

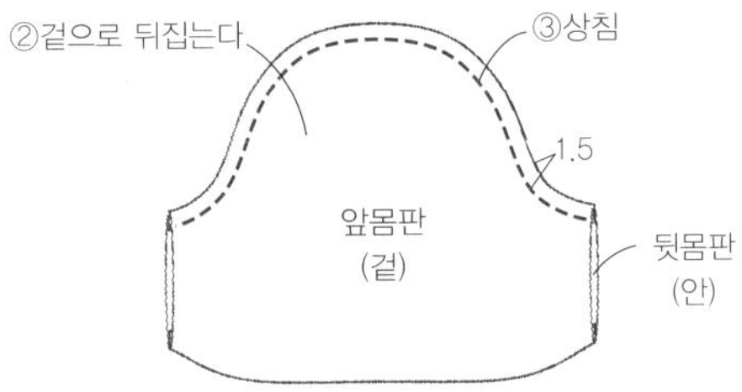

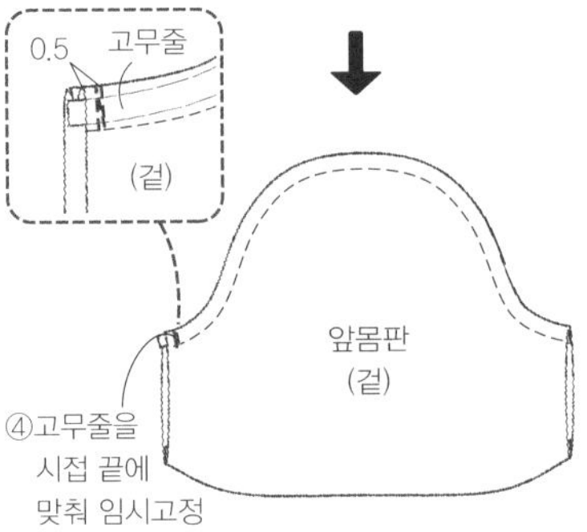

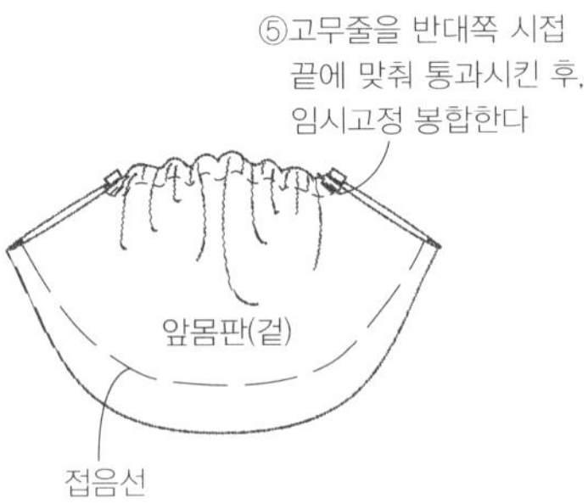

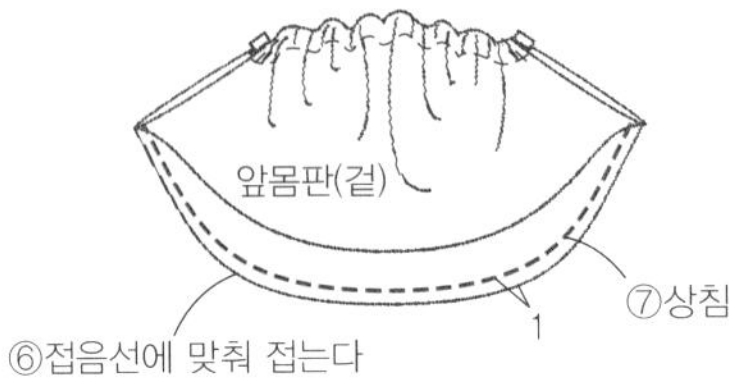

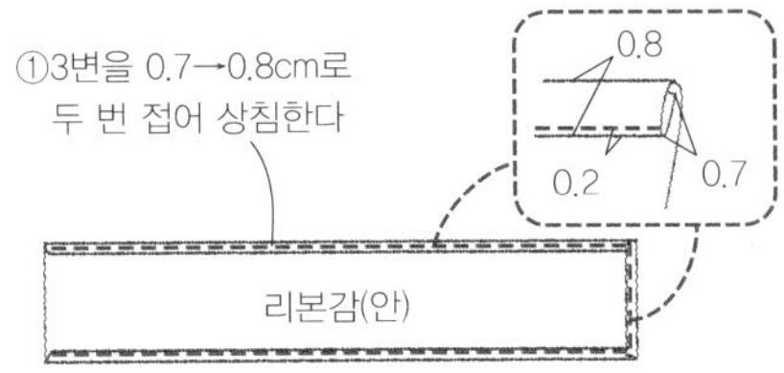

※리본감을 총 2개 만든다

3. 몸판에 턱을 잡고, 리본감을 단다

①턱을 잡고 임시고정 봉합한다   0.5

②앞몸판과 리본감을 겉끼리 맞대어 봉합한다

③지그재그봉 또는 오버록 통솔처리   1

④시접을 리본감 쪽으로 넘긴다

0.5   리본감(겉)   ⑤상침

※반대쪽도 ①~⑤과정과 같은 방법으로 만든다

76

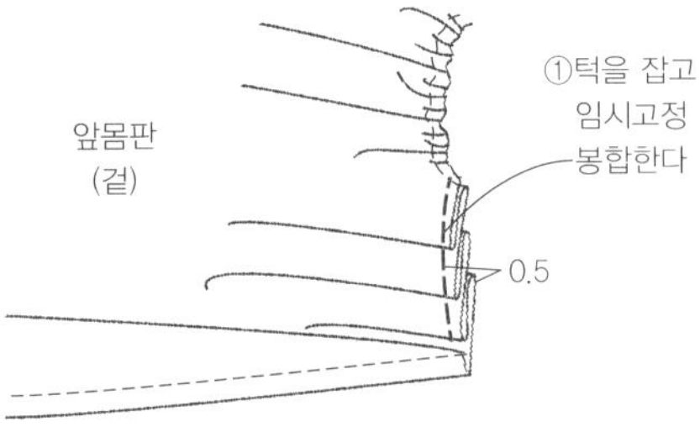

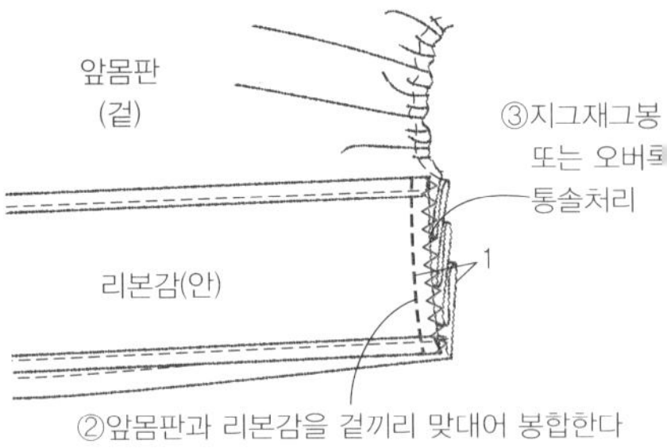

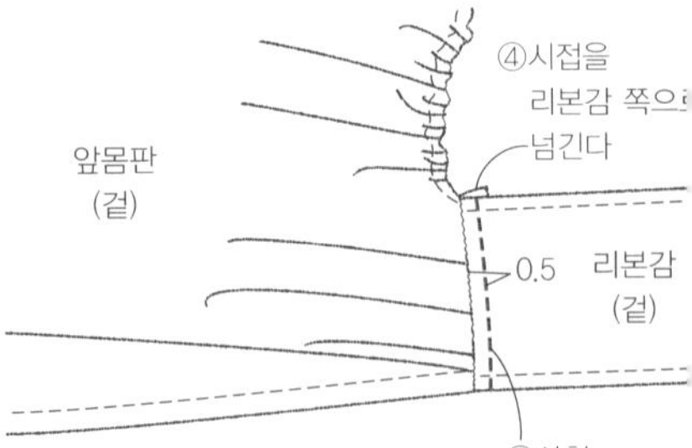

18 / 주방장갑

■ 재료

걸감(리넨 트윌) … 50cm폭 x 20cm
배색감(리넨 트윌) … 50cm폭 x 20cm
접착 퀼팅솜 … 50cm폭 x 20cm

■ 완성 사이즈

지름 … 16cm

■ 실물크기 패턴 B면

재단 배치도

※패턴에는 시접이 포함되어 있습니다.
※고리감은 직접 제도하여 사용합니다.
※□는 안쪽에 접착 퀼팅솜을 붙입니다.

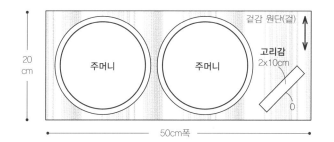

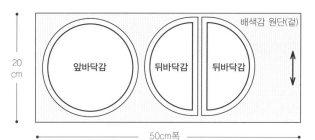

만드는 순서

1. 고리감을 만든다
2. 주머니를 만든다
3. 뒤바닥감을 만든다
4. 완성한다

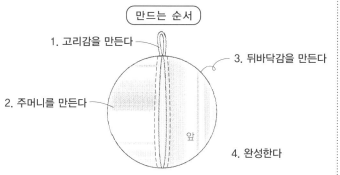

만드는 방법

1. 고리감을 만든다

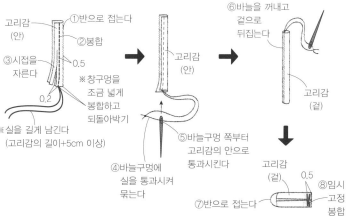

2. 주머니를 만든다

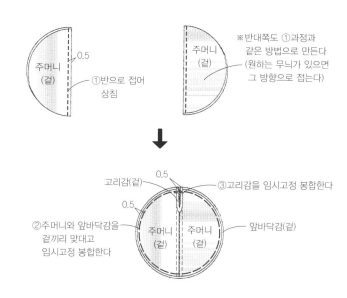

3. 뒤바닥감을 만든다

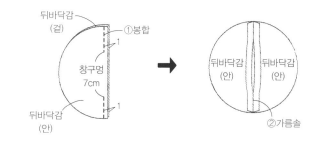

4. 완성한다

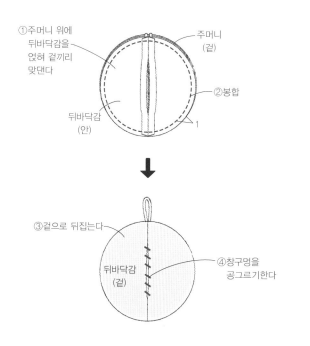

12 (p.15) **24** (p.27)

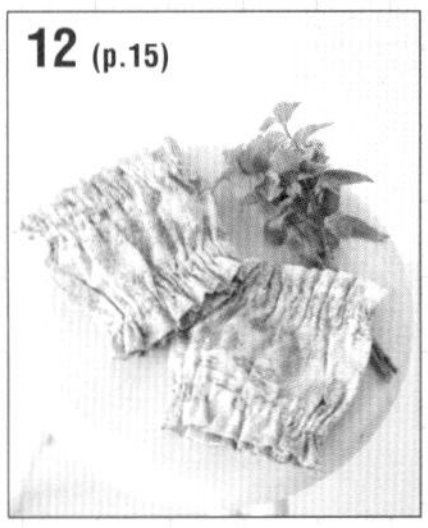

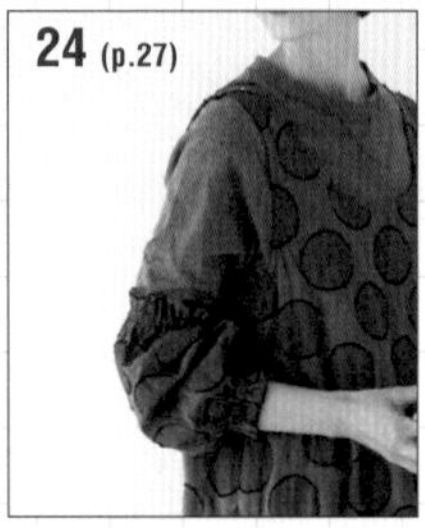

12 / 팔토시(짧은 길이) **24** / 팔토시(긴 길이)

- 재료
  12번 겉감(코튼 옥스퍼드) … 100cm폭 x 30cm
  24번 겉감(코튼 자가드) … 120cm폭 x 40cm
  고무줄 … 1.1cm폭 x 110cm

- 완성 사이즈
  길이 … **12**번 15cm / **24**번 32cm

〔재단 배치도〕

※모든 패턴은 직접 제도하여 사용합니다.

원단(겉)
골선
47
12번 23
24번 40
몸판
12번 30cm
24번 40cm
12번 100cm폭
24번 120cm폭

〔만드는 순서〕

1. 몸판을 만든다

※**24**번 작품은 **12**번 작품과 만드는 방법이 동일합니다.

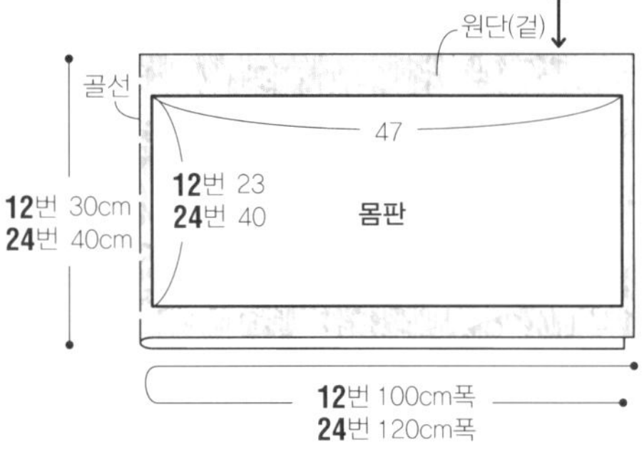

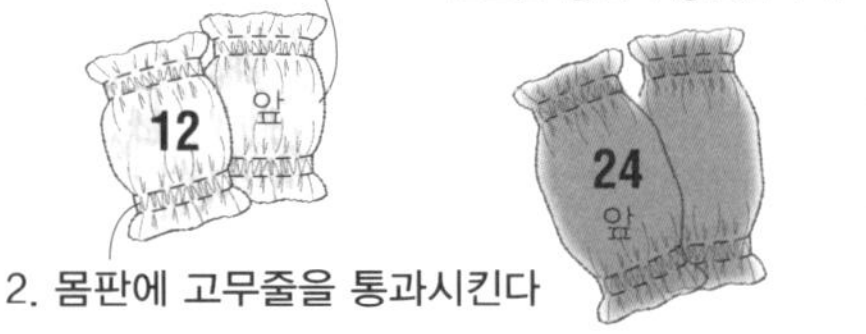

12 앞

24 앞

2. 몸판에 고무줄을 통과시킨다

〔만드는 방법〕

1. 몸판을 만든다

몸판(겉)

①지그재그봉제 또는 오버록 처리

②반으로 접는다

③봉합

몸판(안)

④가름솔

몸판(안)
0.5
고무줄 통로 입구 1.5cm
1

※아래쪽도 고무줄 통로 입구를 남기고 봉합한다

④위·아래 입구를 접은 뒤 상침

2
4
0.5
몸판(안)

2. 몸판에 고무줄을 통과시킨다

몸판(안)

고무줄 길이(팔꿈치쪽)
12번 28cm
24번 26cm

①고무줄 통로 입구에 고무줄을 끼워 넣고 공그르기한다 (P.51/5-⑦~⑧ 참고)

고무줄 길이(손목쪽)
12번 25cm
24번 23cm

※몸판을 총 2개 만든다

---

21 (p.23)

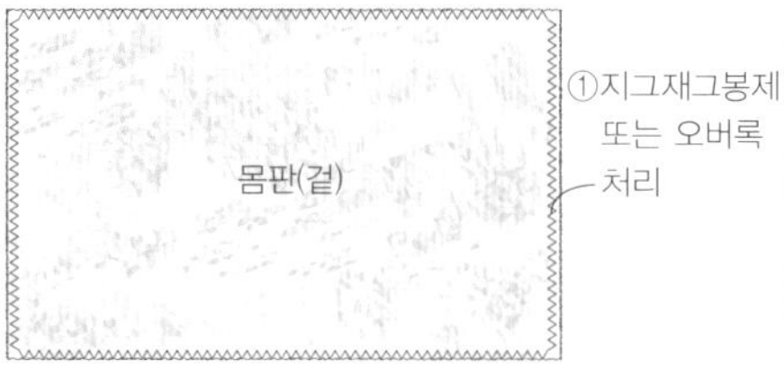

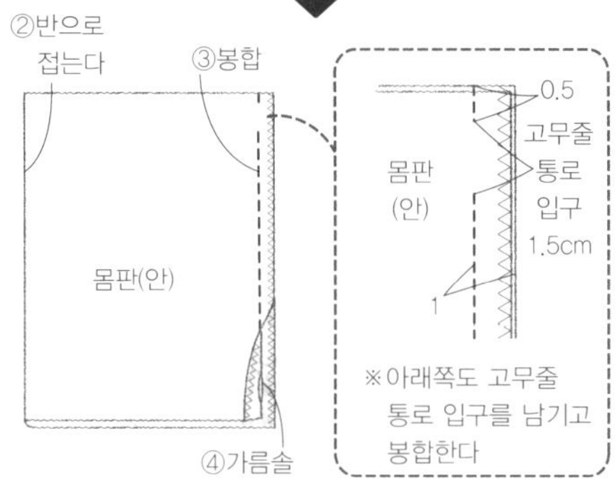

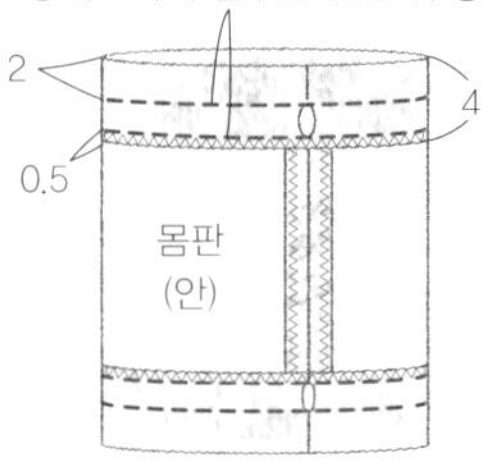

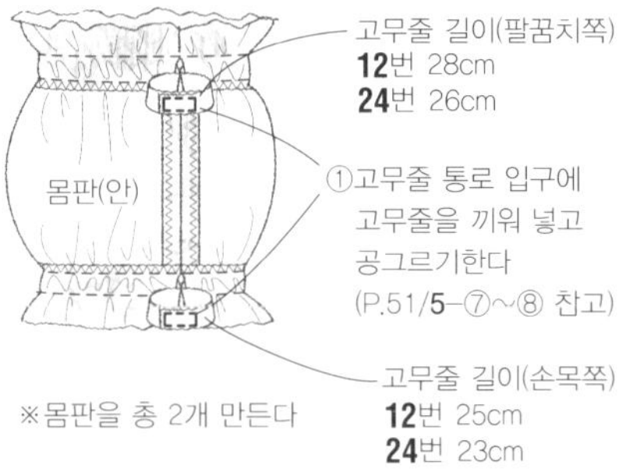

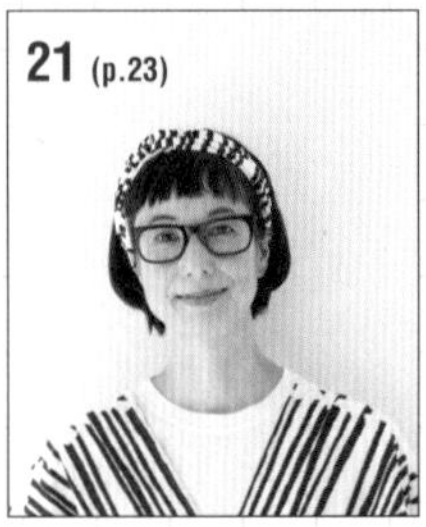

21 / 헤어밴드

- 재료
  겉감(코튼 론) … 108cm폭 x 30cm
  고무줄 … 2.5cm폭 x 15cm

- 완성 사이즈
  머리둘레 … 약 56cm

〔재단 배치도〕

※모든 패턴은 직접 제도하여 사용합니다.

원단(겉)
골선
46
22
몸판
30cm
밴드
28
7
108cm폭

〔만드는 순서〕

3. 몸판에 밴드를 단다
1. 몸판을 만든다
2. 밴드를 만든다

〔만드는 방법〕

1. 몸판을 만든다

1
②봉합
몸판(안)
③가름솔
①반으로 접는다

몸판(겉)

④겉으로 뒤집고 솔기를 중심에 맞춰 다시 접는다

※반대쪽도 ①~④과정과 같은 방법으로 만든다

⑤몸판 2장을 교차시켜 맞춘다

몸판(겉)
0.5
⑥임시 고정 봉합

※솔기 쪽을 안으로 한다

2. 밴드를 만든다

①밴드를 만든다(P.78/1-①~④ 참고)

0.5
밴드(겉)

③고무줄을 반대쪽 시접 끝에 맞춰 통과시킨 후, 임시고정 봉합한다

②고무줄을 시접 끝에 맞춰 임시고정 봉합한다
※고무줄 길이 : 14cm

3. 몸판에 밴드를 단다

1.5
1
중심
몸판(겉)
①턱을 잡는다

밴드(겉)
1
몸판(겉)
②밴드를 끼워 봉합

몸판(겉)

밴드 솔기쪽

③겉으로 뒤집어 공그르기한다

※반대쪽도 ①~③과정과 같은 방법으로 만든다

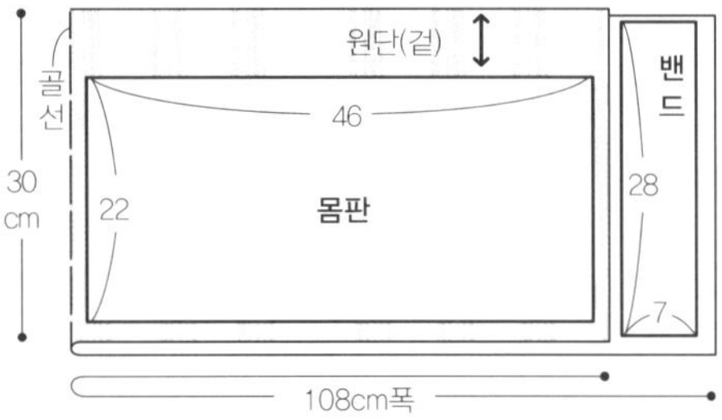

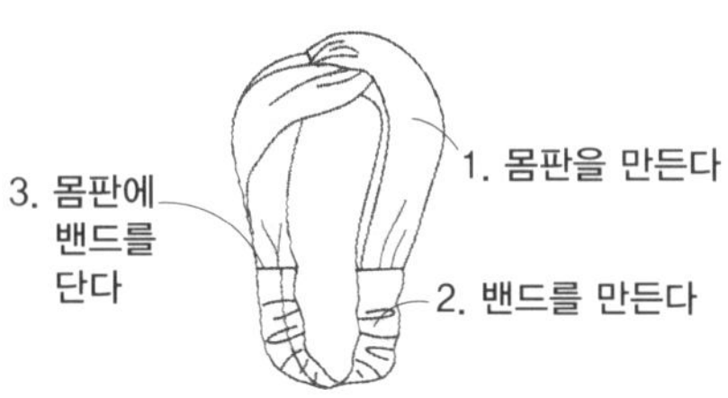

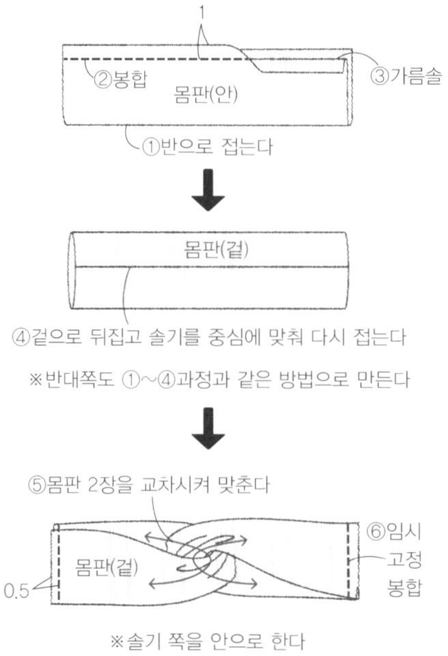

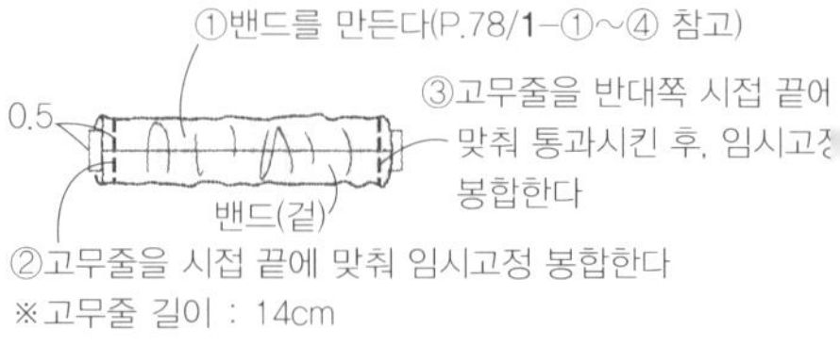

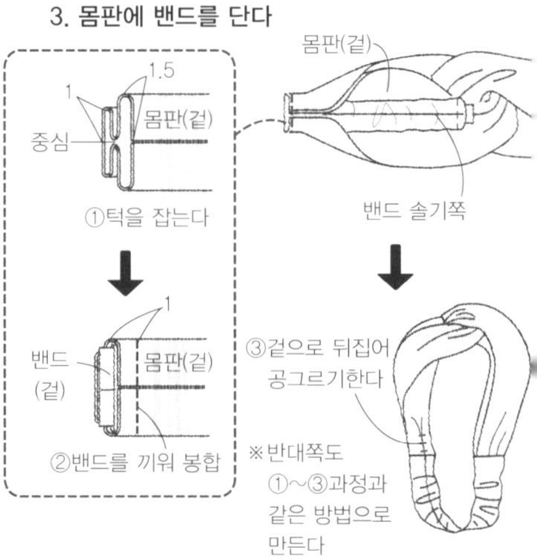

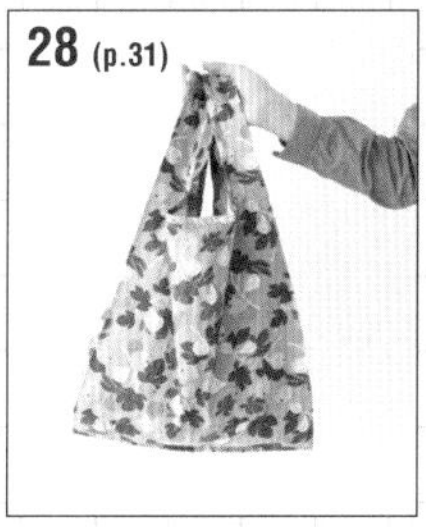

28 / 폴딩 에코백

■ 재료
겉감(코튼 옥스퍼드) … 150cm폭 x 110cm

■ 완성 사이즈
가로 … 36cm
세로 … 59cm

■ 실물크기 패턴 B면

재단 배치도

※지정 이외의 시접은 1cm.
※끈감, 주머니, 입구 둘레 바이어스천은 직접
  제도하여 사용합니다.

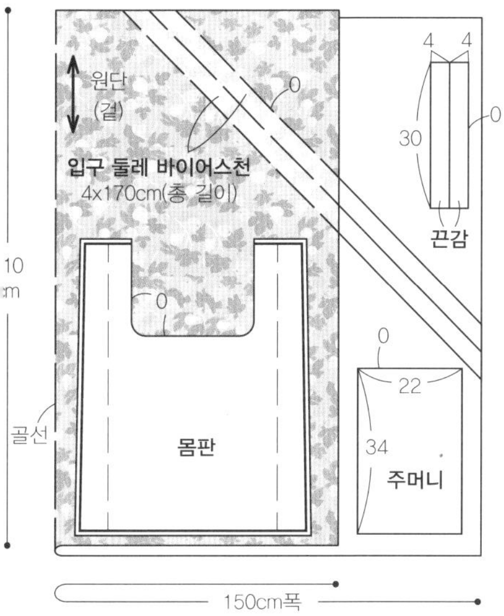

원단(겉)

입구 둘레 바이어스천
4x170cm(총 길이)

110cm

골선

몸판

150cm폭

4　4
0
30
0
끈감

0
22
34
주머니

만드는 순서

2. 주머니를 만든다

3. 몸판의 입구 둘레를 바이어스 처리한다

. 몸판을 만든다

앞

4. 완성한다

만드는 방법

1. 몸판을 만든다

①지그재그봉제 또는 오버록 처리

※반대쪽 몸판도 ①과정과 같은 방법으로 만든다

몸판(겉)

---

③가름솔

②봉합

몸판(겉)

봉합 끝점

몸판(안)

1

※봉합 끝점에서 밑단까지 자연스럽게 가름솔한다

④상침

0.8

몸판(겉)

몸판(겉)

※봉합 끝점은 되돌아박기

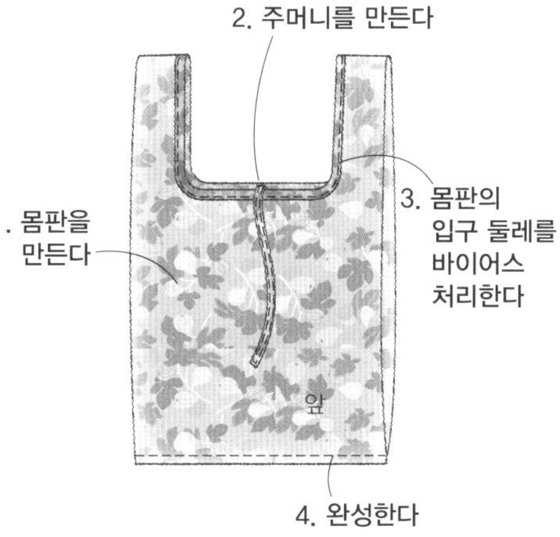

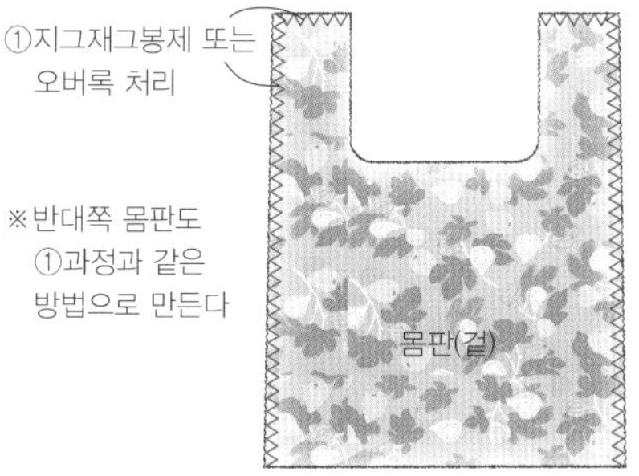

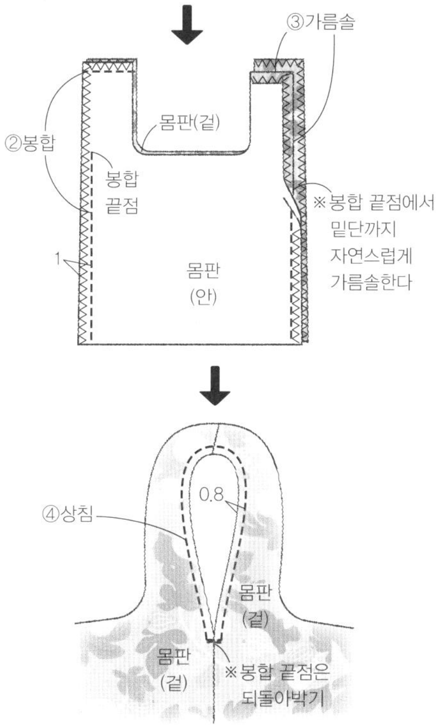

※반대쪽도 ④과정과 같은 방법으로 만든다

2. 주머니를 만든다

①1→1cm로 두 번 접어 상침

1　1　0.2
(안)

14

주머니(겉)

②접음

0.5

③양 옆선을 임시고정 봉합

④P.42 [바이어스 처리 B]를 참고하여 주머니 양 옆선을 바이어스 처리한다

0.2

주머니(겉)

입구 둘레 바이어스천(겉)

1

1cm 접음

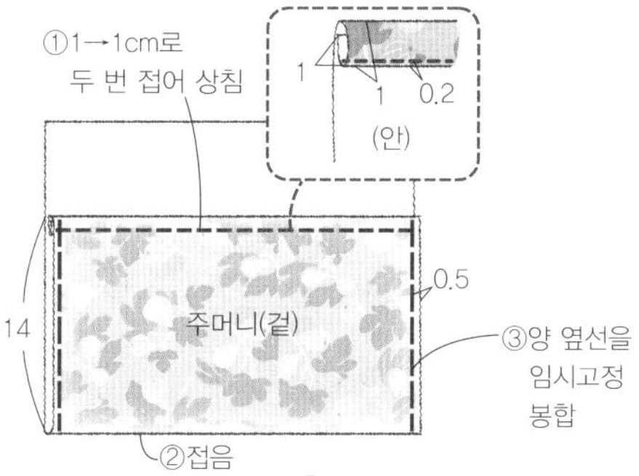

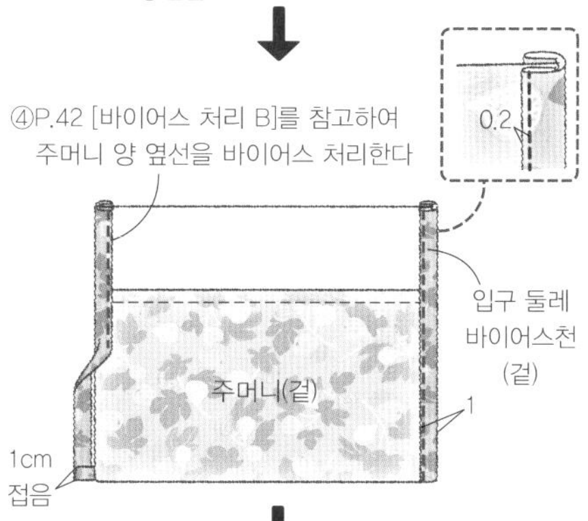

⑤끈감을 만든다 (P.42 [끈감 만드는 방법 B] 참고)
※끈감을 총 2개 만든다

0.2　1

끈감(겉)

---

3. 몸판의 입구 둘레를 바이어스 처리한다

※중심을 맞춘다

0.5

①임시고정 봉합

몸판(안)

끈감(겉)

주머니(겉)

※반대쪽은 주머니 없이 끈감만 임시고정 봉합한다

②P.42 [바이어스 처리 B]를 참고하여 몸판 입구 둘레를 바이어스 처리한다

※바이어스천의 양 끝을 몸판 둘레보다 1cm씩 길게 남기고 여분을 잘라낸 뒤, 양 끝을 1cm 겹친다

1

입구 둘레 바이어스천(겉)

몸판(겉)

4. 완성한다

①접음선에 맞춰 접는다

②반대쪽은 반대 방향으로 접는다

몸판(안)

1

1

6

③봉합

④2장 함께 지그재그봉합 또는 오버록 통솔처리

5

⑥손잡이 부분을 반폭으로 접고 솔기에 상침

5

⑤겉으로 뒤집는다

몸판(겉)

⑦상침

0.7

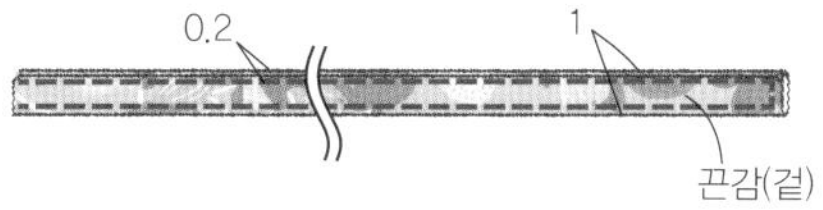

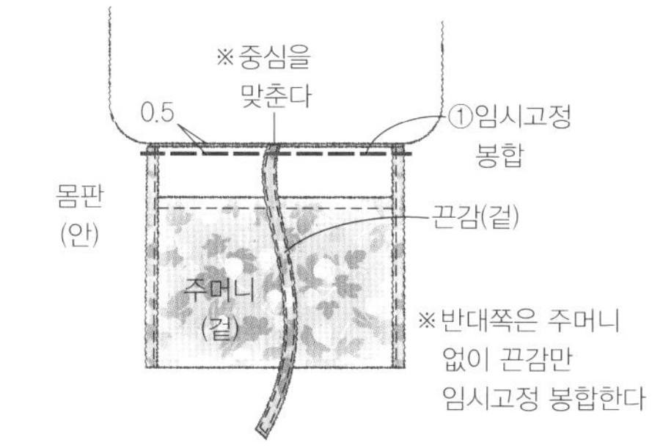

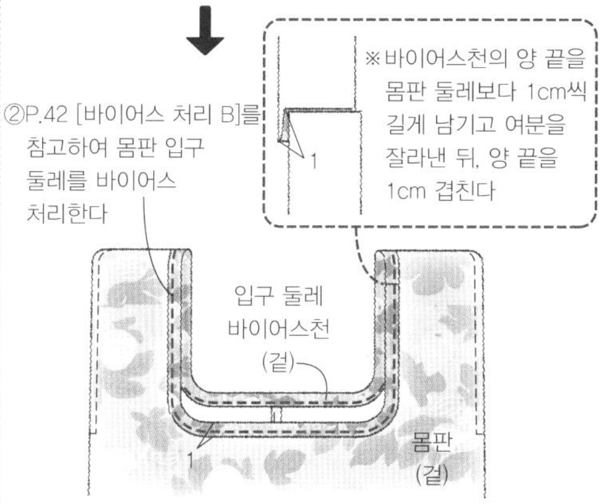

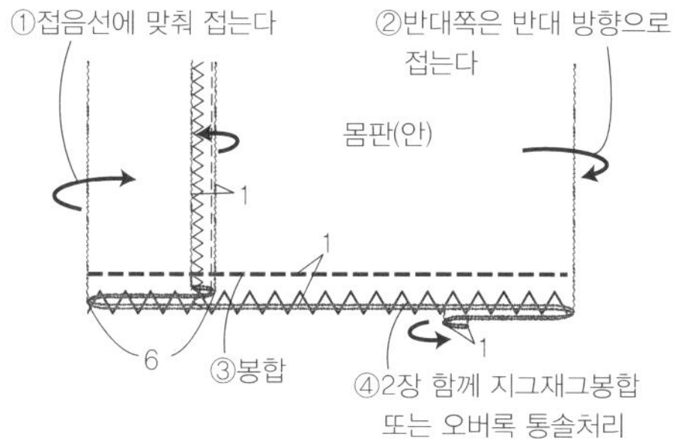

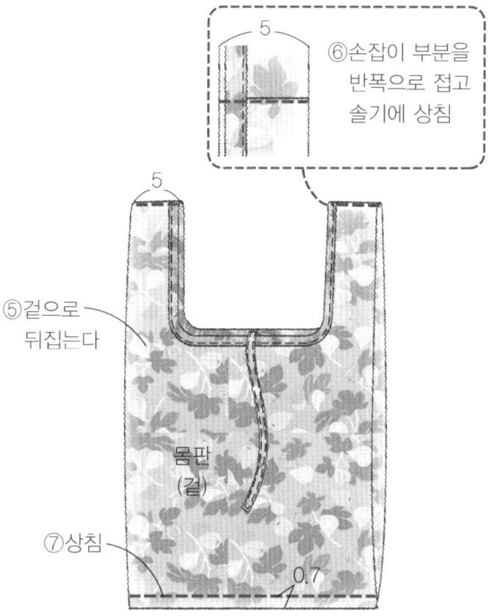

카토 요코 加藤容子

다양한 소잉 책과 잡지에 다수의 작품을 선보인 소잉 작가. 초보자들도 만들기 쉽고, 깔끔하게 완성할 수 있는 작가 고유의 매력이 담긴 작품을 제작 및 서적으로 엮어 출간하고 있다. 또한 보그 학원 요코하마점에서 강사로 활동 중이다.

https://blog.goo.ne.jp/peitamama
 @yokokatope

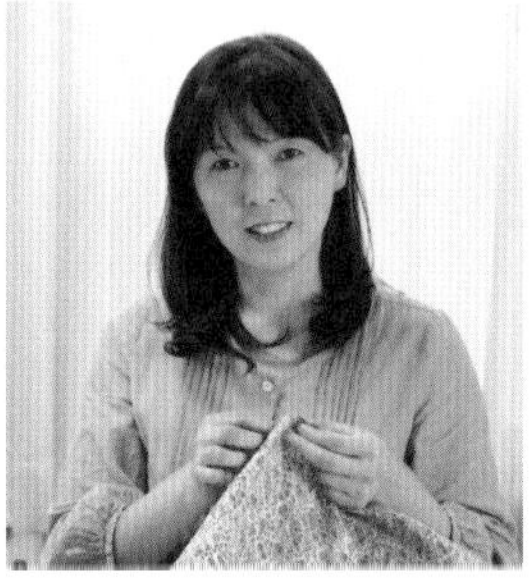

번역 손수현 sonsyun@naver.com

대학에서 일본어 전공 후 국내 최대 소잉관련회사에서 DIY서적 담당MD 및 번역가로 수년간 근무, 현재는 소잉DIY 관련 도서 전문 번역가로 활동하고 있다. 옮긴 책으로는 <다양한 디테일의 상의 셔츠와 블라우스>, <매일 입고 싶은 나만의 핸드메이드 여성복 만들기>, <내 아이를 위한 사랑스러운 아동복 만들기> 등이 있다.

리넨으로 만드는

에이프런과 소품 36

초판 1쇄 인쇄   2021년 10월 08일
초판 1쇄 발행   2021년 10월 19일

발행인	정용효
기획	이슬희, 윤효인
번역	손수현
감수	브라이언
편집	전하리
인쇄	웰컴P&P
신고번호	제2016-000002호
신고일자	2016년 01월 26일
발행처	주)핸디스 소잉스토리
	광주광역시 북구 서암대로 133 (신안동), 3층
대표전화	062-513-8957
팩스	062-522-8827
문의전화	070-8893-9218
홈페이지	소잉스토리 www.sewingstory.com

PRINTED IN KOREA
ISBN   979-11-88062-40-9   13590
판매가   18,000원

STAFF

북디자인	みうらしゅう子
촬영	白井由香里
스타일리스트	西森 萌
헤어&메이크업	タニジュンコ
모델	香菜子 (신장 170cm)
	P.38・리키 (신장 185cm)
	P.37・레이첼 (신장 130cm)
	P.39・아이리 (신장 139cm)
편집	根本さやか
	澤井清絵
	並木 愛
	渡辺千帆里
	川島順子
편집인	根本さやか
발행인	志村 悟
발행소	株式会社ブティック社

패션스타트 소잉교육 / 원단 / 부자재 / 패턴 / 서적 / 미싱

에코백부터 자켓까지
내 손으로 직접 트렌드를 디자인 하는 곳

바느질의 시작,
패션스타트 대리점

차별화된 '패션스타트'만의 교육

수강 최대 인원 5명
소수 인원제
밀착 수업

내 스케줄에 맞춰
수강하는
수업 사전 예약제

충분히 갖춰진
소잉 전문 환경

정규과정 교재
& 실물패턴 제공

홈패션,
소품, 의상을
한 곳에서

초보에서
마스터가 되기 위한
단계별 학습

모두 똑같은
패키지 NO!
나만의 개성 있는 작품

소잉 전문
교육을 통한
창업 인재 양성

전국 패션스타트 대리점

김포 장기점	031-981-7971	원주 혁신점	033-744-3027
평택 안중점	031-683-5451	동해 천곡점	033-535-7373
수원 송죽점	031-207-0966	진해 경화점	055-551-3653

모바일
사이트

교육
커리큘럼

국내 최초 재봉틀 공방 브랜드

심플소잉은 국내 30여 개의 대리점을 보유한
국내 최초 DIY 소잉 전문 브랜드입니다.

재미와 실용성을 두루 갖춘
소품 만들기 과정

내 손으로 옷을 짓는 감동
옷 만들기 과정

소잉의 모든 것 '심플소잉'

고품질의 미싱
디자인, 기능, 내구성을 두루 갖춘 품격 있는 미싱을 직접
체험할 수 있습니다.

다양한 소잉 전문 원단/부자재
국내·외 다양한 원단/부자재를 보유하고 있어 작품의 완성
도를 높여줍니다.

체계적인 소잉 교육
기초부터 마스터까지 전문 강사님과 함께하여 어렵기만 했
던 소잉이 쉽고 재미있어집니다.

AMSA
Asia Machine Sewing Association
사단법인 아시아 머신 소잉 협회

전문 강사반 운영
AMSA만의 소잉 전문 교육을 통해 소잉 작가로서의 활동
은 물론 공방 창업에 큰 도움을 드립니다.

차별화된 '심플소잉'만의 교육

수강 최대 인원 5명
소수 인원제 밀착 수업

내 스케줄에 맞춰 수강하는
수업 사전 예약제

충분히 갖춰진
소잉 전문 환경

정규과정 교재
& 실물 패턴 제공

홈패션, 소품, 의상을
한 곳에서

초보에서 마스터가
되기 위한 단계별 학습

모두 똑같은 패키지 NO!
나만의 개성 있는 작품

소잉 전문 교육을 통한
창업 인재 양성

심플소잉 대리점 안내

서울·경기·강원 지역

강남 개포점 070-8836-9394	경기광주 오포점 031-767-6
남양주 별내점 031-572-7353	수원 광교점 031-211-388
수원 영통점 031-273-9411	수지 신봉점 031-264-3769
안양 동편마을점 031-703-7249	용인 죽전점 031-265-0301
원주 단구점 033-762-0251	이천 창전점 031-638-8904
인천 구월점 032-233-0708	일산 주엽점 031-906-657
평택 소사벌점 031-651-7794	화성 동탄점 070-4190-383

충청 지역

대전 노은점 070-7776-5337	서산 호수공원점 041-665-
세종 나성점 070-8820-8922	아산 배방점 041-532-547
제천 중앙점 043-642-3106	천안 백석점 070-4078-91
천안 신방점 041-579-7275	청주 가경점 043-232-030
청주 율량점 043-900-3579	

경상 지역

부산 동래온천점 051-365-1591	김해 내외점 055-337-574
양산 물금점 055-388-3636	울산 남구점 052-271-1188
창원 남양점 055-263-5662	포항 대이점 054-272-6349

전라 지역

광주 시청점 062-375-0525	군산 지곡점 063-468-6338
나주 빛가람점 061-336-6055	목포 하당점 061-287-8155
순천 동외점 061-900-9965	여수 엑스포점 061-642-04
전주 송천점 063-278-1088	

대리점 개설 상담 및 문의

Kohas iD
Kohas iD Co., Ltd

1644-5662

Tiffany

바늘 끝에서 피어나는 아름다움

심플하고 세련된 외모와 독보적인 자수 사이즈로
가정용 자수기의 한계를 뛰어넘어
작품을 예술 그 자체로 만들어줍니다.

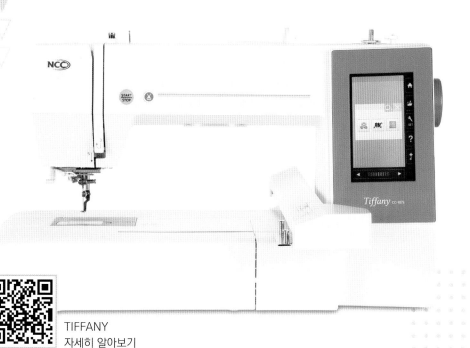

TIFFANY
자세히 알아보기

TIFFANY 특징

01 시크한 웜그레이 포인트 디자인

02 최대 자수 영역 200×360mm

03 최대 자수 속도 860SPM

04 180가지 실용적인 내장 자수 디자인

TIFFANY 기능

와이드 자수 캐리지
초대형 후프를
안전하게 지탱

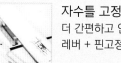
자수틀 고정장치
더 간편하고 안정적인
레버 + 핀고정 방식

확장판 테이블
더 넓은 작업 공간

LED 조명
어두운 곳에서
더 빛나는 5개의
LED 조명 탑재

프리텐션 실가이드
윗실의 꼬임·빠짐을
방지하여 실공급을
원활하게

3곳의 사절 장치
가위 없이도
언제나 편리하게

Happy Bears
Sewing Notion

ABOUT HAPPY BEARS

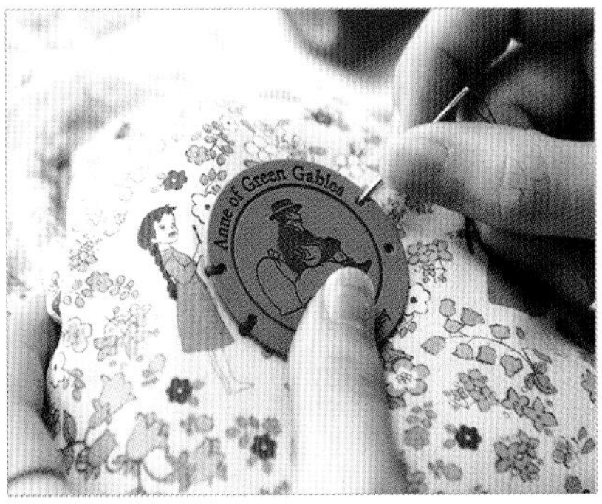

직접 만들어서 더 의미있는 DIY 작품은 어떤 마음을 가지고 만드냐에 따라서 그 가치가 또 달라지는 것 같아요. 누군가를 걱정하고, 아끼고, 사랑하는 마음을 담아 완성 한다면 그 마음까지 함께 고스란히 전해지는 것이 손으로 직접 만드는 핸드메이드 (HAND-MADE)가 아닐까 생각됩니다 :-)

해피베어스 역시 소잉 DIY 를 하는 모든 사람들을 위하는 마음을 담아 소잉작업에 필요한 좋은 상품(Product)을 고민하여 보다 더 멋진 작품 을 완성할 수 있고, 늘 즐겁고 행복한 작업시간을 가질 수 있도록 가치있고, 실용적인 다양한 소잉 부자재를 기획하는데 노력하고 있습니다.

HAPPY BEARS ITEM 해피베어스에서 기획개발한 다양한 소잉 부자재를 만나보세요!

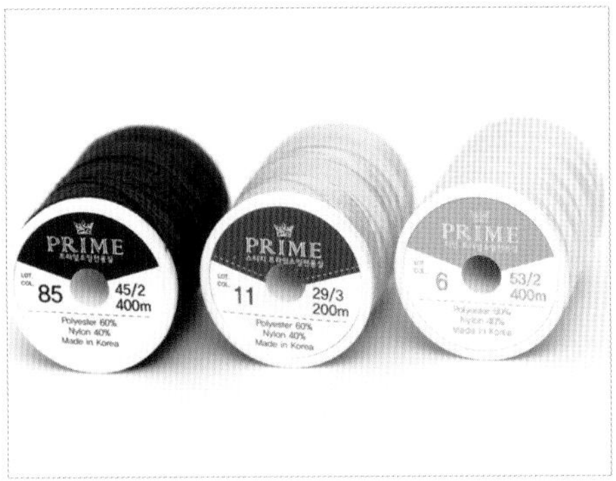

01 작품의 완성도와 품격을 UP↑
프라임 소잉전용실

의상, 소품, 홈패션, 미싱퀼트/자수 등 작품 구분없이 사용 가능하며, 일반 원단부터 론(아사), 시폰, 수영복 원단, 다이마루, 모직 등 다양한 원단을 봉제할 수 있는 멀티실입니다. 코어(CORE)사로 일반 폴리에스테르실에 비해 내구성이 Good ! 파인 프라임(53수2합 / 얇은 원단용), 프라임(45수2합 / 일반 원단용), 스티치 프라임(29수3합 / 두꺼운 원단용) 총 3종으로 구성.

SIZE 약 바닥 3 X 높이 5cm
　　　파인 프라임/프라임(400m), 스티치 프라임(200m)
PRICE 프라임 2,600 won / 파인, 스티치 2,800 won

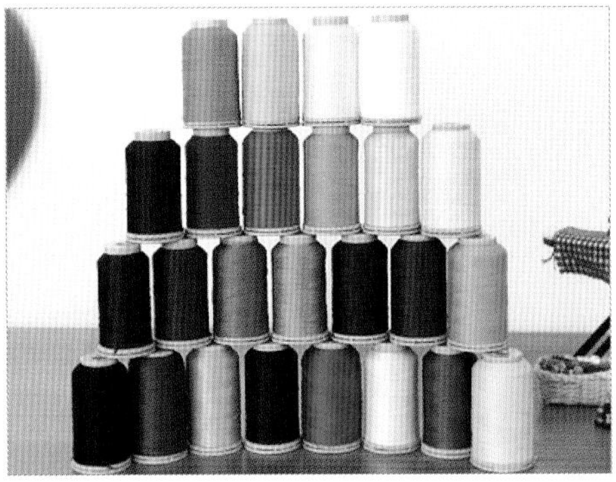

02 꽃잎처럼 부드럽고 가벼운
라라실 (고급 날나리실)

다이마루, 저지, 수영복 원단 등 스판성있는 원단을 봉제하거나 퀼팅 작업시 밑실 전용으로 사용하기 좋고, 가장자리 오버록 및 인터록 처리시 더욱 고급스럽게 마무리 할 수 있습니다. 보송보송 부드러운 촉감으로, 아이들 피부에도 자극이 없습니다.

SIZE 약 바닥 3 X 높이 5cm / 100D/2 / 350m
PRICE 2,700 won

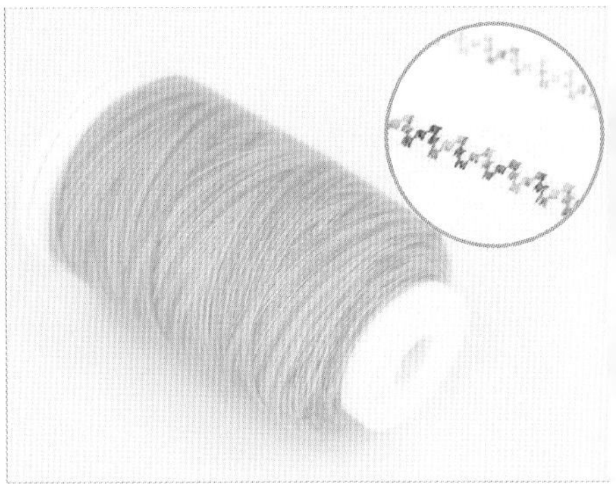

03 달달한 분위기를 더해요
마시멜로 무지개실

실 한가닥에 다채로운 색상이 그러데이션 되어 있어 무척 매력적인 무지개실. 머신퀼트, 미싱자수, 의상, 소품, 홈패션 등 다양한 작품에 사용할 수 있는 달콤한 멀티실입니다. 일반 무지개실과 달리 실 중심에 나일론사가 들어있는 코아사(코어사)로 내구성 또한 good ! 총 10컬러 구성

SIZE 약 바닥 3 X 높이 5cm / 45수2합 / 400m
PRICE 3,800 won

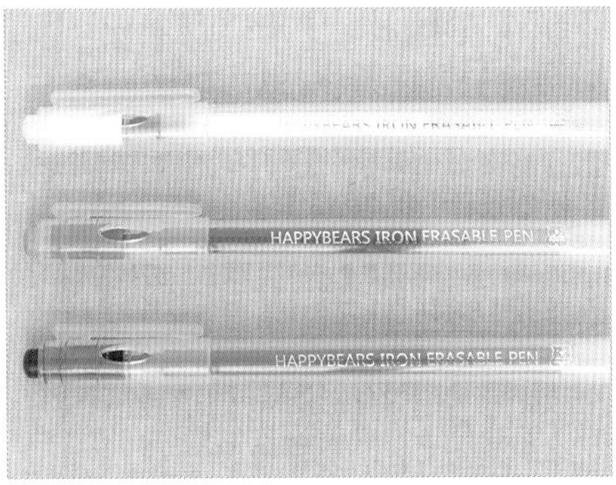

04 제도/재단 작업시 없어선 안될 필수템
아이론 열펜

펜촉의 팁 두께는 0.5mm 정도로 선이 비교적 가늘고 견고하게 그어지기 때문에 섬세한 작업에 사용하기 좋고, 작업후 다리미의 열만으로 쉽게 선을 지울 수 있어 간편합니다. 3 가지 색상으로 구성되어 있습니다.

SIZE 심 두께 약 0.5mm
PRICE 1,800 won

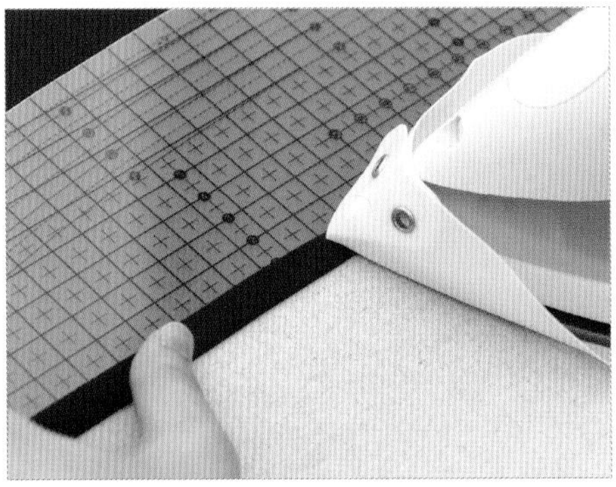

05 덕분에 작업시간이 줄었어요!
아이론 시접자

아이론 시접자는 고열에 녹지 않는 특수 열경화성 아크릴 소재로, 직선, 곡선, 완만한 곡선, 각지거나 둥근 모서리 부분 등 거의 모든 시접 부분을 한번에 손쉽게 다릴 수 있는 스마트한 시접자입니다. 원단을 꺾어 원하는 치수에 재단선을 맞춘 다음, 꺾인 부분을 다려주세요. 2가지 사이즈 구성.

SIZE 약 20 X 10cm / 약 30 X 10cm / 두께 약 0.4mm
PRICE 10,000 / 12,000 won

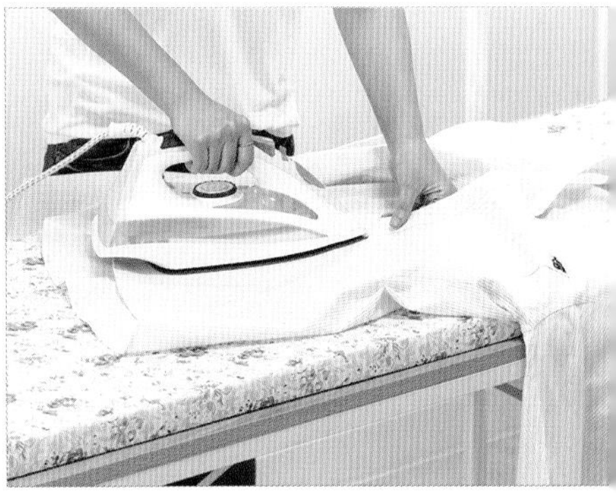

06 작품의 완성도는 다림질에서 결정!
아이론 매트(다리미 스펀지)

아무리 봉제를 잘했어도 다림질이 어색하면 완성도도 떨어지고, 멋진 라인을 만들기 힘들죠! 안정감있는 넓은 사이즈, 내구성과 실용성 만점인 아이론 매트는 원하는 예쁜 원단으로 커버링을 해주면 디자인까지 만점이 되는 강력 아이템!

SIZE 약 60X45cm / 약 150X50cm, 두께 약 3cm
PRICE 9,000 / 17,000 won

〈상품구매처〉 패션스타트 / 패션스타트 대리점 / 심플소잉 / 심플소잉 대리점 / 퀼트스타 / 그외 온 · 오프라인

초보자의 눈으로 개발하는
실물 패턴전문 브랜드 패턴인!

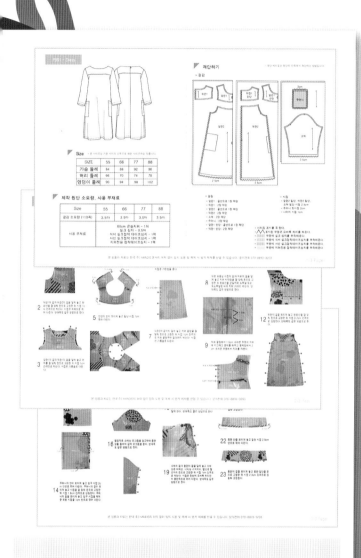
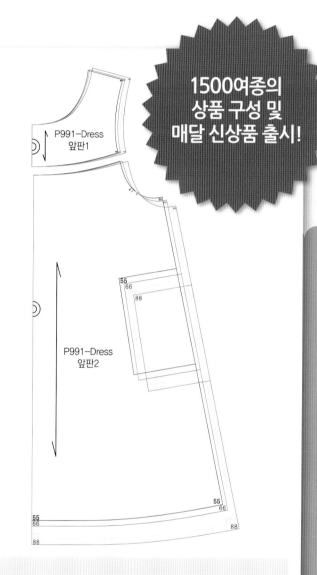

SEWING HARUE

프로페셔널 기획과 짜임새 있는 완성도를 바탕으로
2009년 한국 최초의 소잉 D.I.Y 잡지로 창간된 "소잉 하루에" 시리즈는
현재는 단행본 형식으로 변경하여 매 시즌 트렌디한 아이템들로 기획, 매년 3회씩 발간하고 있습니다.

"ONLY" SEWING HARUE series

친절한
sewing
tip

&

차근차근
일러스트/사진
설명서

&

편리한
실물크기
패턴 부록

한국 소어들의 니즈와 체형에 딱 맞는 아이템들로 기획, 제작한 <소잉 하루에> 시리즈를 지금 만나보세요.

SEWING HARUE vol. 26	**SEWING HARUE vol. 27**	**SEWING HARUE vol. 28**

네 가지 스타일의
핸드메이드 여성복

32작품 수록 / 144쪽 / 정가 18,000원
실물크기 패턴 2매(4면) 32작품 수록

[네 가지 스타일의 핸드메이드 여성복]에서는 네 작가들의 각각의 취향과 마음을 담은 작품들을 소개합니다. 작가별로 8작품씩, 총 32작품을 수록 하고 있어 다양한 스타일의 아이템을 한 권으로 만날 수 있습니다. 나의 취향을 발견해보세요.

Daily lady's closet
사계절 핸드메이드 여성복

20작품 수록 / 120쪽 / 정가 18,000원
실물크기 패턴 2매(4면) 20작품 수록

[Daily lady's closet 사계절 핸드메이드 여성복] 에서는 일 년 내내 다양하게 레이어드하여 즐길 수 있는 여성복 상의와 원피스, 하의, 아우터, 소품 총 20작품을 수록했습니다. 간편하면서도 감각적인 데일리 룩을 만나보세요.

직접 만들어 입고 싶은
COUPLE LOOK 20

20작품 수록 / 108쪽 / 정가 18,000원
실물크기 패턴 2매(4면) 20작품 수록

[직접 만들어 입고 싶은 COUPLE LOOK 20] 에서는 사랑하는 사람과 함께 즐길 수 있는 커플 룩을 주제로 남/여 의상 20작품을 10가지 커플룩 으로 수록했습니다. 사랑하는 사람과 함께 세상에 단 하나뿐인 커플 패션을 즐겨보세요.

SEWING HARUE vol. 20

Man & Kid Clothes
트렌디한 남성복 만들기

29작품(아동 6작품) 수록 / 112쪽 / 정가 16,000원
실물크기 패턴 2매(4면) 29작품(아동 6작품) 수록

[매일 입고 싶은 핸드메이드 여성복 만들기]에서는
이지 캐주얼 스타일의 다양한 남성복과 소품을
소개합니다. 아이와 함께 커플룩으로 입을 수 있는
아이템도 수록되어 있습니다. 세상에 하나뿐인
옷을 만들어 소중한 사람에게 선물해 보세요.

SEWING HARUE vol. 21

리넨으로 만드는
엄마와 딸의 커플룩 36

14작품 수록 / 88쪽 / 정가 17,000원
실물크기 패턴 2매(4면) 14작품 수록

[매일 입고 싶은 핸드메이드 여성복 만들기]에서는
실루엣이 예쁜 다양한 여성복을 한 권에 담았습니
다. 여성들에게 사랑 받는 아이템인 블라우스부터
원피스, 스커트, 팬츠 등 다양한 아이템이 총 14종
수록되어 있습니다. 소잉에 도전해보세요.

SEWING HARUE vol. 22

미네와 함께 하는
'우리 가족 소잉 소품과 의상'

14작품 수록 / 88쪽 / 정가 17,000원
실물크기 패턴 2매(4면) 14작품 수록

[매일 입고 싶은 핸드메이드 여성복 만들기]에서는
실루엣이 예쁜 다양한 여성복을 한 권에 담았습니
다. 여성들에게 사랑 받는 아이템인 블라우스부터
원피스, 스커트, 팬츠 등 다양한 아이템이 총 14종
수록되어 있습니다. 소잉에 도전해보세요.

SEWING HARUE vol. 23

정성이 깃든
우리 가족 한복 만들기

14작품 수록 / 88쪽 / 정가 17,000원
실물크기 패턴 2매(4면) 14작품 수록

[매일 입고 싶은 핸드메이드 여성복 만들기]에서는
실루엣이 예쁜 다양한 여성복을 한 권에 담았습니
다. 여성들에게 사랑 받는 아이템인 블라우스부터
원피스, 스커트, 팬츠 등 다양한 아이템이 총 14종
수록되어 있습니다. 소잉에 도전해보세요.

SEWING HARUE vol. 24

깔끔한 실루엣의
원피스 만들기 25

25작품 수록 / 120쪽 / 정가 16,000원
실물크기 패턴 2매(4면) 25작품 수록

[깔끔한 실루엣의 원피스 만들기 25]에서는 기본
원피스, 주름 원피스, 프린세스 원피스, 랩 원피스,
셔츠 원피스, 소품 총 6가지 테마의 원피스와 소품
25작품을 한 권에 담았습니다. 아름다운 실루엣이
가득한 원피스 작품들을 만들어보세요!

SEWING HARUE vol. 25

편안하고 특별한
핸드메이드 여성복

31작품 수록 / 136쪽 / 정가 18,000원
실물크기 패턴 2매(4면) 31작품 수록

[편안하고 특별한 핸드메이드 여성복]에서는 나의
일상을 채워 줄 다양한 스타일의 여성복을 소개합
니다. 베스트, 티셔츠, 블라우스, 셔츠, 자켓, 하의
총 6가지 테마의 작품 31종을 수록하였습니다.
일상 속 소잉의 즐거움을 느껴보세요.

**여러 구매처 및 온/오프라인 서점에서
다양한 <소잉 하루에> 시리즈를 만나 보세요!**

패션스타트

심플소잉

퀼트스타

패턴인
스마트스토어

SEWING STORY

핸디스 소잉스토리 출판사는 소잉 D.I.Y 전문 출판사입니다. 개발 단행본 시리즈인 <소잉 하루에> 와, 일본에서 인기 있는 소잉 서적을 번역하여 출간합니다. 소잉 스토리 홈페이지에서 더 많은 출간서적을 확인해보세요.

소잉하는 사람의 마음과 손으로 짓는 책, 소잉스토리의 안목으로 선정한 번역서들을 만나보세요.

리넨으로 만드는
에이프런과 소품 36

36작품 수록 / 88쪽 / 정가 18,000원
실물크기 패턴 1매(2면) 36작품 수록

[리넨으로 만드는 에이프런과 소품 36]에서는 다양한 디자인의 여성 에이프런과 여성복. 커플로 코디할 수 있는 남성용. 아동용 에이프런과 소품을 한 권에 담았습니다. 나와 사랑하는 사람들을 위한 에이프런을 지금 만들어 보세요.

즐겨 입는
핸드메이드 여성복 35

35작품 수록 / 88쪽 / 정가 18,000원
실물크기 패턴 1매(2면) 28작품 수록

[즐겨 입는 핸드메이드 여성복 35]에서는 다양한 형태의 여성복을 소개합니다. 또한 나만의 코디를 돋보이게 해줄 가방과 브로치 등 소품들을 함께 담았습니다. 나만의 감성, 취향을 한껏 담은 핸드 메이드 패션을 즐겨보세요.

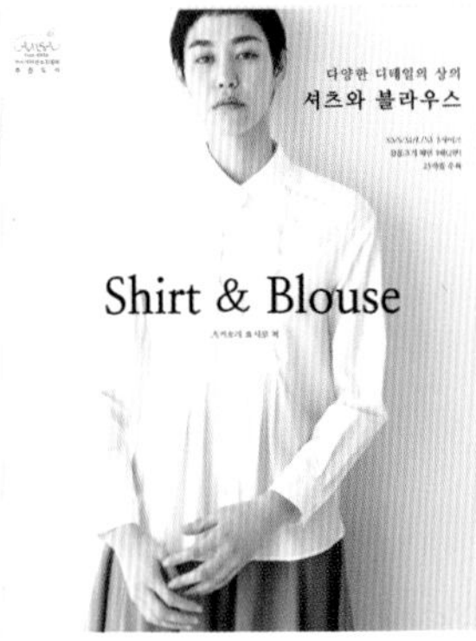

다양한 디테일의 상의
셔츠와 블라우스

25작품 수록 / 88쪽 / 정가 17,000원
실물크기 패턴 1매(2면) 25작품 수록

[다양한 디테일의 상의 셔츠와 블라우스]에서는 다양한 디테일이 담긴 여성 상의들을 소개합니다. 소매의 형태부터 밑단 처리, 핀턱 장식 등 소잉에 유용한 디테일이 담긴 작품이 25종 수록되어 있습니다. 내가 원하는 디테일을 골라 만들어보세요.

매일 입고 싶은
핸드메이드 여성복 만들기

14작품 수록 / 88쪽 / 정가 17,000원
실물크기 패턴 2매(4면) 14작품 수록

[매일 입고 싶은 핸드메이드 여성복 만들기]에서는 여성들에게 사랑받는 아이템인 블라우스부터 원피스, 스커트, 팬츠 등 다양한 아이템 14종을 All Color 사진 제작 설명서로 수록했습니다. 일상을 함께 하고 싶은 여성복을 직접 만들어보세요.

내 아이를 위한
사랑스러운 아동복 만들기

15작품 수록 / 80쪽 / 정가 16,000원
실물크기 패턴 2매(4면) 15작품 수록

[내 아이를 위한 사랑스러운 아동복 만들기]에서는 귀여운 디테일로 가득한 아동복 15종을 한 권에 담았습니다. 90~120 4사이즈의 실물크기 패턴이 수록되어 있어 쉽게 작품을 만들 수 있습니다. 소중한 내 아이를 위한 아동복을 만들어보세요.

직접 만드는
나만의 핸드메이드 스커트 25

25작품 수록 / 88쪽 / 정가 16,000원
실물크기 패턴 1매(2면) 25작품 수록

[직접 만드는 나만의 핸드메이드 스커트 25]에서는 다양한 디자인의 스커트를 한 권에 모았습니다. 총 25종이 수록되어 있으며, S~LL 4사이즈의 실물 크기 패턴이 수록되어 있어 쉽게 작품을 제작할 수 있습니다. 나만의 하나뿐인 스커트를 만나보세요.

여러 구매처 및 온/오프라인 서점에서 다양한 소잉스토리 서적들을 만나 보세요!

패션스타트

심플소잉

퀼트스타

패턴인 스마트스토어